S0-ATL-941

Нота

Dorman, Oleg.
Nota : zhizn. Rudol.fa
Barshai.a., rasskazanna
2013.
33305231625314
bk   10/27/14
WITHDRAWN

Нота

Жизнь Рудольфа Баршая,

рассказанная им

в фильме Олега Дормана

издательство **АСТ**

Москва

УДК 78.071.2 (092)
ББК 85.315
    Б26

Художественное оформление и макет Андрея Бондаренко

Дорман, Олег

Б26   Нота. Жизнь Рудольфа Баршая, рассказанная им в фильме Олега Дормана /Олег Дорман. — Москва : АСТ : CORPUS, 2013. — 352 с.

ISBN 978-5-17-079729-5

Дирижер Рудольф Баршай принадлежал к плеяде великих музыкантов XX века. Созданный им в конце пятидесятых Московский камерный оркестр покорил публику во всем мире. Постоянными партнерами оркестра были Святослав Рихтер, Давид Ойстрах, Эмиль Гилельс. На пике карьеры в 1977 году Баршай уехал на Запад, чтобы играть сочинения, которые были запрещены в СССР. Он руководил оркестрами в Израиле и Великобритании, Канаде и Франции, Швейцарии и Японии. На склоне лет, в Швейцарии, перед камерой кинорежиссера Олега Дормана Баршай вспоминает о своем скитальческом детстве, о юности в годы войны, о любви и потерях, о своих легендарных учителях, друзьях, коллегах — Д. Шостаковиче, И. Менухине, М. Ростроповиче, И. Стравинском, — о трудностях эмиграции и счастливых десятилетиях свободного творчества.

Книга создана по документальному фильму "Нота", снятому в 2010 году Олегом Дорманом, автором "Подстрочника", и представляет собой исповедальный монолог маэстро за месяц до его кончины.

УДК 78.071.2 (092)
ББК 85.315

ISBN 978-5-17-079729-5

©   О. Дорман, 2013
©   С. Волков, предисловие, 2013
©   А. Бондаренко, художественное оформление, макет, 2013
©   ООО "Издательство АСТ", 2013
     Издательство CORPUS ®

Соломон Волков
Высокая "Нота":
Рудольф Баршай вспоминает

ОБ ЭТОЙ "НОТЕ"

Эта книга — монолог замечательного музыканта Рудольфа Борисовича Баршая (1924–2010), записанный кинорежиссером Олегом Дорманом в 2010 году в Швейцарии, незадолго до смерти Баршая.

Часть этого монолога может быть знакома тем телезрителям, которым посчастливилось увидеть показанный в 2012 году каналом "Культура" проникновенный фильм Дормана "Нота". Но полный текст воспоминаний Баршая появляется только сейчас. И это — событие огромной важности.

Друзья Баршая, легендарные музыканты — скрипач Давид Ойстрах, пианист Эмиль Гилельс, виолончелист Мстислав Ростропович — своих мемуаров нам не оставили, по разным и сложным причинам. Это потеря огромная, невосполнимая. Тем драгоценнее воспоминания Баршая, охватывающие огромный временной отрезок (с рождения и до последних лет жизни) и до краев наполненные накрепко врезающимися в память — когда трагическими, а когда комическими — эпизодами и яркими деталями.

В совокупности это — беспрецедентная картина советской музыкальной жизни. И одновременно — волнующий автопортрет одного из ведущих ее творцов.

БАРШАЙ КАК ЛИЧНОСТЬ

С Баршаем и его женой Еленой мне довелось встретиться (и, надеюсь, подружиться) в 1987 году в Лондоне. Это случилось в дни презентации на тамошнем кинофестивале фильма *Testimony* ("Свидетельство"), снятого британским кинорежиссером Тони Палмером по мемуарам композитора Дмитрия Дмитриевича Шостаковича, мною записанным в СССР, но опубликованным впервые на Западе.

Баршай, который к этой книге отнесся с большим энтузиазмом, стал фактически музыкальным руководителем фильма, записав для него в качестве дирижера несколько монументальных произведений Шостаковича. Эти интерпретации весьма поспособствовали успеху проекта.

Мы тогда поселились в доме Палмера и прогуливались по вечерам с Баршаем. Он много и охотно рассказывал о Шостаковиче, называя его, как все близкие друзья, Д. Д. Эти рассказы собраны теперь в "Ноте", где они приобрели особую стереоскопическую выпуклость, свойственную хорошим живописным портретам, когда кажется, что изображенное лицо сейчас выпрыгнет из рамы.

Я, разумеется, и до того много раз видел Баршая в концертах созданного им в 1955 году Московского камерного оркестра, но не было оказии познакомиться. И вот теперь в Лондоне судьба наконец свела меня с человеком, о котором я столько слышал, в том числе и от музыкантов баршаевского коллектива. (А это, надо заметить, были фигуры незаурядные. В тогдашней Москве их почитали, как об этом вспоминал недавно в разговоре со мной Родион Щедрин, за настоящих звезд. Это был редкостный ансамбль солистов.)

Что меня тогда, помнится, поразило, — это насколько европейской личностью оказался Баршай. Передо мной был персонаж немецкого склада, такой "герр профессор", но эту врожденную и очень импозантную серьезность окрашивало чисто английское чувство юмора.

Рассказы Баршая можно было слушать с почтением и доверием, но он не давил на собеседника ни своим авторитетом, ни эрудицией: драгоценное для повествователя качество, отчетливо проступающее в монологах "Ноты".

СТАРАЯ МУЗЫКА И НОВАЯ ЭЛИТА

Это особенно важно потому, что Баршай ведет здесь речь о вещах весьма важных. Он размышляет о судьбе так называемой высокой музыки (то есть музыки классической западной традиции) в прошлом и настоящем: о том, как ее играли и воспринимали в Советском Союзе, и о том, что с ней происходит сегодня.

Почему это нас должно волновать? Зачем нам знать то, что рассказывает Баршай о Бахе, Густаве Малере и других своих любимых композиторах? Я, например, знаю очень приличных людей, проживших насыщенную и успешную жизнь без того, чтобы услышать хотя бы одну ноту из Малера.

Но меня не покидает ощущение, что эти люди, сами того не сознавая, обокрали себя. Они не испытали того ни с чем не сравнимого экстаза, в который погружает даже неофита счастливое (в старом смысле этого слова) исполнение малеровской симфонии.

В сегодняшней России быстрым темпом — как всегда бывает в этой стране в переломные эпохи — идет формирование новой элиты. Этим людям от 20 до 40 лет. В основном они выросли в обеспеченных, привилегированных семьях. Они получили (как и их родители) хорошее образование. Но есть у них с родителями и существенная разница. Они могут быть, если захотят, гражданами мира.

В СССР слово "космополит" было бранным. Сейчас оно — *brand name*. Для современного российского космополита, пусть он даже живет в провинции, весь мир — его устрица, как любят говорить на Западе. Его вкусы — по крайней мере, в идеале — широки и всеядны. Он может любить рок, джаз, поп-музыку, французский шансон и "шансон" русский. Ему интересно прийти и в Мариинский театр, и на спектакль Лаборатории Дмитрия Крымова. И конечно, в круг его увлечений будут входить и музыка барокко (которую в свое время именно Баршай укоренил на русской почве), и симфонии Малера...

О ГУСТАВЕ МАЛЕРЕ, СТРАННОМ ГЕНИИ

Когда-то признаком высокой культивированности вкусов человека была их принципиальная узость, эксклюзивность. Теперь — напротив, инклюзивность.

Но как не потонуть в этом огромном, слепящем, переливающемся всеми цветами радуги океане культуры? Для этого практически каждый из нас сверяется с мнением каких-то важных для нас людей. Кому-то повезло, и он может выслушать их устные рекомендации. Другие обращаются к книгам.

К числу подобных незаменимых книг-компасов я с благодарностью присоединю теперь воспоминания Баршая. Потому что о том же Малере, к примеру, немного у нас издано такого, что помогло бы ощутить все величие, необычайность и насущную необходимость его творений.

Малер — демоничен. Но через него с нами говорят ангелы. Малер трагичен. Но он дает нам последнюю надежду. Все это можно услышать в симфониях Малера.

Но при этом Малер для русских меломанов — то, что называется *acquired taste*, "приобретенный вкус". В России Малера так никогда и не прижали к сердцу, как это произошло с Моцартом, Бетховеном или Шопеном.

Малера у нас очень рано оценили как великого дирижера. Чайковский еще в 1892 году в письме из Гамбурга на родину сообщал о "гениальном" местном капельмейстере по фамилии Малер. Но музыки его Чайковский не знал. Если бы услышал, то, вполне возможно, оценил бы родственную мятущуюся и возвышенную душу, тоскующую в поисках ускользающего идеала.

Множество обидных шуточек ("маляр", "малярия" и проч.) в адрес своего кумира вдоволь наслушался один из самых страстных русских почитателей Малера — Шостакович. Он всегда говорил, что с собой на необитаемый остров взял бы именно партитуру Малера, а на вопрос о любимой симфонии Малера начинал перечислять их подряд, начиная с Первой.

К Малеру Шостаковича приохотил его друг, музыковед Иван Соллертинский, о котором Баршай тоже вспоминает. Соллертинский доказывал, что Малер — это Достоевский, пересказанный языком "чаплиниады". (Большое изображение Чаплина на стене швейцарского дома Баршаев можно увидеть в дормановском фильме "Нота".)

Об особом интересе Малера к Достоевскому хорошо известно, он всегда советовал друзьям читать его романы. Русские критики почти сразу заговорили о присущей малеровской музыке и идущей от Достоевского "притягательности ужаса".

Но о Чаплине Соллертинский вспомнил, конечно, в связи с Шостаковичем. Именно Шостакович соединил в своих симфониях Малера и Чаплина и таким парадоксальным образом приблизил к нам эту ветвь австро-немецкой музыкальной традиции.

О ЛОКШИНЕ И ВЕЗЕНИИ

Одна из важных тем размышлений Баршая — пути и перепутья мировых музык, их неожиданные переплетения и скрещения, часто приносящие заманчивые, хотя и терпкие плоды. И здесь возникает трагическая фигура ближайшего друга Баршая — композитора Александра Локшина.

Баршай был убежден, что Локшин — гений. С ним в этом были согласны такие авторитеты, как Шостакович и Мария Вениаминовна Юдина, великая пианистка. Почему же мы так редко слышим музыку Локшина? "Нам не дано предугадать, как слово наше отзовется", — это понятно. Но возможно и такое предположение: Локшин был западником. Его корни —

в музыке Малера и Альбана Берга. А такие диковинные растения до сих пор с трудом приживаются на отечественной почве.

Для победоносного вхождения в канон нужны многие обстоятельства. Одно из них — везение, *luck*, как говорят на Западе. Для музыки Локшина такой момент еще не настал. Но усилия Баршая — и как дирижера, осуществившего премьеры шести из одиннадцати симфоний Локшина, и как мемуариста — приближают эту возможность.

"ПРИКАЗ" ШОСТАКОВИЧА: ДЕЛО ЖИЗНИ БАРШАЯ

В Шостаковиче меня всегда удивляла и одновременно умиляла одна его особенность. Он страшно волновался за судьбу своих манускриптов. Закончив новое произведение и отдав его на переписку, он не спал ночами, думая о том, сможет ли восстановить рукопись, если ее вдруг потеряют. Шостаковича также очень заботила мысль о том, что случится с его очередным опусом, если ему по какой-то причине не удастся его завершить: он серьезно заболеет или даже умрет — мало ли что? Он держал в голове особо доверенных музыкантов (два-три человека), которые в подобном экстренном случае могли бы окончить начатое. Баршай был в числе таких возможных "завершителей".

Шостакович предупреждал Баршая о том, что рассчитывает на него в этом смысле: речь шла о его Четырнадцатой симфонии, премьеру которой (Шостакович эту симфонию благополучно закончил) с огромным успехом провел опять же Баршай в 1969 году.

Идея "завершения" очень сильна в русской музыкальной традиции. Так Римский-Корсаков довел до конца неоконченную оперу Мусоргского "Хованщина". "Князь Игорь" Бородина был дописан Римским-Корсаковым и Глазуновым. Сам Шостакович, помимо собственной редакции "Хованщины", с любовью завершил и оркестровал оперу "Скрипка Ротшильда" по Чехову своего ученика Вениамина Флейшмана, погибшего на фронте.

Поэтому неудивительно, что Шостакович буквально приказал Баршаю закончить "Искусство фуги" — последнее сочинение Баха. Д. Д. сказал Баршаю: "Вы ведь знаете, что Бах был человек суровый, строгий. Я себе хорошо представляю, как он был бы возмущен, что вы играете его произведение без окончания".

То есть Шостакович просто поставил себя на место Баха! Если кто и имел на это право, так это он. И этот приказ Шостаковича Баршай выполнил. Завершение "Искусства фуги" Баха (и Десятой симфонии Малера — любимого композитора Шостаковича) стало, по свидетельству Баршая, главным делом его жизни, растянувшимся на десятилетия, трудом мучительным и радостным.

"ВОСКРЕШЕНИЕ ПРЕДКОВ"

Эта идея "завершения" смыкается с другой, чисто русской идеей "воскрешения предков" религиозного философа-космиста Николая Федорова (1829–1903). Федоров считал, что стремление к такому воскрешению есть наш долг перед предками, наша "самая высшая и безусловно всеобщая нравственность, нравственность естественная для разумных и чувствующих существ". От исполнения этого "долга воскрешения", настаивал Федоров, зависит судьба рода человеческого. С ним в этом полностью соглашались такие титаны религиозной мысли, как Владимир Соловьев и Лев Толстой.

Через сотню лет идеи Федорова аукнулись в разговорах со мной Иосифа Бродского, когда он вспоминал о похоронах Ахматовой. Все в Бродском воспротивилось услышанному им тогда в одной из надгробных речей: "с уходом Ахматовой кончилось…"

"Ничто не кончилось, ничто не могло и не может кончиться, пока существуем мы" — так высказался тогда Бродский. И действительно, своими писаниями и воспоминаниями

Бродский помог продлить бытие Ахматовой для следующих поколений, тем самым ее "воскрешая".

Такой же была жизненная цель Рудольфа Баршая. Он помог воскрешению для нас Баха и Малера. А его самого воскресил для всех нас Олег Дорман своей "Нотой" — фильмом и книгой. Низкий им за это поклон.

Слова благодарности

Мы можем прочесть эту книгу благодаря доверию и откровенности Рудольфа Борисовича Баршая, его готовности потратить на нас время в последние месяцы своей жизни.

Хочу выразить глубокую благодарность Елене Сергеевне Баршай-Расковой за помощь и поддержку, без которых не было бы ни фильма, ни книги.

Сердечное спасибо сыновьям Рудольфа Борисовича — Владимиру, Льву и Александру, а также коллегам Баршая по Московскому камерному оркестру — Михаилу Тайцу и Науму Зайделю, которые с готовностью отвечали на мои вопросы, уточняя хронологию, имена и некоторые подробности повествования;

Александру Александровичу Локшину, разрешившему опубликовать здесь переписку своего отца с Р. Б. Баршаем;

Вере Павловой за нашу встречу с Р. Б.;

Феликсу Дектору, лучшему продюсеру на свете;

Екатерине Дорман, с которой мы все делали вместе;

Инне Алексеевне Барсовой, крупнейшему знатоку творчества Малера;

Сергею Шумакову, показавшему фильм на телеканале "Культура";

режиссеру и музыканту Бруно Монсенжону;

Марии Шпониной, хранительнице архива Московской филармонии;

Тасе Круговых, Сергею Пархоменко, Елене Каллистратовой, Елене Палаш, Ирене Томмен, Рите Ураловой, Юлии Ароновой, Марине Фроловой-Уокер, семье Золотухиных, семье Брагинских, Людмиле Голубкиной, Ксении Старосельской, Виллену Кандрору, Михаилу Богину, семье Радзивонов, семье Рудницких, Ивану Кузину, Леониду Гиршовичу, Марии и Анне Сорокиным, Дмитрию Ситковецкому;

компании *Brilliant Music*;

компании *EuroArts*.

Спасибо Варе Горностаевой за то, что мы держим эту книгу в руках, и еще за многое.

Моя глубокая признательность редактору Ирине Кузнецовой, музыкальному редактору Елене Двоскиной и Соломону Волкову, написавшему предисловие.

Особая благодарность Людмиле и Инне Бирчанским.

Посвящаю свою работу моему сыну Давиду Дорману.

Олег Дорман

Нота

Мeня зовут Баршай Рудольф Борисович. Я музыкант. Больше тридцати лет тому назад я уехал из Советского Союза, и после некоторых странствий мы с женой поселились в Рамлинсбурге. Это поселок, по здешним понятиям — деревня, неподалеку от Базеля, в Швейцарии. Мою жену зовут Баршай-Раскова Елена Сергеевна. Она органистка.

Здешние места, очень красивые, иногда напоминают те, где я рос ребенком. Тут есть одна гора, совсем как там была у нас, в станице Лабинской — Железная гора. Когда я гуляю и иду мимо, то, бывает, очень волнуюсь.

Боюсь, у меня ничего бы не было в жизни, если бы там остался, в России. Пустая была бы жизнь. Чего не было бы? Не было бы записей Малера, не было бы его Десятой симфонии. Работа над окончанием этой гениальной, великой симфонии — большая часть моей жизни. Если в жизни я сделал что-либо очень ценного, то это две вещи. Первая — "Искусство фуги" Баха, второе — Десятая Малера: окончание того и окончание другого. Я больше всего благодарен судьбе, благодарен Богу за то, что мне разрешили прикоснуться к этой великой музыке.

Сейчас мне восемьдесят шесть лет. К сожалению, я уже несколько месяцев не дирижирую, подвело немножко здоровье, но я буду в октябре выступать на концерте в Горише, под Дрезденом. Мне там вручают какую-то премию, но главное, я буду играть свое переложение для оркестра Восьмого квартета Шостаковича в том самом месте, где Дмитрий Дмитриевич написал эту музыку. Его тогда, чтобы сделать председателем Союза советских композиторов, принудили вступить в коммунистическую партию. Это была страшная беда для него. Дмитрий Дмитриевич поехал в командировку в этот самый Гориш и написал там квартет с тайным эпиграфом, который открыл только в письме своему близкому другу: "Памяти создателя этой музыки посвящается". Это трагическая и великая музыка. Когда сам Шостакович прочитал то, что сочинил, он заплакал. И вот мы будем с оркестром играть.

Но еще до октября я должен сдать в издательство "Сикорски" работу, которой я сейчас живу. Я внес много новых поправок в оркестровку "Искусства фуги" Баха, надо перевести их в чернила, и, честно говоря, я поступил легкомысленно, когда назначил наши съемки на это время. Но я подумал, что рассказать о прожитом, на русском языке, вспомнить людей, которым я обязан, — когда еще представится такая возможность? Мне кажется, я должен это сделать.

1

Мама была дочкой атамана Кубанского войска. Жили они в станице Лабинской. Речка Лаба — приток Кубани. Атаман — это очень высокий чин, и, соответственно, мама получила очень хорошее образование. Он отправил свою дочку в Майкоп, в лицей благородных девиц. Там она изучала языки, немножко музыку, играла на рояле — была очень образованная девица. А кроме того, говорили, что казачка Мария — самая красивая женщина на Кубани. И правда, так оно и было, мама была очень красива. И папа потерял голову. Он приехал в эту станицу по делам каким-то, он был коммивояжер, такой, знаете, командировочный, ездил по делам фирмы. И влюбился, потерял голову. И женился.

Звали его Бенджамином, Беньямином по-еврейски. С таким именем в дальнейшем жить он не рискнул. При советской власти за такие имена преследовали. Он изменил имя. Думаю, это не очень страшно — это ведь не то что изменить Богу. Папин старший брат Арон геройски воевал в Первую мировую, и генерал ему сказал: "Арон, крестись, большую карьеру в армии сделаешь". На что этот умница Арон ответил: "Ваше превосходительство, если я изменю своему Богу, то могу изменить и царю-батюшке, а этого я бы никогда не хотел". Генерал похлопал его по плечу, сказал: "Молодец, Арон!" — и потом всячески ему помогал.

Мама вышла замуж за еврея не по случайности. Ее отец, главный атаман казачий Давид Алексеев, был субботником, он принял еврейскую веру. И за ним вся станица последовала. Они там все были субботники. В станице был особый дом, синагога, куда все эти казаки ходили молиться. Помню, как они наматывали себе на руку специальный кожаный ремешок, на лоб — коробочку со священными текстами внутри, и молились.

Дед верил глубоко, искренне, дома все обряды строго соблюдались. Если увидит на столе одновременно мясное и молочное — мог кухню разнести. И вот он хотел, чтобы мама вышла замуж за еврея. Но до свадьбы их не дожил, умер от эпидемии оспы, оставил вдову, бабушку Веру, с четырьмя дочками, мамиными сестрами, и два дома. На свадьбу бабушка подарила один из этих домов маме и отцу.

Папа был родом из местечка Свислочь в Белоруссии. Его предки, как я знаю, пришли туда из Венгрии, Баршай — распространенная фамилия в Венгрии. Возле будапештской консерватории даже есть улица Баршая — Баршай Уца. И местные все меня пытали: "Ну, признайся, Рудольф, что ты мадьяр". Ни фига. Не мадьяр.

Папин отец был мудрейший человек. Звали его Вульф Баршай. Он был в тех местах вроде третейского судьи, пользовался огромным уважением. Мы к ним ездили несколько раз с папой и мамой. Местные дамы маму плохо приняли. И еврейки, и белоруски, они там заодно были, за что-то ее невзлюбили, и мама очень переживала. Однажды я вытирал свои игрушки — у меня был такой ритуал, раз в неделю я наводил порядок и протирал тряпкой все игрушки, — а мама с дедушкой Вульфом сидела в другой комнатке за столом и плакала. Я не знал, что поделать. Я маму любил нежно, страстно, самозабвенно, и мне всегда так было больно, если ей что-то не так… А дедушка положил ладонь ей на руку и говорит: "Не плачь, Мария, не плачь, милая, они так отнеслись к тебе только потому, что ты очень красивая. Ты такая красивая, каких на свете мало, и поэтому женщины завидуют. Ты их пойми и постарайся простить". Вот так он говорил, и постепенно мама успокаивалась, успокаивалась. Он встал, обнял ее и привел ко мне: поиграй лучше с сынишкой.

У папы было несколько братьев. Один поехал в Одессу, стал очень образованным человеком и сделался известным книготорговцем. Он умер еще до войны. А другой брат тоже был книжником, его в России хорошо знали: он стал директором Коллектора массовых библиотек. И благодаря ему я в свое время смог прочесть книги, которые очень мало кто в Советском Союзе имел право читать. Они издавались специально для высшего партийного аппарата, для номенклатуры. Мемуары Черчилля, например.

Детство я провел в раю, до четырех лет. Это что-то удивительное, какая была там прелесть, в нашей Лабинской. Какая зелень, какие там были фрукты, какие там были арбузы! Сидим за столом, и папа говорит нашей работнице, Дусе: смотри-ка, Дуся, телега идет, арбузы везут. Сбегай, пожалуйста, узнай, сколько за всю телегу он хочет. Дуся сбегала, вернулась. Пятнадцать рублей вся телега. Значит, по семь копеек за арбуз. Другой наш работник головой качает: "Дороговато. А ну, я сбегаю, может, он за десять телегу отдаст". Побежал, вернулся, говорит: уже купили все. А через пять минут еще телега едет.

Бабушка меня очень любила, баловала, стремилась что-то для меня приятное сделать. Однажды позвала на рыбалку. Пойдем, говорит, на Лабу, я купила снасти. Только сначала червяков накопаем. Пошли с ней в огород, накопали червяков, положили в банку, отправились на реку. По дороге встретили знакомого казака. Он посмотрел в банку и говорит: "Надо ж, какие червяки жирные. Сам бы съел — да рыбе надо!" Смешно, правда? В простом народе, знаете, в деревнях, очень много людей и занятных, и приятных, и остроумных по-своему. И нет оснований над их остроумием посмеиваться свысока, можно только восхищаться им.

Потом начались репрессии. Это год двадцать восьмой — двадцать девятый. Репрессировали, главным образом, семьи состоятельных землевладельцев, каким, конечно, был мой покойный дед-атаман. Всякий, кто имел собственный дом, подлежал репрессиям. Расстреливали или ссылали в Сибирь. Оставаться было опасно для жизни. И однажды папа пришел к нам и сказал: дети мои, сегодня ночью в четыре часа будет за нами подвода, "линейка", мы уезжаем отсюда навсегда. Собирайте только самое важное, берите теплые вещи.

Помню, как я сидел на верху груды чемоданов и узлов, повязанный бабушкиным платком. Было холодно, в горах уже выпал снег.

Всю жизнь я мечтал снова оказаться в Лабинской. И спустя много лет, уже будучи дирижером, приехал с оркестром на гастроли в эти места. Мы давали концерт в Пятигорске. На него пришли казаки, послушали, похлопали, потом подошли ко мне: "Дирижер, ты откуда родом?" — "Из Лабинской". — "Ну точно, он. Пойдешь после концерта к нам ужинать, мы твои родственники. Друзей приводи".

Сидим, выпиваем, мне говорят: "Сейчас придет двоюродный дед твой, брат Давида Алексеева. Он совсем старенький, мы хотели за ним сходить, привести, но он сказал, что казак и может сам дойти". Казаки ведь гордые очень.

Дверь открывается — стоит дед. Щупленький, маленький, в сапогах, в казачьей форме. Остановился в дверях, стоит и смотрит на меня. Потом говорит: "Руня, это ты?" Я говорю: "Я". — "А ты помнишь, как я тебя на коленях держал?" — "Помню".

И он заплакал. Стоя в дверях, этот казак заплакал.

2

Папа повез нас — меня, маму и бабушку Веру — в Среднюю Азию, в Ташкент. Вероятно, уже тогда люди по опыту знали, что если уехать подальше от родных мест, то ЧК не будет разыскивать: еще неважно у них была связь налажена. В Ташкенте мы где-то поселились, папа поступил на бухгалтерские курсы, но вскоре вдруг встретил на улице человека, которого знал по прежней жизни. Это наверняка была чистая случайность. Тем не менее папа в ту же ночь увез нас из Ташкента. Он боялся. Опасался, что человек может нас выдать или даже что он нарочно за нами послан вдогонку. И потом это повторялось: стоило папе встретить знакомого из России — он немедленно переезжал с нами в другой кишлак.

Мы скитались, папа искал работу, узбеки, удивительные, загадочные, в длинных своих халатах, были очень добры, неторопливо кивали, слушали папу — не знаю, как ему удавалось с ними разговаривать, наверное, на курсах он все-таки кое-что выучил по-узбекски, — и наконец — удача: в одном кишлаке срочно нужен бухгалтер в хлопко-водческий совхоз.

ГЛАВА 2

Кишлак назывался Чиназ. Дюжина домов, сложенных из кизяка. Кизяки знаете что такое? Навоз сушеный. Вот в таком доме мы поселились. Он имел единственное отверстие, дыру в стене, которая служила и окном, и дверью. Мама на нее занавесочку повесила. Была еще вторая дырка, в потолке, которая служила дымоходом, чтоб через нее дым выходил, так как готовить надо было на огне прямо в комнате. Зимой через эту дырку хлестал дождь.

Помню, сижу на полу с игрушками, а мама стоит у очага, готовит, и у нее слезы текут. От дыма как будто, но я понимаю, что она плачет. Я подбежал, обнял ее, хотел успокоить — ну, мальчишка, сколько мне было — пять, шесть лет... Но чем больше успокаивал, тем сильнее она плакала. Сейчас я вспоминаю это, как будто снова ножом ведут по сердцу. Я не мог выносить, чтобы мама плакала. И еще — если они с папой ссорились. Это очень редко бывало, но один раз я застал, и от ужаса меня стала бить дрожь.

Узбеки приняли нас хорошо. Они оказались очень сердечными, дружелюбными людьми, хотя с виду казались суровыми. Будешь суровым, когда целый день надо собирать хлопок под палящим солнцем. А кроме того, папа стал бухгалтером колхоза, а бухгалтер в колхозе — главный человек, от него зависят все деньги, все распределения этих "трудодней", зарплаты. И нас часто приглашали в гости к самому директору совхоза. На ужин всегда был плов. Готовил его хозяин дома. Женщины только мыли потом посуду и делали шурпу. То есть в те же пиалочки, из которых мы ели плов, нам потом наливали суп, очень наваристый, из бараньей кости. Это было обязательно — после жирного плова есть горячий суп.

Мы, конечно, приходили втроем. Но женщины не имеют права сидеть с мужчинами за одним столом, поэтому меня с мамой усаживали отдельно, в соседней комнате. Узбечки были очень ласковы и со мной, и с ней. Вообще плов едят руками, закатывают рукав, жир течет, очень аппетитно. Но нам с мамой, к моему огорчению, давали ложечки и клали нам плов в отдельные миски, чтобы было удобнее есть. Это было наслаждение. Сколько потом в жизни я ни искал такого плова в лучших ресторанах мира, и даже в лучших узбекских ресторанах, — больше не повторилось.

3

В кишлаке под Бухарой начиналось строительство военного аэродрома. Требовался главный бухгалтер, и папа им подошел. Мы переехали.

Это уже была солидная, настоящая работа. У нас появилась своя корова. А за хорошее поведение папа однажды подарил мне ослика. Я немедленно решил съездить на нем в Бухару.

По дороге страшно хотелось пить. Мы с осликом останавливались в оазисах, там были колодцы, а рядом в корыте — вода для скота. Пока мой ослик пил, я вспоминал главу из Библии, которую читал нам дедушка: один раз в неделю дай отдохнуть и ослу своему. И я говорил ослику: пей, пей, отдыхай!

Бухара — сказочный город, фантастический, как мираж. Но по пути я страшно устал, жара была невыносимая, мне хотелось посмотреть все интересное: тут башня, с которой скидывали неверных жен, там минарет какого-то великого хана... В общем, в конце концов я снова сел на ослика и говорю: "Давай поедем домой, а?" — и заснул. И вот — вы не поверите, в это невозможно поверить — проснулся я во дворе нашего дома. Он меня привез сам. Нашел дорогу! И даже, видимо, не остановился попить в оазисе, а может, остановился, только я не слышал. Вот такой был милый ослик, такой умный, с такими навигаторскими способностями. Я его никогда не забываю. И когда мы с Леной сбиваемся с шоссе какого-нибудь или не знаем, где повернуть, я говорю: сейчас бы моего ослика сюда — он бы нам показал куда. И еще сержусь, если кого-нибудь называют ослом. Не надо обижать замечательное животное.

Мне бы, возможно, досталось за такое путешествие, но тем временем произошло нечто худшее: папа снова встретил знакомого из прежней жизни.

Папа вовсе не был трусоват, он просто остро чувствовал время. Он говорил: "Происходит революция, то есть перераспределение богатств. Один класс владел богатствами, теперь будет другой владеть. С этим придется считаться".

Мы быстро собрали вещи и переехали в Красноводск.

4

И отсюда папа каким-то мне неведомым образом связался (а может, они сами его нашли) с маминой сестрой тетей Лидой и ее мужем дядей Матвеем. Они пешком ушли из Ставрополя, бежали, в пути их маленький сын Давид получил воспаление легких и, когда добрались до Баку, умер. Они звали нас к себе в Баку, обещали найти отцу работу.

Красноводск стоит на берегу Каспийского моря. Мы сели на пароход и поплыли в Баку. Пароход был переполнен беженцами — узбеки, русские, украинцы, азербайджанцы, персы. С баулами, мешками, торбами — мало у кого был чемодан.

Ночевали мы на палубе. По пути у какого-то пассажира пропали часы. Заподозрили в этом одного матроса. Не то чтобы обвинили прямо, но заподозрили. Наступил вечер. Вдруг смотрю — в стороне от людей кто-то ходит по поручню палубы: туда-сюда. Вижу — этот вот парень, матрос. Он ужасно переживал. Вероятно, такой гордый, честный был человек. Я не успел никого позвать, как он прыгнул в воду. На пароходе объявили тревогу: человек за бортом. Остановили корабль. А парень поплыл. Спустили шлюпку — хотят ему помочь, поднять на борт. Тогда он сорвал с головы бескозырку, бросил ее в море подальше и плывет прочь. А шлюпка вдруг остановилась. Оказывается, это у моряков такой знак: если бросают бескозырку, значит — не спасайте меня.

Парень скрылся в темноте, а корабль стоял, капитан не давал отплытия. И все пассажиры стояли на палубе, смотрели в темноту, женщины плакали. Потом раздался долгий-долгий гудок, и пароход пошел.

Приплыли в Баку. Тетя Лида — такая же красавица, как мама, только более миниатюрная. Они с дядей встретили нас, усадили в фаэтон, там фаэтоны ходили, привезли к себе домой. Дядя отцу говорит: "Есть для тебя интересное место, но не в Баку, а в Кировабаде, поедешь?" — "Конечно поеду!"

Кировабад — это бывшая Гянджа, город на границе с Персией, известный тем, что там происходили колоссальные армяно-турецкие резни. Основные сражения шли на мосту через Гянджинку, и вода становилась красной от крови, это нам местные рассказывали. Кроме того, там, в Гяндже, бывали религиозные праздники. А у мусульман некоторые религиозные праздники очень жестокие. Например, шахсей-вахсей. Идут люди, один за другим, у каждого в руках цепь. И тот, который сзади, бьет переднего этой цепью по спине. Его самого тоже бьют. Они замаливают грехи таким образом. Разбивают друг друга в кровь. Бывает, люди погибают от побоев. Погибшего причисляют к праведникам. При большевиках, должен сказать, это прекратилось, многих религиозных фанатиков репрессировали.

Там, в Кировабаде, мне исполнилось семь лет и я пошел в школу. Учились мы на русском, но все мои друзья были тюрки, и я научился хорошо по-тюркски разговаривать. Самого моего большого друга звали Тургут. Он был старше, и в тринадцать лет ему, по мусульманскому обряду, сделали обрезание. Сколько буду жив, буду этот крик помнить. Бедный парень, как он орал, ой как он орал! Его дом был напротив, через двор, я все слышал. Мне было так его жалко — не могу передать. Он был чудесный парень, и вообще у меня осталось воспоминание о тюрках как об очень хороших людях, честных, смелых, порядочных, которым можно верить, они если что-то пообещают — сделают.

Папа мой приятельствовал там с одним человеком, который был по происхождению перс. Однажды он пришел к отцу и сказал: "Борис, отсюда надо сматывать как можно скорей, Сталин намерен объявить себя царем". Я был маленьким, меня не стеснялись, я слышал этот разговор. "У меня, — говорит, — есть товарищ, который за определенную сумму проведет нас через горы в Персию".

Мама была тогда больна, она подхватила бруцеллез, это страшная болезнь, которая передается, кажется, овцами, мама выпила зараженного молока. Ехать с ней, больной, с маленьким ребенком, с бабушкой, переходить через высокие горы, где холод, снег, ледники, папа не решился. А приятель тот ушел, и семья его с ним.

После этого оставаться в Кировабаде сделалось опасно. Все знали, что папа водил дружбу с этим персом. За папой начали следить. Попытались завербовать. Он отказался и сказал маме: просто так не отвяжутся, надо скорее уезжать.

Тем временем приходили весточки от кубанских, которые перебрались поближе к Москве. Возникло ощущение, что именно под боком у огромной Москвы, где-нибудь в области, можно затеряться и жить в безопасности. Папа оставил нас и поехал туда искать работу. Вскоре нашел —

в городе Калинине, это бывшая Тверь. Вернулся в Кировабад за нами, хотел забрать и дядю с тетей, но они наотрез отказались уезжать. Они хотели жить рядом с могилой сына.

Перед отъездом мы пошли на кладбище. Под памятником стояла жестянка с тертым кирпичом и лежала влажная тряпочка. Дядя с тетей очень часто приходили сюда и протирали надгробие. Я взял тряпочку, обмакнул в кирпичный порошок и стал драить. И вдруг чувствую — в руке что-то шевелится. Я разжал ладонь и увидел скорпиона. Ребята, школьные товарищи, уже научили меня, что если скорпиона положить на землю и окружить огненным кольцом, например, разложить вокруг него бумажки и поджечь, то скорпион побежит в одну сторону, в другую, в третью — он, видимо, чувствует стороны света — и когда убедится, что спасения нет, ужалит сам себя хвостом в голову.

Взрослых рядом не было, они, наверное, отошли за водой. А спички имелись — как десятилетнему мальчику без спичек. И я все это проделал. И — ужасно — все оказалось правдой. Скорпион, не дожидаясь, чтобы огонь сжег его или погас и открыл путь к бегству, ужалил себя в голову и погиб.

Я потом долгие годы возил этого засушенного скорпиона в баночке за собой.

5

Калинин оказался чудесным городом: три реки — Волга, Тьмака и Тверца, множество старинных домов еще сохранилось, сады. Папа работал при главке легкой промышленности, был доволен, что так повезло с работой, и скоро они с мамой сумели обзавестись собственным домом. То ли купили какое-то старое здание, то ли просто амбар перестроили — но, в общем, получился славный маленький домик.

Самое главное было новая школа и новые товарищи. Пришел я в класс. Первым делом кто-то обозвал меня евреем. Я развернулся и заехал ему кулаком в нос. После уроков этот парнишка привел своих дружков постарше, и они отвалтузили меня так, что я дней десять не мог подняться с постели. В школе узнали, устроили педсовет, и мальчишку единогласно исключили из школы. Но директрисе этого показалось мало, она стала грозить, что отправит его в детскую колонию.

К нам домой пришла его мама. Совсем простая женщина, бедная, несчастная. Заплакала и встала передо мной на колени: прости дурака, прости моего несмышленыша, он никогда больше не будет. Я говорю: "Что вы, что вы, да я его простил, я совсем на него зла не держу, только вы встаньте, пожалуйста". — "Я могу ему передать, что простил, да?" — "Передайте, конечно". В общем, слава богу, спасли его от колонии.

Я к десяти годам хорошо понимал, что я еврей, и хорошо понимал, что я русский. Во мне это не было никаким противоречием. Если при мне кто-то нехорошо говорит о евреях — я еврей. Если кто-то ругает русских или пренебрежительно говорит о русской культуре — я русский. Мои предки по маме были русскими, но они приняли еврейскую веру, она мне нравится, она мне кажется очень справедливой. Если что-то я не могу простить и считаю великим грехом, то это когда человек малодушно скрывает свою национальность.

Все дни, пока я лежал, к нам приходила после уроков моя новая классная руководительница. Она оказалась доброй и мудрой, хотя была совсем молодая женщина — Зинаида Васильевна Алексеева. Увидела, что я хорошо разбираюсь в математике, и раз приводит к нам здоровенного парня, переростка, который тоже учился в нашем классе, Тихомиров, кажется, его фамилия. Он был сыном машиниста, носил фуражку отцовскую, руки всегда закопченные. Видимо, поздно пошел учиться и третий год сидел в одном классе, не переводили его. Математика Тихомирову не давалась совсем. И вот Зинаида Васильевна привела его ко мне и попросила, чтобы я помог, стал бы его репетитором. А он, говорит, будет тебе защитником и никому не позволит тебя обижать.

Стали мы заниматься. Этот Тихомиров оказался хорошим парнем, я его полюбил, а он проникся ко мне таким уважением, что просто сделался братом старшим, рыцарем моим, и если кто-нибудь только повышал на меня голос, он этого человека потом без разговоров молотил, и все. Конечно, я когда узнал, то прекратил это дело, но дружба наша продолжилась, он с моей помощью освоил-таки математику и перешел в следующий класс.

Тихомиров мне помогал добывать жесть для самолетных подшипников. Там, в Калинине, я увлекся конструированием. Не сразу. Вначале были птицы. Кенари, щеглы, скворца я учил разговаривать. Но особенно голуби. Я месяцами копил карманные деньги, покупал птиц на рынке, обменивал, ухаживал за ними. Когда турманы взмывали в небо и широкими плавными кругами летали в высоте, я мог смотреть часами. Почему-то все тогда увлекались голубями. То ли это было самое доступное развлечение, то ли многими людьми овладела тайная страсть к полету. Мальчишкам-то она всегда свойственна, но и многие взрослые держали тогда голубятни.

Я смотрел-смотрел, как птицы летают, и, само собой, пошли у меня самолеты, модели. Резиномотор, знаете, что такое? Модель клеится из липовых реек, на лопасти натягиваешь папиросную бумагу, винты вставляются в подшипнички, а потом делается жгут из резинок, его смазывают касторовым маслом, закручивают, натягивают и отпускают. Задача — чтобы самолет летел ровно и как можно дольше. Постепенно я научился хорошо строить и сделал большой планер, с кабиной, пропеллером, крыльями метр в размахе. Все собрались на улице перед домом, родители, соседи, был произведен торжественный запуск, все захлопали в ладоши, самолет перелетел соседний забор, врезался в дерево и упал.

Я записался в кружок юных техников. Стал собирать автомобиль с дистанционным управлением, нашел в журнале чертеж. Там надо было для мотора намотать катушку на три тысячи оборотов. Я эти три тысячи крутил вручную — несколько дней, кажется. После школы и каждый выходной мчался в клуб и крутил там проволоку. Наконец все сделал, оставалось только собрать. Прибежал наутро в клуб, открыл шкаф, где все это хранилось, — а катушки нет. Украли ее. Тихомиров грозился найти вора, но как найдешь?

Тогда я занялся радио. Продал двух голубей, купил детектор, другие детали, все, конечно, примитивное. Катушки снова крутил сам — был уже в этом деле асом. И он заработал, приемник мой. К большой радости мамы с папой и моему изумлению, отлично заработал, принимал разные станции. Только был тиховатый, я его сделал не с наушниками, а с маленькими динамиками, но родителям хватало. Ладно, думаю: за что бы еще взяться?

6

Однажды на переменке подошла Зинаида Васильевна и говорит: Рудик, пойди в актовый зал, там набирают мальчиков в хор, пускай тебя послушают. Я пошел. У пианино сидел незнакомый человек, его звали Николай Иванович Пименов, директор калининской музыкальной школы. Никогда его не забуду. Он вел прослушивание, и меня в числе других мальчиков отобрал. Два раза в неделю я стал ходить по длинному-длинному Студенческому переулку от нашего домика в музыкальную школу петь в хоре.

Однажды вечером после репетиции я шел по темному коридору и вдруг услышал музыку. Она меня ошеломила, как будто громом поразила. Я остановился около класса, откуда музыка эта шла, остановился и стою. Потом подошел тихонечко, приоткрыл дверь немножко, смотрю — сидит женщина, педагог очевидно, и играет на рояле. Она меня увидела: "Мальчик, заходи, заходи, не стесняйся". Я зашел, прикрыл дверь, встал около двери и слушал. Слушал… Когда она закончила, я спросил: "А что это вы играли?" Она сказала: "Это Лунная соната Бетховена".

Какое-то есть слово по-немецки… — ну, в общем, оно значит "завороженный". Завороженный, я шел домой по Студенческому переулку, и все время у меня в голове эта музыка звучала. Я не мог ее забыть. И когда пришел домой, первое, что я сказал папе: "Папа, купи мне, пожалуйста, пианино. Я хочу учиться музыке. Я вот сейчас слышал такое… Хочу играть эту музыку".

В следующий выходной день, в воскресенье, папа пошел на рынок. "Пойду, — говорит, — покупать тебе пианино". Пришел с рынка и говорит: "Пианино я тебе купить не смог, оно слишком дорого стоило. Но я купил тебе скрипочку".

Внешне мне вещь понравилась. Я потрогал завиток, покрутил ручки черные, заглянул в эф — это резонаторное отверстие, которое имеет форму рукописной буквы f, поэтому "эф" называется, — и прочитал там внутри латинские буквы: "Страдивариус". Конечно, это была обычная подделка. Ну, в лучшем случае копия какая-то.

Я едва дождался понедельника, не помню, как высидел на уроках, и помчался в музыкальную школу, к Николаю Ивановичу. "Вот, говорю, мне папа купил скрипочку, я хочу учиться теперь на скрипке". — "Что ж, давай. Попробуй. Определю тебя к Алексею Ивановичу Лойко, очень хороший педагог".

Алексей Иванович вел урок. "Садись, — говорит, — послушай, посмотри, как мы занимаемся". У одного мальчика что-то не получалось. Алексей Иванович взял скрипку и стал показывать, как надо. И когда он заиграл… Мне казалось, передо мной не человек, а бог. Даже не скрипач, а певец: его скрипка пела, не играла, а пела. Я боялся, что он дойдет до конца пассажа и остановится, но он глянул на меня, что-то, вероятно, почувствовал, и продолжал. Я был совершенно очарован самим звуком, и мысль, что я начну учиться и сумею так играть, полностью захватила меня. Все, в одно мгновенье мне все стало ясно: музыке хочу учиться. Я должен в жизни быть музыкантом. Вот моя задача. И детство кончилось.

7

Алексей Иванович снабдил меня нотами, упражнениями, я пришел домой и начал заниматься.

Первые упражнения, конечно, самые простые. Играть плавно, легато, разрабатывать пальцы. Я старался выполнять все очень аккуратно, повторять ровно столько раз, сколько там написано. Скажем, десять нот нужно сыграть пять раз подряд. Играю. Потом другое упражнение.

Начал учиться. Но вскоре случилась беда. Мой любимый Алексей Иванович Лойко, оказалось, сильно выпивал. Это беда многих русских музыкантов. И вот он запил так, что заболел и чуть не умер.

Пименов передал меня другому учителю. Мы занимались, и на каком-то школьном вечере я сыграл концерт Ридинга — простой, ученический, но все-таки перед публикой, и мне очень понравилось, что из-под моих рук выходят такие звуки. Моему другу Тихомирову тоже понравилось, он как-то бережно потряс мне руку своей лапой, а папа несколько растерялся, потому что Николай Иванович ему сказал: "Вы, Борис Владимирович, поощряйте музыкальные занятия своего мальчика, у него большие способности".

Возможностей послушать музыку в Твери было немного. Однажды на гастроли приехал Буся Гольдштейн. Это был вундеркинд, который в одиннадцать лет играл на концерте в присутствии Сталина. Сталин умилился, пригласил его в Кремль. Само собой, о Бусе и доброте товарища Сталина узнала вся страна. А кто на самом деле был добрым, так это Буся. Потом мы были хорошо знакомы. Какой он был чудесный, какая добрая у него была душа! Когда после конкурса в Брюсселе Сталин пожаловал ему большущие деньги, он до копейки их роздал, потому что все к нему обращались: и одесситы старые какие-то, и те, кто где-нибудь с ним учился, и все кому не лень: "Буся, одолжи тысячу рублей, Буся…" Он, не считаясь, вынимал, отдавал, раздавал деньги. И конечно, забывал кому, и никто ему не возвратил. Всё он растратил. А в двенадцать лет Буся записал концерт Мендельсона, я потом эту пластинку достал, берег долгие годы, как зеницу ока, так это было изумительно сыграно.

Но не только Бусина игра меня впечатлила. Приемничек мой работал. Время от времени удавалось поймать музыкальные программы, иногда какие-то фрагменты, несколько тактов, которые заглушал треск и свист. Я почувствовал, что мои занятия — этого недостаточно, этого маловато, нужно что-то более серьезное. И я сказал: "Папа, мне надо поехать в Москву".

Папа, хоть и не сразу, согласился. В Москве, на улице, кажется, Карла Маркса, жила его сестра, моя тетя. Она сказала: пойдем, отведу тебя в Центральную музыкальную школу при консерватории. Давай попробуем, чем черт не шутит.

Пошли. Тетя как-то убедительно отрекомендовала меня директору школы, и та говорит: "А у тебя скрипочка с собой?" Я говорю: "С собой". — "Идем, я тебя отведу к профессору". Взяла за руку и повела.

Профессора звали Владимир Миронович Вульфман. Я сыграл ему тот же концерт Ридинга, что-то еще, он послушал и потом говорит: "Ну, конечно, у тебя способности есть к музыке, а к скрипке особенно. Но, понимаешь, ты перерос свое время. В твое время ребята уже играют знаешь какие произведения! Паганини, например". Куда мне было до Паганини... "У тебя хорошие отметки в школе?" — "Хорошие". У меня в школе были одни пятерки. "Ну вот, поезжай домой, иди в школу, учись серьезно и скажи родителям, чтобы они тебе выбрали профессию".

Отставка полная. Я вернулся домой на поезде, весь в слезах. Плакал, плакал, не мог успокоиться. Ужас. А скрипку положил на шкаф. Стал ходить в школу, продолжал петь в хоре.

Потом, в один прекрасный день, вскоре, я вдруг встал рано утром, залез на шкаф, забрал скрипку, вытер ее, натянул струны, наканифолил смычок — и начал заниматься сам. Я все эти упражнения начал заново учить. Пошел в магазин на центральной улице, где продавались ноты, выбрал этюды, потом купил сурдиночку, которая приглушает звук. Завел будильник на шесть утра, положил под подушку, чтобы никого не разбудить. На другой день по будильнику встал, пошел на кухню, надел на струны сурдиночку и полтора-два часа до школы занимался. И потом — каждый день. Кончились мои голуби, мои модели: я прибегал из школы, делал уроки, брал скрипку — и вперед. Но как! Очень рьяно. Старался каждую ноту пальцем выстукивать, как молоточком, пока не укрепил себе пальцы.

Музыка во мне заговорила. Это было как наваждение какое-то. Я бредил музыкой. Мне все время музыка снилась — то, что я уже слышал, либо незнакомая музыка, вроде как будто я сочиняю чего-то такое.

Снова пошел в нотный отдел. Там продавалась "Сицилиана" Баха. Я разобрал ее, отработал все штрихи (штрих — это движение смычка по струне: штрих вверх, штрих вниз), выучил и говорю папе: мне надо снова в Москву съездить. А папа возражал. Он говорил: "Не надо тебе быть скрипачом, будь инженером приличным и умей играть на скрипке, вот и хватит". Потом, конечно, он зауважал мое стремление, но поначалу с бо́льшим пониманием отнеслась мама. Тут сказалось, видимо, ее образование очень интеллигентное, она ведь изучала музыку в Институте благородных девиц. Ну, я настаивал так, что в конце концов папа понял — деваться некуда, и дал мне сто рублей на поездку.

Я приехал опять в эту школу, нашел профессора Вульфмана. "Та-ак, — говорит. — А ты мальчик упрямый". — "Не упрямый, я просто музыку очень люблю". — "Ну, играй".

Я сыграл "Сицилиану". Он спрашивает: "С кем ты это выучил?" Я говорю: "Сам". — "Сам? Гм. Ну-ка, сыграй ещё раз". Я сыграл. Он помолчал и говорит: "Вот что. Я согласен с тобой заниматься. Сможешь каждое воскресенье приезжать ко мне на дачу в Перловку?"

8

Поездка занимала почти полдня. Было бы проще, если брать прямой билет, но я понимал, что введу родителей в расходы. Поэтому каждое воскресенье я в пять утра ехал из Калинина до Клина, там ждал полчаса и пересаживался на местный поезд, получалось дешевле чуть не вполовину. Мы занимались с Владимиром Мироновичем несколько часов, его жена кормила меня обедом. Она была пианистка, мексиканка, позже они оба уехали в Мексику. Потом я шел на станцию.

Надо было ликвидировать недостатки, на которые Вульфман мне указывал. Я стал заниматься не только перед школой, но и ночью. Иду на кухню, надеваю сурдинку и повторяю упражнение без конца, пока не получится. Причем был такой принцип: если надо сыграть пятьдесят раз, а на сорок девятом не получилось — опять начинаю с первого. Играю еще сорок девять раз и только потом пятидесятый. Опять сбился — опять сначала. Это могло продолжаться бесконечно, пока не выйдет без ошибки. Днем школа, потом домашние задания, и снова скрипка, а в воскресенье — урок у Вульфмана.

Наконец он мне говорит: "Ты вполне уже окреп, поэтому давай-ка официально поступай в школу — сейчас будут вступительные экзамены. Сыграешь концерт Акколаи". Это концерт еще ученический, но вполне солидный.

В ЦМШ поступают лет в шесть-семь, учатся там одаренные дети, многие серьезные музыканты ее закончили. Мне было четырнадцать. Не помню, как справился с экзаменом, но когда пришел в учебную часть, мне сказали: "Вас в списках нет". — "Нет?" — "Вот, смотрите сами".

Тут сзади подошел Владимир Миронович и тихо говорит: "Тебя берут переводом сразу в музыкальное училище при консерватории. Тебя хочет учить Цейтлин".

9

В семидесятые годы девятнадцатого века Рубинштейн, основатель Санкт-Петербургской консерватории, пригласил в Россию профессором по классу скрипки одного из лучших музыкантов того времени Леопольда Ауэра. Он тут стал Леопольдом Семеновичем, получил звание придворного солиста, потом дирижировал, с огромным успехом проехал с оркестром по Европе, пропагандировал русскую музыку и вообще сыграл большую роль в российской музыкальной жизни. Чайковский посвятил ему "Меланхолическую серенаду" и скрипичный концерт. Пришел к Ауэру домой и сыграл ему этот концерт на фортепиано, а Леопольд Семенович, хотя и был восхищен, говорит: партия скрипки написана неумело, многое надо поправить. Чайковский обиделся и посвящение снял. Ауэр сам отредактировал партию скрипки и через некоторое время так сыграл концерт, что московские слушатели были потрясены, все критики об этом писали. Чайковский, правда, к тому времени уже умер. Но главное — Ауэр создал русскую скрипичную школу. Яша Хейфец, Мирон Полякин, Ефрем Цимбалист, Натан Мильштейн — все эти великие музыканты двадцатого века были его учениками. И среди них — Лев Моисеевич Цейтлин.

Когда Цейтлин закончил курс у Ауэра, он поехал в Берлин. Там еще был жив ауэровский учитель Иоахим. Старик был еще жив. Когда-то он был близким другом Брамса, переложил его "Венгерские танцы" для скрипки, Брамс очень ценил его как музыканта и посвятил Иоахиму скрипичный концерт. Цейтлин хотел получить уроки от учителя своего учителя. Очень вскоре его, двадцатилетнего мальчишку, пригласили концертмейстером в знаменитейший парижский оркестр *Lamoureux*. Там он подружился с Дебюсси и как концертмейстер играл все премьеры его сочинений и все эти гениальные соло в "Послеполуденном отдыхе фавна", в "Играх", в "Море".

Тем временем Сергей Кусевицкий организовал в Москве первый постоянный симфонический оркестр. Кусевицкий считался лучшим контрабасистом мира. Играл он в оркестре Большого театра. На какой-то сезон ложу над просцениумом — это такая ложа дорогая, для важных людей, — снял Ушков, знаменитый чаеторговец. Он приходил туда со всей семьей, в том числе с очень красивой дочкой. Кусевицкий с контрабасом сидел лицом к ложе. Девушка ему страшно понравилась, он на нее смотрел — и девушка на него смотрела. И он ей тоже понравился. Ну, один спектакль, другой. Потом он улыбнулся ей — она тоже в ответ улыбнулась. На следующем спектакле Кусевицкий уже ей кивнул, она тоже с ним поздоровалась. Потом они встретились в антракте, в фойе. В общем, дело кончилось свадьбой.

Кусевицкий оставил Большой театр, уехал с женой в Европу и стал учиться дирижерскому искусству. Брал партитуры, ходил на концерты Малера, Никиша, величайших дирижеров, внимательно следил за их жестами, а потом дома перед зеркалом повторял. Приглашал аккомпаниатора, который играл ему на рояле, а сам дирижировал перед зеркалом. Через некоторое время он дал концерт, в котором Рахманинов играл свой концерт для фортепиано, а оркестром дирижировал Кусевицкий. И Никиш ему сказал, Кусевицкому, что ничего подобного никогда не видел: чтобы человек так быстро достиг таких высот в дирижерском искусстве.

Во Франции Кусевицкого совершенно покорила новая музыка — Равель, Дебюсси, он хотел исполнять их в России. Вернулся и начал собирать собственный оркестр. Он имел возможность предложить самые высокие оклады и пригласил самых лучших музыкантов. С первых же концертов стало ясно, что родился выдающийся оркестр.

Вот в этот оркестр концертмейстером он пригласил Цейтлина, и Цейтлин возвратился в Москву.

Оркестр Кусевицкого очень любили. Вообще, Кусевицкий был из породы великих русских просветителей. Всегда к концертам печатались программки с биографиями композиторов, с разбором музыки, регулярно давали специальные концерты для молодежи, для небогатых людей, Кусевицкий считал такие общедоступные концерты очень важным делом. Он организовал музыкальное издательство, где печатали молодых композиторов — Скрябина, Стравинского, Прокофьева. Потом оркестр Кусевицкого проехал по всей Волге, по провинциальным городам. Переполненные залы, благодарная публика, огромный успех — это было событие в культурной жизни. Потом началась война, многие оркестранты ушли на фронт. А затем революция. Кусевицкий отправил семью в Европу, сам остался с оркестром. Это желание приобщить массы к искусству им двигало и казалось ему созвучным новой эпохе. Он играл для народа, сбросившего, значит, иго самодержавия, дирижировал в Большом — музыканты сидели в валенках, шарфах и шапках, потому что отопления уже не было, пытался организовать музыкальное образование, создать музыкальную академию. Пока ему наконец не дали понять, что ему тут не место. Несколько лет он бился. Только когда стало совсем невыносимо, распустил свой оркестр, сказал им "отныне наши пути должны разойтись". Мне рассказывал Цейтлин, что Кусевицкий вел себя очень порядочно, напоследок сделал для музыкантов все, что только мог. И эмигрировал, уехал к семье. Много играл в Европе русскую музыку — он, в частности, предложил Равелю сделать оркестровку "Картинок с выставки" Мусоргского, и Равель написал свой шедевр. В конце концов Кусевицкие оказались в Штатах. Сергей Александрович возглавил Бостонский симфонический оркестр и сделал его одним из лучших оркестров в истории музыки. Причем там он тоже воспитывал публику, приучал слушателей к Скрябину, Дебюсси, Стравинскому, много играл современных композиторов — и основал, как мечтал, музыкальную академию, легендарный Тэнглвуд, где занимались Бернстайн, непосредственный ученик Кусевицкого, Маазель, Аббадо, Мета, — я только дирижеров называю, списку конца нет.

Ауэр и почти все его ученики уехали из России после революции. Цейтлин остался. Он тоже был из породы просветителей, и его идеалы, как ему показалось, совпадали с идеалами коммунистов. Так что он долгие годы подписывал свои письма "с горячим коммунистическим приветом" — пока не понял окончательно, что происходит.

Лев Моисеевич был величайший музыкант, величайший, — и педагог милостью божьей. Со мной он сразу стал учить сонаты Баха для скрипки соло. Есть такое удивительнейшее сочинение у Баха, гениальнейшие сонаты. Бах для одной скрипки умудрялся писать полифоническую музыку[1], и даже фуги. Подумайте: в фуге звучат то последовательно, то вместе несколько голосов — и все их играет один смычок! Чудо природы эти сонаты Баха.

Я, разумеется, пришел на урок со скрипкой. И Цейтлин тоже пришел со скрипкой. У него был Андреа Гварнери — не самый знаменитый из Гварнери, самый знаменитый был Джузеппе, а вот этот Андреа — редкость большая и совершенно изумительный. Как потом оказалось, Цейтлин давал его достойным ученикам на выступления.

Он достал Гварнери и заиграл. Я не могу описать, но слышу так ясно, как будто музыка звучит прямо здесь. Помню подушечки пальцев на его левой руке: они были совершенно плоские, как будто природой созданные для игры на струнном инструменте. Но на самом деле не природой — это он их такими сделал бесконечной работой.

Отложил скрипку. "Ну, теперь ты играй". Я заиграл. Он говорит: не контролируешь третий палец, все время убираешь с грифа, когда он не занят, так нельзя. Палец всегда должен быть наготове, как молоточек в рояле. Следи. Приходить ко мне будешь два раза в неделю. (Обычно с профессором занимались один раз, а другой раз с его ассистентом.) Принесешь чистую тетрадку.

Я завел тетрадку, и каждый раз он туда сам записывал, что и как я должен делать: расстановка пальцев, атака, работа со смычком. Начинаю играть, он сразу останавливает:

---

1 *Полифоническая музыка* — музыка, основанная на одновременном звучании нескольких равноправных мелодических линий.

где третий? От привычки сразу не избавишься. Через несколько занятий Цейтлин снова заметил, что я убрал палец с грифа. Остановил меня: "Рудик, говорю в последний раз. Больше повторять не буду. Ясно?" — "Ясно".

Перед Бахом Цейтлин преклонялся. Говорил: "Ты должен играть Баха все время, всю жизнь, каждый день. Потому что если ты можешь сыграть всё, но не можешь сыграть сонату Баха, значит, ты не можешь ничего. Правда, если ты можешь сыграть сонату Баха — это еще не значит, что ты сможешь сыграть все остальное".

Играем соль-минорную сонату. Там замечательная многоголосная фуга. Первый голос... второй вступает, третий... четвертый! И голоса эти объединяются в аккорд, что очень трудно сделать, нужно обладать так называемой аккордовой техникой. "Для этого, — говорит Цейтлин, — тебе в помощь пойдут этюды Донта". Это специальные этюды, которые сочинил учитель Иоахима. Они развивают кисть руки и умение играть всеми частями смычка. Цейтлин рисовал мне в тетрадке диаграмму: вот это играется четвертой частью смычка, это половиной, это тремя четвертями. Мелом на древке разметил части и говорит: "Ты должен заниматься каждой частью смычка особо. Берешь какой-нибудь этюд, хотя бы даже знаменитый "Перпетуум мобиле" Паганини, трудный очень, и играешь все концом смычка, все эти триоли играешь. Устал? Не-ет, ты должен забыть это слово. Вот так весь этюд сыграешь, потом пойдем дальше. А "дальше" будет заключаться в том, что ты начнешь его играть серединой смычка, точно серединой смычка. Если будешь все это добросовестно делать, своих рук через пару месяцев не узнаешь".

Это, поверьте, сложнейшая задача — весь "Перпетуум мобиле" так сыграть, очень трудно. А если кто особенный энтузиаст, тот может взять смычок за самый верх, чтобы колодка оставалась внизу, и попробовать так сыграть. Такое уже каждый не сумеет. Тут необходимы особые способности, которые есть у единиц. Вот тут становится ясно, кто есть кто.

Цейтлин говорит: "Исключительно важно иметь чувство распределения смычка, то есть чувствовать заранее, где дать больше смычка, где меньше. Сейчас я тебе могу показать, нарисовать схему. Но моя цель — чтобы ты делал это по собственному чувству и пониманию. Только тогда это будет ценно". И я действительно этому научился и бесконечно ему за это благодарен. Только не сразу послушался, когда он говорил, что хороший смычок не менее важен, чем хорошая скрипка. Легкомысленно отнесся. Потом понял. Смешно, я недавно вспоминал об этом, когда у меня украли смычок, который я купил во Франции чуть не за пятнадцать тысяч франков. Сделал его мастер по имени Симон, ученик великого Вильома. Сперли Симона, и с тех пор я не играл: не могу.

Цейтлин был очень строг, очень добр — и при этом строг. Мог сказать студенту: ты к уроку не приготовился, нам с тобой заниматься нечем — иди домой и разучи вещь как следует. Или смотрит, как на уроке кто-то играет только тремя пальцами, и говорит: "Ты, дружочек, не хочешь перейти на арфу? Там мизинец не понадобится. А на скрипке так не играют".

На него не обижались, но некоторые посмеивались. Его серьезность была им непонятна, неведома. Цейтлин был с такими учениками вежлив, но не более. Всегда перед началом занятия заводил будильник. "Пожалуйста, начнем". Через сорок пять минут будильник с грохотом звенит, прыгает по столу, Цейтлин его точным движением накрывает и говорит ученику: "Спасибо, дружочек, все". А дружочек мог быть посреди пьесы — не важно. "Пригласи, пожалуйста, следующего".

Но с теми, кто относился к делу всерьез, он работал без устали. Однажды что-то у меня не получалось. Цейтлин подошел к двери класса, запер ее на засов, выключил будильник. И урок длился три часа. Все это время следующие просидели в коридоре. Такое случалось много раз, и я сам, бывало, ждал в коридоре у закрытой двери.

Он требовал безукоризненного ритма. Причем вместо метронома сам, сидя, отбивал ритм ногами. Ровно-ровно-ровно. Если я какую-то ноту передержал или, наоборот, нота не прозвучала, он сразу: "Стоп, еще раз возьми".

Играть просто по чувству может всякий. Но настоящая сила музыки рождается, когда твоя игра — эмоциональная, выразительная — строго подчинена ритму. Цейтлин говорит: "Только тогда это будет ценно. Запомни, ты должен точно исполнять, что написано в нотах. Целая нота состоит из четырех четвертей — и никак не меньше, ты не имеешь право играть ее короче. Осьмушка — ровно две шестнадцатых. Ровно — а не приблизительно".

В скрипичном концерте Бетховена есть такие виртуозные пассажи, которые все скрипачи на свете играют с ускорением, как бы отдавшись вдохновению и стараясь быть блестящими. Когда студент так играл, Цейтлин морщился, как будто ему на ногу наступили: "Ну что ты творишь, — он говорил, — что ты делаешь с этой музыкой?! Ты хочешь ее улучшить? Напрасно. Не родился еще человек, который может улучшить Бетховена". Студент оправдывается: мне хотелось свободно это сыграть, по чувству. Цейтлин говорит: "Но Бетховен тебе всю свободу предоставил! Вот он написал триоли, вот квартоли — надо только их точно сыграть, и получится та самая свобода, *rubato*[1], к которому ты стремился. Только такое *rubato*, как Бетховен хочет, а не ты, балда". Обнимает парня за плечи и показывает на портрет на стене, у нас в классе портрет Бетховена висел: "Посмотри на это лицо — как ты думаешь, может он одобрять необязательность, фривольность? Бери скрипку, играй снова, только смотри ему в глаза — и все сам поймешь".

Столько лет прошло — а я не встречал скрипача, который сыграл бы концерт Бетховена так, как учил Цейтлин — и как играл он мне однажды в классе. Позже я слышал от стариков-музыкантов, что он вообще считался лучшим исполнителем этого концерта в мире. Помню звук, постановку пальцев — и неповторимую ясность. Никакой суеты, быстрые темпы чуть медленнее, чем у других, медленные — чуть быстрее, ничего чрезмерного, и от этого каждое чувство в музыке приобретало такую полноту и силу, что делало тебя, слушателя, таким, каким ты себя не знал.

---

1   *Tempo rubato* (дословно "украденное время", от *итал.* rubare, "красть") — легкое отклонение темпа от композиторской нотации, один из элементов трактовки произведения исполнителем.

10

У нас оказался хороший класс, но главным моим товарищем стал мальчик из другого класса, Волик Бунин, будущий композитор. Он учился игре на фортепиано и занимался композицией. Сблизила нас любовь к музыке Прокофьева. Как-то раз иду с занятий — навстречу Волик. "Смотри, что я достал!" Держит в руках партитуру Второго скрипичного концерта Прокофьева. "Ничего себе…" — "Ты что сейчас делаешь?" — "Домой иду". — "Пошли ко мне, сыграем". Помчались к нему — бежали от нетерпения, нам по пятнадцать лет было — и сыграли концерт с листа. Восхищены были. С тех пор мы дружили до самой смерти Волика, я часто играл его музыку и очень его ценил.

В одну девочку из нашего класса я влюбился. Звали ее Зина Баранова. Очень красивая, хорошая скрипачка и все такое. Мы всей компанией каждый выходной день ездили на Воробьевы горы, тогда они назывались Ленинские, катались на санках. Санки переворачивались, потом мы, все в снегу, ехали к Зине домой, и мама ее готовила нам чай. Отряхивали снег, вытирались, умывались и пили чай.

Общение с новыми людьми для меня всегда было радостью. Я тут недавно подумал, что вообще люблю людей. Мне люди небезразличны. Их горести, их удачи, неудачи волнуют меня так же, как мои собственные. Мне понятна эта библейская мысль "полюби ближнего, как самого себя", она не кажется мне высокопарной.

Нам с родителями очень не хватало друг друга. Стало понятно, что мой путь определился и вряд ли я сумею вернуться в Калинин. В результате немалых усилий папе с мамой удалось поменять домик в Калинине на восемнадцатиметровую комнату в коммуналке на Новослободской улице, между Савеловским вокзалом и Бутырской тюрьмой. К папе с уважением относились в наркомате текстильной промышленности, даже сам Косыгин потом ему покровительствовал, — в общем, работа у папы была, и мы сделались москвичами.

Занимаясь с Цейтлиным, я прошел семилетку за два года. Сам, конечно, тоже работал как безумный — по шесть часов в день самое меньшее. Потом началась война.

Был у меня в гостях приятель, смотрели партитуру. Вдруг по радио объявляют: в 12 часов будет выступать председатель Совета народных комиссаров Вячеслав Михайлович Молотов. Не могу теперь объяснить, почему нам надо было его слушать среди людей, не дома. Может, чувствовали, что сейчас скажет что-то такое, что нельзя услышать наедине. Так или иначе, мы вышли на улицу и пошли в центр. Погода была пасмурная, то и дело начинался дождь. Интересно, что некоторые люди мне говорили спустя годы: ничего подобного, тот день был солнечный... На площади Пушкина стояла огромная толпа. Все смотрели из-под зонтиков вверх и молчали. Вверху, на столбе, висел репродуктор.

Наконец: "Сейчас у микрофона будет выступать председатель Совета народных комиссаров..." Это потом уже

Сталин вернул "генералов" и "министров", а тогда были комиссары. Молотов очень волновался. Было понятно, что он хочет продемонстрировать твердость, но голос его выдавал. У меня было чувство, что говорит человек, который внутренне сдался.

Он говорил о том, как фашистская Германия нарушила все договоренности, разорвала пакт о ненападении и развязала войну. Вероломно. Моя бабушка Вера Алексеева, в отличие от Сталина и Молотова, не верила договоренностям с немцами ни на грош. Когда Риббентроп приезжал подписывать пакт, бабушка поразглядывала его фотографии в газетах, послушала радио и сказала: "Не нравится мне этот Гелиотроп. Чего он приехал? Что-то ведь нужно ему. Просто так сукин сын ни за что не приедет". Она ненавидела фашистов и все повторяла: им верить нельзя ни в коем случае, никому.

Бабушка не ошиблась. И вот теперь Молотов рассказывал нам, что немецкая авиация бомбит город за городом, и уверял, что враг будет разбит.

Ужас всех охватил. Он был тем больше, что вокруг ничего не изменилось — Москву не бомбили, по улицам ехали трамваи, легковые машины, цвела сирень. Когда речь закончилась, мы пошли в училище. Нам сказали, что все ученики и педагоги будут добровольно дежурить на чердаке училища, потому что туда могут попасть зажигательные бомбы, их надо вовремя, не боясь, брать и выкидывать в окно, чтобы они загорелись на улице, а не подожгли помещение. Распоряжался всем Цейтлин, составлял списки, согласовывал даты дежурств.

В первый месяц война ощущалась, главным образом, в том, что по городу шли отряды добровольцев. Сотни тысяч людей записывались в ополчение и уходили на фронт.

Не маршировали, ничего торжественного, — обычные, штатские люди, они просто молча шли, шли и шли. Мой дядя-книжник ушел. Многие из консерватории. У отца была с детства повреждена рука, он почти ничего не мог ею делать, так что на фронт не годился, но на работе был сутками.

А потом начались бомбежки. Выли сирены, люди бежали в убежища. Страшно. В первое дежурство я оказался на чердаке школы вместе с Цейтлиным. К нам действительно падали зажигалки, мы хватали их — они, пока не успеют разгореться, холодные, — выбрасывали в окно и смотрели, как они внизу на асфальте вспыхивали. Вдруг услышали страшный грохот — взорвалось где-то неподалеку. Когда под утро бомбежка закончилась, мы с Цейтлиным пошли к Тверскому бульвару и на площади Никитских ворот увидели пустой постамент Тимирязева. Бомба упала рядом, и Тимирязева унесло взрывной волной. За домами в стороне Садового кольца в небо поднимались клубы дыма. Цейтлин сказал, что ему надо сейчас же туда пойти. Я знал, что там жила его бывшая жена с их дочкой, и пошел с ним. По пути он сказал, что жена и дочка уехали в эвакуацию, и почти сразу, еще издали, мы увидели, что дома нет, на этом месте пылает пожар. Там же находилась Книжная палата, замечательное старинное здание, оно полностью сгорело. Мы стояли и глядели на огонь, а потом не пошли по домам, целый день ходили по городу, смотрели, что с Москвой. Где-то поели, вечером я проводил его домой.

Немцы стремительно приближались к Москве. Делалось все яснее, что Гитлер может победить. Мне доводилось встречать людей, которые ждали немцев. Ненависть этих людей к тому, что большевики сделали с Россией, была сильнее страха перед внешним врагом. Моя подружка, пианистка Калинковицкая, работала ассистенткой у одного профессора, который был известным антисемитом. И то ли он сам, то ли кто-то из его окружения — сейчас не помню точно — сказал ей: "Ты чего тут сидишь? Давай-ка улепётывай быстрее, пока жива. Если немцы зайдут в Москву, мы всех вас повырежем". Такие настроения тоже существовали.

Мне было шестнадцать лет. Немцев я не боялся. К тому времени я немножко овладел немецким, потому что хотел прочесть книгу Альберта Швейцера "Иоганн Себастьян Бах". Начал читать со словарем, а заканчивал уже без. И вот я думал, что если войдут немцы — буду разговаривать с ними по-немецки. Я еще не знал всей глубины враждебности и подлости тогдашних немцев. Именно тогдашних. Я очень симпатизирую немецкому народу, но то были особые немцы, нацисты, патологически больные люди, как я потом читал в отчетах разных психиатров. Гитлер был больной человек. И Сталин тоже больной, только у них были разные патологии. У Гитлера — тяжелый случай некрофилии. Это болезнь, при которой человек любит все мертвое и ненавидит все живое, что делает его особенно опасным. А Сталин — клинический садист. Это описал гениальный психолог и философ Эрих Фромм, которого я очень почитаю.

В августе к нам домой пришли какие-то военные люди. Они сказали: "Есть указание, граждане, вывезти из Москвы семьи, в которых имеется особо одаренный студент". Указали на меня. "В вашем случае, — говорят, — это еще только потенциальный студент, но ЦМШ получила распоряжение составить списки на эвакуацию, и Баршай Рудольф в них включен. Мы предлагаем помощь — проводим до Речного вокзала, где вас посадят на пароход и отвезут до Нижнего Новгорода".

Выбора не оставляли — просто выпроводили из Москвы.

11

Снова толпы беженцев, мешки, тюки, баулы, крики на всех языках, плач, душераздирающие сцены. Бродит старик одинокий, никого, видно, у него нет. Приткнется куда-нибудь — тут же гонят. Присядет — говорят: "Эй, дед, место занято". Но нашелся человек, вступился: послушайте, он же едет в эвакуацию, ему полагается ехать, указ такой! Один повел себя по-человечески — тогда другие люди как будто очнулись: пустили деда, посадили на палубу. А может, слово "указ" подействовало.

Из Новгорода доплыли до Астрахани. Я видел, как очень старый человек умер от голода. Он никому не жаловался, что голоден, это потом санитары сказали.

Папа решил, что надо ехать в Красноводск, в Среднюю Азию, у него там оставались знакомые. По воде добраться невозможно. Билетов на поезд тоже не достать, поезда переполнены. Мы две недели кантовались в Астрахани, потом на поездах с пересадками, на грузовиках добрались до Куйбышева, оттуда до Ташкента.

Там — великое смешение народов. Люди с Украины, из Белоруссии, Армении, Грузии — все приезжали в Ташкент, всех узбеки приютили. Случайно я узнал, что здесь в эвакуации находится Ленинградская консерватория. Отправился прямо к ее ректору, Павлу Алексеевичу Серебрякову, и говорю: я студент училища Московской консерватории, ученик Цейтлина... Он отвечает: "И что же вы теперь хотите?" — "Хотел бы поступить в консерваторию или в школу при консерватории и продолжать обучение". Серебряков говорит: "А вы знаете, у нас кон-сер-ва-тория (он так разговаривал), а не эвакопункт".

Очень было неприятно. Я вынужден об этом рассказать, потому что это правда.

Иду по ташкентской улице, в руках скрипичный футляр, вдруг навстречу — мой старинный друг, Миша Вайман. Блестящий ученик Столярского, замечательный скрипач, огромнейший талант! Он потом заведовал кафедрой в Ленинградской консерватории.

Я Мише рассказал все, он говорит: "Наплюй, не расстраивайся. Тебе просто попался недобрый человек. А я вот приехал, и меня взял в свой класс профессор Эйдлин. Он, между прочим, с твоим учителем у Ауэра учился. Идем, сыграешь ему".

Сыграть я кое-что мог: мы с Цейтлиным закончили год концертом Сен-Санса для скрипки, а это уже не ученическое сочинение. Миша меня привел, рассказал всю историю Эйдлину. Тот оживился: "Левин ученик? Очень приятно. Что исполните?" Позвал аккомпаниаторшу, и мы без репетиций ему сыграли. "Будете у меня учиться, — говорит. — С Серебряковым я договорюсь".

Так я стал заниматься еще у одного ученика Ауэра. Они дорожили своим братством, я потом об этом еще расскажу, хотя у них бывали смешные счеты между собой. Когда Мирон Полякин вернулся в конце двадцатых годов в Россию, они с Эйдлиным встретились на заседании экзаменационной комиссии в консерватории. Обрадовались друг другу, обнялись. И тут Эйдлин на радостях говорит: "А помнишь, Мирон, как я у Ауэра играл концерт Брамса?" Полякин ответил: "Помню. Фальшиво".

Папа в Москве успел получить рекомендацию в комиссию по строительству военных сооружений. И — необычайное везение, везение, потому что тогда тысячи людей искали работу, — в Кагане, под Бухарой, требовался главный бухгалтер на военную стройку. Родители уехали туда, а я остался в Ташкенте учеником восьмого класса школы-интерната при Ленинградской консерватории.

12

Мы жили во Дворце спорта — мальчики в большом гимнастическом зале, девочки в домиках во дворе. У каждого старшего ученика был подшефный младший. Мишин подшефный — Боря Гутников, будущий знаменитый скрипач и профессор, мой — Витя Либерман, который, когда вырос, стал концертмейстером в оркестре Мравинского, а потом в амстердамском Консертгебау. Мы этих чудесных мальчиков опекали как младших братьев.

До завтрака надо было сходить в консерваторию, чтобы позаниматься час или два — смотря когда встанем. Старались, конечно, заниматься побольше, хотели делать успехи. Встаем, будим наших малышей, берем скрипочки и идем. Километр туда — километр обратно. Завтрак простой: прежде всего выдается паек хлеба на целый день — полкило на человека. Чайная ложечка сахару. И каша-затируха так называемая, то есть из обыкновенной муки варили кашу. Нам она казалась очень вкусной. Полкило хлеба, конечно, съедалось сразу, и все ходили голодные, но по этому поводу не переживали. Себя не жалко — мы понимали, что идет война, что где-то люди страдают по-настоящему. А вот маленьких было жалко. Страшно жалко. Они съедали эту затируху, пили чай с сахаром и булку доедали до конца, а на вечер уже булки не оставалось никакой. Вечером была та же каша, чай, но уже без ложечки сахару.

После завтрака снова идем в школу и всю дорогу разговариваем с Мишей о Шиллере. Мы тогда бредили Шиллером, мечтали, какую бы музыку мы написали на его стихи. Еще много говорили о Гейне, Гёте, Шумане, очень нас это занимало. Или я расспрашивал Мишу о Столярском. Надо сказать, все вундеркинды тогда мечтали учиться скрипке у Столярского. Он происходил из семьи одесских уличных музыкантов, великий педагог, школу, которую он основал, при его жизни назвали в его честь. Как он говорил, "школа имени мене". По-моему, все лучшие скрипачи того времени начинали у него, а потом уже попадали в Московскую консерваторию. Петр Соломонович каким-то образом чуял талант. Гуляет по Приморскому бульвару, наблюдает за детками, которые там резвятся. Присматривается. Потом подходит к мамочке и говорит: "Мадам, ваш сын должен играть на скрипке". И не ошибался.

Помню, Миша смешно рассказывал, как Столярский однажды ведет урок: "Видишь ли, мальчик, играешь ты хорошо. Интонация чистая, звук хороший. Но ты понятия не имеешь о музыке. Что такое музыка, мальчик, я тебе объяснить не смогу. Но вот представь себе такую сцену — может, что-то почувствуешь. Ты гуляешь по Приморскому бульвару. Навстречу прекрасная барышня. Вы останавливаетесь и смотрите друг на друга. В небе месяц, вокруг цветут каштаны. Вы присаживаетесь на скамейку, ты берешь ее за руку. Представил, так? Ну? Теперь понимаешь, что делать?" Мальчик от смущения краснеет, как помидор.

— Петр Соломонович, чего тут понимать...

— Да нет. На скрипке, ты же собрался играть на скрипке!

Позже мы узнали, что Столярский умер в эвакуации. Как мне рассказывали, от голода. Он и в последние дни не терял чувства юмора, и до нас как прощальный привет дошла его шутка. Еды не было, чая не было, был только эрзац-кофе. И Петр Соломонович говорил жене: "Розочка, свари кофе, чайку попьем!"

А малыши наши идут сзади и тоже о чем-то беседуют. Как-то раз мы прислушались. Витя говорит: "Борь, когда кончится война, ты в кафе что закажешь?" Боря молчит. Потом отвечает: "Двенадцать пирожных". Витя говорит: "А я мороженое". Какие же они были голодные, наши дети. Но не жаловались никогда, никогда.

В школе кроме занятий с профессором по специальности были, само собой, обычные, общеобразовательные предметы. Русскую литературу вел Исаак Давыдович Гликман — прекрасный учитель и человек, ближайший друг Шостаковича. Он любил поэзию и считал, что каждый цивилизованный человек должен каждый день выучивать по стихотворению наизусть. Для развития личности и для упражнения ума. Как-то раз мы по очереди читали на уроке кто что выучил. Один мальчик начал: "Однажды, в студеную зимнюю пору, я из лесу вышел; был сильный мороз. Гляжу, поднимается медленно в гору лошадка…" — тут он запнулся, забыл. "…В гору лошадка… лошадка…" — нет, не может вспомнить. Смотрит на нас умоляюще: ну подскажите! Ему шепчут: "Везущая хворосту воз". Он обрадовался и на весь класс: "Лошадка, везущая хворосту хвост!" Все смеялись, Гликман — до слез. "Видите, — говорит, — полное отсутствие познаний в поэзии и способностей к запоминанию, которые вы так блестяще продемонстрировали, требуют от вас ежедневно выучивать по стихотворению. Я не шучу. Это нужно не мне, а вам". Он был прав. А мальчик потом стал концертмейстером альтов в оркестре Мравинского.

У Гликмана тяжело болела жена. Он скрывал от нас свое настроение, но мы видели, как он страдает. Когда она умерла, он через несколько дней пришел в школу, и мы со спины его не узнали: он срезал свои красивые черные волосы. Вскоре Исаак Давыдович куда-то уехал. А когда вернулся, выяснилось, что он ездил в Куйбышев за партитурой Седьмой симфонии Шостаковича. Как известно, Шостакович в осажденном Ленинграде написал Седьмую симфонию. Точнее, там он написал первые части, а потом началась блокада, Шостаковича вывезли в Куйбышев, где он дописал финал. И там же впервые симфония была исполнена, ее премьеру транслировали все радиостанции Советского Союза.

Мы с одноклассниками преклонялись перед музыкой Шостаковича, играли все, что только можно было достать, — а многое было запрещено, в частности "Леди Макбет", "Светлый ручей".

Весной сорок третьего в Ташкенте отмечали восемьдесят лет Ленинградской консерватории, и оркестр под управлением моего будущего учителя в дирижерском искусстве Ильи Александровича Мусина исполнил первую часть Седьмой при огромном стечении публики. Стояла чудовищная жара, зал набит битком, духота, кондиционеров тогда еще не изобрели. Причем собственно концерт начался поздно, потому что сначала читали доклады к юбилею консерватории, как положено во всяком советском учреждении. Все сидели мокрые, дышали ртом. Мусин дирижировал в очках и то и дело одной рукой вытирал со стекол пот. Он придумал такой эффект: когда начинается тема апофеоза, духовые поднялись со своих мест и заиграли ее наизусть, стоя. Это было так сильно, что публика в зале тоже встала.

Встречал я людей, которым не нравится Седьмая. Я от нее в восторге. Какой удивительной силы прием в "Нашествии", так называется первая часть. Он сродни тому, что сделал Равель в "Болеро" — повторение одной темы в разных тональностях, в разной инструментовке. Но как же глубоко это сделано у Шостаковича. У Равеля это носит характер танца, испанского танца, и по ходу прекрасной музыки нарастает его торжество. У Шостаковича прием использован для достижения глубочайшего драматизма. Как сам Шостакович потом говорил, главным в этой музыке является не ритм, а психологическое напряжение и драматическое состояние участников события. И конечно, это так, конечно. Воздействие этой музыки колоссально — и сегодня, а тем более тогда. Я предполагаю, что ее создание было одним из событий, которые привели к победе над фашизмом.

Концерт кончился затемно. Иду по коридору и слышу — кто-то играет Двадцать первую сонату Бетховена на рояле. Не просто играет, а совершенно замечательно. Приоткрыл дверь: сидит девочка, маленькая девочка, сидит, играет. Я спросил: "Как тебя зовут?" — "Ира Иванова". Угу. "А у кого учишься?" Она назвала свою учительницу. "Ну, давай, я тебя подожду, пойдем вместе, потому что уже поздно, тебе, наверное, страшно одной возвращаться". Она сказала: "Ой, спасибо!" Такая была девочка, хорошая, и нежная, и простая. Вернулись мы вместе в интернат, я проводил ее до ее домика, она пошла спать. И с тех пор были знакомы. Встречались днем. Ходили вместе гулять по городу, на базар иногда ходили купить что-нибудь вкусное. Ну что мы там могли себе позволить — какую-нибудь лепешку узбекскую. Узбеки такие лепешки пекли, знаете, удивительные, у них был особенный способ. Раскатывали тесто и специальным шомполом прикрепляли к стенке раскаленной печи. Ах, какая получалась лепешка — вкуснее всякого хлеба.

Никакого романа у нас не завелось, просто очень дружили. Она видела, что я на самом деле понял, какая она пианистка. Она так была счастлива, что мне нравится, она мне играла специально, специально, чтобы я послушал. Подходила, брала за руку: "Рудик, пойдем, я хочу тебе сыграть то-то и то-то, пойдем". Ирочка Иванова. Редкая пианистка была. С таким проникновением она играла, и звук у нее был какой, какие октавы у нее звучали! Иногда, когда у меня сложности в жизни возникают, жуткие иногда бывают сложности, вот в последнее время тоже, то я думаю, что, наверное, меня Бог наказывает за что-нибудь — и, может, в том числе за то, что я эту девочку не сохранил рядом с собой, разошлись наши пути. Это был грех, потому что она была такая девочка, ангел настоящий, — грех было ее оставить. А ее папа был летчик, погиб во время войны. Горько вспоминать. Но тем не менее сложилась жизнь… по-всякому. Знаете, у каждого человека свое. Человек не может все время двигаться в одном направлении.

13

Приближались каникулы. Как-то раз прихожу в школу — меня ждет письмо. Обратный адрес: Саратов, Московская консерватория. Знакомый красивый почерк Цейтлина — он в свое время учился каллиграфии. Пишет: дорогой Рудик, наконец-то я тебя нашел. Искал повсюду, пока не догадался написать в Ленинградскую консерваторию, и там узнал, что ты занимаешься у моего одноклассника Эйдлина, чем я очень доволен, передай ему большой привет, пожалуйста. Сейчас я нахожусь с Московской консерваторией в эвакуации в Саратове и готов сделать все, чтобы ты приехал сюда ко мне, если, конечно, захочешь.

Я немедленно написал ему, что да, конечно, мечтал бы приехать — и сравнительно скоро получил ответное письмо. "Я уже начал хлопотать о твоем приезде", — а дальше трогательно, совершенно по-отечески: "Тут очень холодно. Пожалуйста, попробуй раздобыть себе теплую шубу, чтобы не замерзнуть в холодной России".

Тем временем в Кагане заболел папа. Схватить дизентерию в такой жаре, среди бухарских пустынь, немудрено. Несчастье, мама в панике. Я стал ходить на базар и свою утреннюю порцию хлеба выменивал на рис, чтобы отвезти папе. Меняли охотно, за полкило хлеба давали большую пиалу риса. Я приносил домой и пересыпал в мешочек, считая дни до каникул, когда смогу поехать к родителям.

И тут случилась вот какая история. У меня в Ташкенте появился друг, скрипач Дига Зондерегер. Он был немец, рожденный в России, русский немец. Учился тоже у Эйдлина и так замечательно играл, что мы заслушивались. "Дига играет, пойдем послушаем, Дига, Дига играет!" У Вагнера есть "Листок из альбома", пьеса для скрипки, — Дига так ее играл, что я до сих пор помню, а ведь как давно это было.

Но — немец. И хотя призыву не подлежал, его вдруг взяли и мобилизовали в трудовую армию. Пришел в интернат военный: "Гражданин Зондерегер?" Он говорит: "Я". — "Прошу следовать за мной". Дига спросил: "Я надолго уезжаю?" — "Надолго". И все. Без предупреждения, в одну минуту. "Чемодан брать?" — "Не понадобится".

У Диги был кожаный чемодан, баул такой. Он ко мне подошел: "Рудик, можно тебе этот баул оставить, пока я не вернусь?" — "О чем речь".

Вернулся Дига только после войны, уже в Москву. Его чудесные руки были черными как уголь, который он все эти годы добывал в шахте, и покалеченными. Но он занимался, занимался и сумел вернуться к музыке, стал потом концертмейстером симфонического оркестра в Петрозаводске. Спустя много лет мы там сыграли вместе симфонию Моцарта "Юпитер".

С Дигиным баулом я поехал к родителям. Положил под сиденье в поезде, а когда добрался до Кагана, оказалось, что баул в пути взрезали и все, что в нем было, украли. Включая рис.

Но папа все-таки, слава богу, поправился. Зато заболел я сам. Врачи никак не могли поставить диагноз. Дома имелся медицинский справочник, я его изучил и показал доктору: тиф. Действительно — в Ташкенте эпидемия. Меня отправили в больницу. Пролежал месяц, чувствовал себя все хуже и хуже и однажды понял: умираю. Я лежал без сознания и все равно понимал: смерть. Стало темно, я полетел вниз. Падал, падал, падал в эту тьму — и внезапно очнулся, совершенно мокрый, с чувством полной невесомости. Вероятно, это был кризис, после которого я пошел на поправку.

14

Приглашение от Цейтлина не приходило, и писем от него больше не было. Я не знал, что думать. Старался занять каждую минуту, чтобы отвлечься. Увлекся шахматами и участвовал в школьной шахматной спартакиаде. Набрал такой рейтинг, что меня допустили в турнир высшей лиги, где играли десятиклассники. Занял первое место пополам с одним взрослым парнем, который потом стал профессором математики в МГУ. Но это меня не утешало.

Тогда я решил заработать денег на дорогу до Саратова и прорваться туда через все кордоны. Пошел работать киномехаником. Конечно, никому о своих планах не говорил. Утром учился в школе, днем занимался, вечером бежал в клуб и показывал кино. "Боевые киносборники" тогда такие снимали, "Антон Иванович сердится" — там композитора Керосинова играл Сергей Мартинсон, будущий дедушка моего будущего сына, но об этом мы еще не ведали. Главный герой фильма, профессор консерватории, органист, презирал оперетту, пока однажды ему не приснился Бах и не сказал, что сочинять фуги очень скучно и он сам всю жизнь мечтал написать оперетту. Тогда профессор перековался и начал играть музыку Кабалевского — к общей радости публики.

Тем временем стало известно, что Московский авиационный институт, который находился в эвакуации в Алма-Ате, скоро должен вернуться в Москву. Я придумал, что поступлю туда, с ними доберусь до Москвы, а оттуда поеду в Саратов к Цейтлину. Подал заявление, готовился к экзаменам — как вдруг пришла телеграмма. Красными буквами было написано: "Правительственная". А дальше — что я вызываюсь Москву для продолжения обучения в классе профессора Цейтлина. Подпись — Храпченко, он ведал в правительстве делами искусств.

Оказывается, Московская консерватория тем временем возвратилась в Москву. И все это время Цейтлин бился за то, чтобы меня вызвать. В нашу московскую комнату вселили погорельцев, людей, чьи дома разбомбили. А без справки о прописке пригласить меня в Москву было невозможно. Когда я приехал, девушки в домоуправлении смеются: "Скажите, что это за пожилой дядечка с седыми усами, симпатичный невероятно, он вам кто? Плешь нам проел, пока мы не дали справку, что у вас имеется жилплощадь. Пристал, как клещ. Дневал тут и ночевал. Мы уходим — он еще здесь, приходим утром — уже сидит, ждет. В конце концов добился своего". На основании этой справки Цейтлин получил для меня пропуск в Москву и тогда сумел сделать вызов. Такой был человек. Защитник и попечитель. Совершенно родной человек.

Я приехал и с вокзала пешком, знакомыми переулками, проходными дворами, дошел до улицы Карла Маркса, где жила тетя. С собой не было почти ничего. Залатанный Дигин баул и скрипка. Комнатка, откуда мы эвакуировались и на которую Цейтлин добыл мне справку, по закону принадлежала нам, — но то по закону. Так что я потом год жил у тети, прежде чем сумел вернуться к себе. А после войны и родители туда вернулись.

Через два дня после приезда на вступительном экзамене я исполнял концерт Паганини ре мажор в сопровождении фортепиано и был принят в Московскую консерваторию. Кончался декабрь, наступал новый, сорок четвертый год.

15

Квартетная литература богата, как никакая другая. Величайшие композиторы писали свои лучшие сочинения, помимо симфоний, для квартета. На первом же курсе консерватории мной овладела мечта: создать квартет. Цейтлин, который сам после революции играл в квартете, горячо меня поддерживал.

Нужны были еще трое. Скрипачи и виолончелисты имелись, а с альтами — беда. Приходили кандидаты, играли — всё не то. В те времена была шуточка: "Что такое альтист? Это скрипач с темным прошлым". Вот это мне не годилось. Нужен был музыкант со светлым прошлым.

После очередного прослушивания я очень разозлился, вежливо попрощался с кандидатом, потом хлопнул рукой по пульту: сам буду играть на альте.

От скрипки в техническом отношении альт отличается только размерами — он больше. И если растяжка между первым и вторым пальцем на скрипке маленькая, то на альте большая. Октава на скрипке никакой проблемы не составляет, а на альте для октавы нужно довольно сильно растянуть пальцы. Только в этом разница — в растяжке.

Я стал заниматься по методу одного старинного русского пианиста, Орлова. Он вставлял между пальцами пробки, смоченные в масле, оливковом или постном — не в сливочном, конечно, — заворачивал руку в теплую тряпку и так спал. И в конце концов растянулись пальцы, и он стал отличным пианистом. Я насобирал пробок, раздобыл масла и тоже начал это делать.

Прошло время, и постепенно я убедился, что растяжка уже не представляет для меня никакой проблемы. У меня вообще были, так сказать, благодарные пальцы. Какой инструмент ни брал, какую скрипку или альт, — звучало.

Тогда я позвонил Ростику Дубинскому, прекрасному скрипачу, студенту легендарного профессора Ямпольского. Дубинский, как я знал, тоже хотел создать квартет. "Ростик, приходи, будем квартет играть". Поскольку я скрипач, он подумал, что я зову его играть вторую скрипку. Говорит: "Я-то приду, только кто будет на альте играть?" Я отвечаю: "Я". — "Ты вот шутишь, а у меня самого это больной вопрос. Нет альтистов!" — "Ну, приходи, мы этот больной вопрос решим". Ростик пришел, послушал, как я играю на альте, ему понравилось. Решено, делаем квартет. Теперь нужен второй скрипач. Я говорю: "Он должен быть твоего уровня, не слабее". Меня Цейтлин предупреждал: когда зовешь музыканта в квартет, старайся найти человека, который выше тебя по мастерству. Если возьмешь человека выше — будешь до него расти сам, а если ниже — сам сдашь назад.

Нашли такого парня, Гришу Кемлина. И вот что придумали. У нас не будет первой и второй скрипки: в одном квартете, который мы разучиваем, первую скрипку сыграет Дубинский, в следующем — Кемлин. И дальше по очереди. Это оказалось очень плодотворно — две равноценные скрипки. Например, в Четырнадцатом квартете Бетховена есть вариация, которую по очереди играют первая и вторая скрипки: каждая по такту. Собственно, почему второй такт должен звучать слабее, чем первый? Они должны быть одинаковые, — а возможно, между скрипками возникнет соревнование, каждый захочет сыграть лучше. Уверен, Бетховен бы это одобрил.

Так и стали работать. А виолончелистом позвали Славку Ростроповича. Но он недолго с нами был, хотел делать сольную карьеру и привел вместо себя Валентина Берлинского. Сказал на прощание так: "Рудька, ты недооцениваешь моего снобизма. Я пойду в солисты. А Берлинский — лучший виолончелист в консерватории после меня". Валя действительно оказался прекрасный ансамблист и уникальный аккомпаниатор, он мог, например, на виолончели *pizzicato* саккомпанировать целый романс, как на гитаре. Вот так сложился Квартет Московской консерватории — который позже назвали квартетом Бородина. Мы разучили несколько произведений Гайдна, Бетховена, Моцарта и в составе фронтовой бригады, куда входили еще певцы и чтец, бесподобный комический артист Геннадий Дудник, поехали на фронт.

16

Первая бомбардировка случилась под Волковыском. Засвистели бомбы, загрохотало. Нас спрятали под вагонами, и там мы провели всю ночь, потому что дело продолжалось до утра. Мы ничего не видели, только слышали страшный грохот, рев, свист и вой. Очень страшно. Преисподняя. Наутро стихло. Мы вылезли. Обнаружили, что все живы. Открыли футляры — инструменты тоже целы. Поехали дальше.

Играли перед бойцами прямо на передовой. Скажем, опушка или большая поляна в лесу. А в лесу идет бой. Приходят солдаты, усталые, перепачканные землей, порохом, садятся слушать музыку. А другие, которым мы только что играли, уходят им на замену, прямо в бой.

Бетховена, Гайдна, Моцарта, Мендельсона они слушали, затаив дыхание. Они как будто чувствовали, что приобщаются к чему-то таинственному и святому. Такое было ощущение, когда я на них смотрел.

Один мальчишка, украинский хлопчик, спрашивает: "Скажите, пожалуйста, товарищ музыкант, що це ви зараз зиграли?" Я отвечаю: "Это струнный квартет Мендельсона для двух скрипок, альта и виолончели". А он так приложил палец к щеке и покачал головой: "Мендельсона… Скажите пожалуйста, я й не знав, що така чудова музика есть на свити".

На поляну приходили солдаты обеих сторон. Так близко стояли войска, так они дрались. Там же шли чуть ли не рукопашные бои. Среди немцев были интеллигентные, были симпатичные люди. Бредет такой молоденький немчура, в лесу заблудился, куда ему идти в России, не знает никого и ничего, слова сказать никому не может. И набредает на полянку. Видит — сидят другие, он понимает, что это не немцы: и форма другая, и все прочее. Но он садился с краешку… Бывало, один-двое заходили, другой раз трое, четверо. Не толпами, конечно. Само собой, они были видны как на ладони. Но не станут одного несчастного немца убивать. Пришел, может, какой-нибудь молоденький Гейне. Могло быть такое? Могло. Вполне.

Нас привезли во Львов. Там шли бои с бандеровцами. Их тогда называли не иначе как бандой, а, в общем, это были украинские партизаны, националисты, которые воевали и против Гитлера, и против Сталина за Украину. В первую же ночь под нашими окнами завязалась перестрелка, и когда мы вышли наутро, увидели тротуары в крови.

Играем для солдат в кинотеатре. Вдруг свет начинает мигать, мигает и гаснет совсем. Мы продолжаем играть в темноте. Солдаты слушают, никто с места не встает. Потом что-то ухнуло, пошла стрельба под окнами. Зазвенело стекло, забегали за кулисами, затопали сапоги по сцене — кто-то подошел. Зажегся фонарик, потом другой. Стоят перед нами военные: "Товарищи артисты, не беспокойтесь, никто не уйдет, мы с вами. Продолжайте концерт". И мы играли. Руки, правда, дрожали — зато стаккато получалось превосходное. А они светили на ноты фонариками.

Повезли в танковую дивизию. Ехать через лес. Дали роту солдат с автоматами, рассадили по машинам, покатили. А в лесу бандеровцы. Они стреляют, сопровождающие наши отстреливаются. Мы держимся за футляры со скрипками. У кого виолончель, тому спокойнее — футляр больше. Но, с другой стороны, жалко инструмент. Как-то повезло, бой не разгорелся. Добрались в дивизию, а нам так рады, так они счастливы, что артисты приехали! После концерта никак не отпускали, мы и то им играли, и другое, пока генерал, командир дивизии, не вышел на сцену и не отдал приказ: "Товарищи музыканты, спасибо, музыку отставить. Товарищи бойцы, поблагодарим артистов и отпустим, они устали. Товарищи музыканты, вольно".

А сам повез нас к себе, устроил роскошный прием — с пирогами, салом, огурцами солеными, а водка была в ведре, стоявшем возле двери. Кто хотел, подходил и наливал ковшиком в свой стакан.

Перепились, конечно, ужасно. Генерал первый, но держался браво. Пора уезжать. Вдруг видим, Гриня Кемлин пропал. Ищем, ищем — ну нет нигде. Генерал говорит: "Товарищи музыканты, не надо волноваться. Время еще есть. Я придам вам дополнительную роту, и вас проводят до самого Львова, прямо до гостиницы. Продолжайте поиски". Сбились с ног. Наконец нашли: Гриня спал на большой кровати в генеральной спальне мертвецким сном, обняв подушку с вензелями. Генералу это страшно понравилось, он смеялся, помог погрузить Гриню в грузовик, сам нес за ним скрипочку.

И в этом грузовике бедный Гриня простудился и заболел. Но как! — сильнейшим воспалением легких. Пришлось его отправить в Москву. Причем он человек бывалый, в начале войны пошел добровольцем на фронт, воевал, а потом был отозван консерваторией для продолжения учебы. А теперь вот снова попал на фронт — и такая история.

С этой истории началась моя новая музыкальная деятельность, которая впоследствии оказалась более важной, чем я мог себе тогда представить. Я занялся инструментовкой. С нами ездила певица, Леля Корнеева, очень красивая, которая пела под аккомпанемент квартета. Народные песни, Чайковского, Шуберта. Но теперь-то, без Грини, квартета больше не было. И тогда я за несколько дней и ночей переинструментовал весь аккомпанемент для струнного трио, так что к ближайшему концерту все было готово. На этот концерт снова пришел наш знакомый генерал. Он, видно, чувствовал себя виноватым за то, что мы потеряли Гриню. И когда концерт завершился успешно, поднялся на сцену с рюмкой водки и велел мне ее выпить, а рюмку подарил. Красивая такая была, трофейная рюмка, с барельефами: солдат, лошадка, фрейлейн на балконе. Должен сказать, едва только Кемлин поправился, он потребовал, чтобы его немедленно снова послали на фронт, и присоединился к нам.

Прибыли на Второй Белорусский. Я знал, что именно тут воюет мой любимый дядя, капитан Исаак Баршай. И возмечтал найти его. Ну как же — найти дядю Исаака на фронте, это было бы событие какое!

Прихожу в штаб фронта. Вот, говорю, такое дело. Мы музыканты, выступаем перед бойцами, а здесь воюет мой любимый дядя, капитан артиллерии, хотел бы его отыскать. "Подожди, подожди, парень. Баршай, говоришь? Они еще вчера были тут, точно. Но сегодня убыли в направлении деревни такой-то". — "Как же мне искать?" — "А ты попутные грузовики лови, а нет где — там пешком иди. Вот, смотри, вот тебе карта, вот эта деревня, найдешь".

Детство я провел в раю, до четырех лет.

Говорили, что
казачка Мария —
самая красивая
женщина на
Кубани.
И правда, так
оно и было,
мама была очень
красива.

Ее отец, главный
атаман казачий
Давид Алексеев,
был субботником,
он принял
еврейскую веру.
И за ним
вся станица
последовала.

Папа приехал в эту станицу
по делам каким-то, он был
коммивояжер. И влюбился,
потерял голову.

Я маму любил нежно, страстно, самозабвенно.

Я к десяти годам хорошо понимал, что я еврей, и хорошо понимал, что я русский. Во мне это не было никаким противоречием.

Моя новая классная руководительница оказалась доброй и мудрой, хотя была совсем молодая женщина — Зинаида Васильевна Алексеева.

Почему-то все тогда увлекались голубями. То ли это было самое доступное развлечение, то ли многими людьми овладела тайная страсть к полету.

Однажды вечером после репетиции я шел по темному коридору и вдруг услышал музыку. Она меня ошеломила, как будто громом поразила.

На гастроли приехал Буся Гольдштейн. Это был вундеркинд, который в одиннадцать лет играл на концерте в присутствии Сталина. Сталин умилился, пригласил его в Кремль. Само собой, о Бусе и доброте товарища Сталина узнала вся страна. А кто на самом деле был добрым, так это Буся.

Из архива ВМОМК имени М.И. Глинки

Я сказал папе: "Папа, купи мне, пожалуйста, пианино. Я хочу учиться музыке. Я вот сейчас слышал такое. Хочу играть эту музыку".

Папа пришел с рынка и говорит:
"Пианино я тебе купить не смог,
оно слишком дорого стоило. Но
я купил тебе скрипочку".

Лев Моисеевич Цейтлин был
величайший музыкант, величайший, —
и педагог милостью божьей.

Цейтлин говорил: "Если ты можешь сыграть всё, но не можешь сыграть сонату Баха, значит, ты не можешь ничего".

Из архива ВМОМК имени М.И. Глинки

Из архива ВМОМК имени М.И. Глинки

Леопольд Ауэр создал русскую скрипичную школу. Ауэр и почти все его ученики уехали из России после революции. Цейтлин остался.

Кусевицкий пригласил Цейтлина концертмейстером, и Цейтлин возвратился в Москву.

Русскую литературу вел Исаак Давыдович Гликман —
прекрасный учитель и человек, ближайший друг Шостаковича.

РИА Новости / Алексей Варфоломеев

Из архива ВМОМК имени М.И. Глинки

Гениальный музыковед, просветитель, один из светочей того времени, Соллертинский был крупнейшим знатоком Малера и Шёнберга и самым близким другом Шостаковича.

Из архива ВМОМК имени М.И. Глинки

Все вундеркинды тогда мечтали учиться скрипке у Столярского. Школу, которую он основал, при его жизни назвали в его честь.

Весной сорок третьего в Ташкенте отмечали восемьдесят лет Ленинградской консерватории, и оркестр под управлением моего будущего учителя в дирижерском искусстве Ильи Александровича Мусина исполнил первую часть Седьмой при огромном стечении публики.

14 марта
Училище 1943 г. воскресенье

I торжественное заседание

А. ДОКЛАДЫ:

1) „Исторический путь Петербургско-Ленинградской Консерватории"
проф. С. Л. ГИНЗБУРГ.

2) „Ленинградская Консерватория в дни Великой Отечественной войны"
зам. директора ЛОЛГК доц. А. Л. Островский

Б. КОНЦЕРТ

Штейнберг Максимилиан—УВЕРТЮРА к муз. драме „Тахир и Зухра" на народные узбекские мелодии, Тохтасына ДЖАЛИЛОВА.

Шостакович—Седьмая симфония (1 ч.)
исп. симфонический оркестр Ленинградской Консерватории под управлением заслуженного артиста БССР профессора И. А. МУСИНА.

21 марта 1943 г. воскресенье

II заседание

А. ДОКЛАДЫ:

1) „Воспитание композиторских кадров в Ленинградской Консерватории"
заслуж. деят. искусств проф. Х. С. КУШНАРЕВ.

2) „Музыкознание в Ленинградской Консерватории"
доктор искусствоведческих наук проф. Ю. Н. ТЮЛИН.

Б. КОНЦЕРТ

Кушнарев—Соната для органа (переложение для 2-х ф-но А. Н. Котляревского)
исп. Лауреат Всес. конкурса доц. М. Я. ХАЛЬФИН и Л. И. ЗЕЛИХМАН.

Аралов—Романсы на тексты Пушкина.
Волошинов—Романсы на тексты Лермонтова
исп. доц. С. С. АПРОДОВ.

28 марта
Училище 1943 г. воскресенье

III заседание

А. ДОКЛАДЫ:

1) „Фортепианное исполнительство и педагогика в Ленинградской консерватории"
канд. искусствоведческих наук доц. Л. А. БАРЕНБОЙМ.

2) „Скрипичное и виолончельное исполнительство и педагогика в Ленинградской консерватории"
доктор искусствоведческих наук проф. Б. А. СТРУВЕ

Б. КОНЦЕРТ юных музыкантов.

УЧАСТВУЮТ: Люба БРУК (ф-но), Миша ВАЙМАН (скрипка), Роза ВАЙНШТОК (виолончель), Боря ГУТНИКОВ (скрипка), Юра ИОНОВ (ф-но), Олег КАРАВАЙЧ (ф-но), Валя НИКИФОРОВА (ф-но), Аня ПЕЛЕХ (скрипка), Марк ТАЙМАНОВ (ф-но), Гля ФЕДОРОВА (ф-но),

4 апреля
Училище 1943 г. воскресенье

IV заключительное заседание

А. Воспоминания о А. Г. РУБИНШТЕЙНЕ
нар. арт. СССР проф. И. В. ЕРШОВ.

Мысль А. Г. РУБИНШТЕЙНА о Родине и войне (по неопубликованным материалам)
проф. С. Л. ГИНЗБУРГ.

Воспоминания о Н. А. РИМСКОМ-КОРСАКОВЕ
засл. деятель искусств проф. М. Ф. ГНЕСИН.

Воспоминания о А. К. ГЛАЗУНОВЕ
засл. деятель искусств проф. М. О. ШТЕЙНБЕРГ.

Б. ЧАЙКОВСКИЙ—ИОЛАНТА—опера в 1 действии.
Постановка оперной студии ЛОЛГК
Муз. руководитель доц. И. Я. Полферов
Режиссер доц. В. А. Чарушников
Художник С. М. Штейнберг

Евгения Михайловича Гузикова мы звали "дедушка с волосами цвета льна".

Из архива ВМОМК имени М.И. Глинки

Александр Федорович Гедике. Добрейший, деликатнейший, благородный человек.

Из архива ВМОМК имени М.И. Глинки

У легендарного Абрама Ильича Ямпольского я тоже занимался.

Из архива ВМОМК имени М.И. Глинки

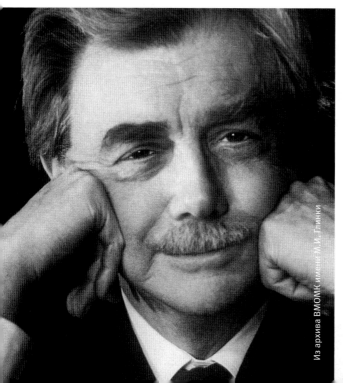

Присутствие Нейгауза делало тебя лучше. Он умел так ценить другого, что и тот начинал иначе ценить себя, людей, жизнь.

Из архива ВМОМК имени М.И. Глинки

Цейтлин сам привел меня в класс к Вадиму Васильевичу Борисовскому, крупнейшему нашему альтисту, и я стал у него заниматься.

Я не понимал, как это — мамы нет.

Из архива ВМОМК имени М.И. Глинки

На первом же курсе консерватории мной овладела мечта: создать квартет.
На фото: Р. Баршай, Р. Дубинский, Н. Маркова-Баршай, В. Берлинский.

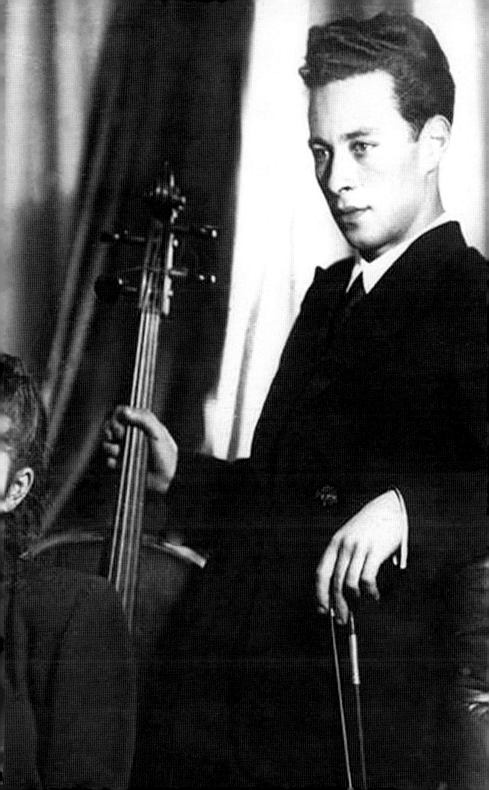

В оркестре
бывало интересно,
только если
дирижировал
Голованов,
с другими
дирижерами
я скучал.

Из архива ВМОМК имени М.И. Глинки

Славка сказал
на прощание:
"Рудька, ты
недооцениваешь
моего снобизма.
Я пойду
в солисты".

Из архива ВМОМК имени М.И. Глинки

Ойстрах с Кнушевицким и Львом Обориным хотели расширить трио до квартета. Но у нас был свой квартет — как я мог уйти?
Слева направо: Л. Оборин, С. Кнушевицкий, Д. Ойстрах.

"У меня инструмент с собой, Сергей Сергеевич. Послушаете?"

Прокофьев был милый человек и огромный композитор, но все же я бы не произносил их с Шостаковичем имена через запятую.

Из архива ВМОМК имени М.И. Глинки

Мы были на седьмом небе от его похвал. Говорим: мы хотим играть все, что вы будете сочинять. Шостакович сказал: "Я буду счастлив".

Из архива ВМОМК имени М.И. Глинки

Нина была хорошенькая очень, очень-очень, и скрипачка замечательная. Так что мы влюбились друг в друга и взяли поженились, долго не думая, чего там.

Родился Лева. Как совмещать обязанности молодых родителей с нашей работой, мы совершенно не понимали.

Я вышел, поймал грузовик, доехал, куда ему по пути было, дальше пошел пешком. Ходил-ходил-ходил — нашел деревню. Прихожу, а мне говорят: "Вот жалость, они только вчера отсюда снялись. Были, ночевали, потом пошли вот по этой дороге. Иди, ищи, может, догонишь". Я пошел.

Начался дождь. Иду весь мокрый — ну и бог с ним, это не считается, зато если я найду дядю Исаака — вот будет счастье! День иду, ночь иду. Где-то прилег, поспал недолго. День иду, снова наступила ночь. Вдруг из темноты передо мной вырастает фигура: "Хенде хох!" Все, конец.

Я молчу. А он говорит: "Ты чего, парень, не пугайся — я русский".

Ага.

— Прыгай скорее в траншею.

Присмотрелся — действительно, траншея рядом. Я слез в нее.

— Куда идешь?

— Вот, ищу своего дядю, капитана артиллерии. Они с частью ушли по этой дороге, мне сказали идти следом, может, нагоню.

— Ты что же, с ума сошел? Немцы в ста метрах. Это передовая, парень! Тебе жизнь надоела? Вот так окликнул бы тебя не я, а немец — и все, капут, он не стал бы расспрашивать, какого ты дядю ищешь. Откуда ты взялся?

Я рассказал. "А где все твои?" Я ответил, что нас разместили в такой-то деревне, кого поселили в больнице, кого в школе, кого в помещении церкви.

— Пойдем, музыкант, провожу тебя обратно. Сам не дойдешь. Пошли скорее, пока темно. И говори потише. Хорошо, дождь лупит, а то немцы нас услышали бы.

Отвел меня — там не очень далеко было, потому что я, пока два дня ходил, заблудился и прошел большую часть пути обратно. Тьма кромешная, нигде ни огонька. Довел до околицы, похлопал по плечу и пошел обратно.

Помню его. Огромный такой парень, русый, добродушный, веселый. Мне до сих пор тепло на душе становится, когда его вспоминаю.

Когда девушки наши меня увидели — расплакались, бросились обнимать. Все уже думали, я пропал или убили меня. А ребята налили водки, я же мокрый был насквозь. Выпил стакан, упал и заснул.

Дядя прошел всю войну, не погиб. Ему рассказывали на фронте, как его племянник искал. Я надеюсь, что и парень тот выжил.

Мы, конечно, играли не только на линии фронта, но и в госпиталях — перед ранеными, покалеченными, иногда при смерти солдатами. Никогда не забуду, как один молодой грузин лежал без рук, без ног — или, не помню, осталась у него одна нога или одна рука, — как он попросил: "Товарищ скрипач, вы знаете такую песню "Сулико"?" — "Ну кто же ее не знает". — "Тогда сыграйте мне, пожалуйста". И я ему сыграл песню "Сулико". Это же замечательная песня, чудесная, одно из чудес света эта песня. Я никогда не забуду, как он плакал, этот молодой боец, молодой парнишка. Как он плакал. Ну мальчик просто совсем.

17

Папина семья, все, кто до войны оставался в Белоруссии, погибли, их уничтожили фашисты. Двух сестер отца расстреляли вместе с их детьми, как и всех евреев. Русские соседи потом рассказывали, что евреев заставили вырыть яму, поставили на краю и расстреляли. Среди них был пятилетний мальчик, Вова, сын моей двоюродной сестры. Я его знал по Москве. Он в июне сорок первого поехал в Свислочь на летние каникулы к бабушке. Люди говорили, что земля в яме шевелилась два дня и две ночи.

Уцелели двое: дядя Семен успел уйти к партизанам в лес, а его четырехлетнюю дочку Иду взяли русские соседи, прятали у себя. Как-то раз глубокой ночью дядя пришел ее навестить. Он ее очень любил, не мог без нее. Его заметил русский полицай и тут же доложил коменданту. Арестовали и дядю, и девочку. А комендант этот, немец, видимо, был неплохой человек, не хотел их убивать. Сосед, который при этом присутствовал, нам потом говорил, что по глазам коменданта увидел, что тот не зверь, потому что когда ему рассказали историю про дядю и девочку, которую укрывали соседи, у того глаза стали влажными, покраснели. И комендант велел русскому полицаю отвести их в поле и прикончить. Конечно, рассчитывал, что полицай их отпустит, понятное дело. Тот действительно отпустил, сказал: "Бегите в лес". А потом выстрелил в них. После войны его арестовали, дали двадцать лет. Но позже, может, и помиловали.

В День Победы я встретил на Красной площади всех моих знакомых, приятелей, всю консерваторию, всех. Было великое ликование. Мы не сомневались, что теперь настанет настоящая жизнь, начнется мирное строительство и социализм принесет неисчислимые блага. Это была эйфория настоящая. Я верил. Несмотря на историю моей семьи, на процессы тридцатых годов, которые, хоть я был мальчишкой еще, не вызывали у меня ни малейшего доверия, а только ужас. Знаете, даже какой-то крупный русский государственный деятель, чуть ли не Витте, писал, что большевики проповедуют во многом христианские идеалы. Правда, говорит, они хотят ликвидировать частную собственность — величайшее завоевание человечества, а личность не может быть свободной без собственности. Про частную собственность я не думал, но меня тоже привлекали эти идеалы: например, говорили, в советской конституции будет такой пункт, что член партии не должен иметь личную машину, а должен пользоваться общественным транспортом. И я думал: будет такое — вступлю в партию. Мне нравилась идея равенства, не нравилось, чтоб одни богатели, пока другие бедны. Я, в общем, был готов все отдать. Другое дело, что у меня ничего не было… Сейчас не мог бы, а тогда мог. Но не потому, что теперь что-то есть. Было другое время, и я был другой. Я был моложе, не обладал таким богатством всяких недугов, и у меня перед глазами другой мир стоял — или я смотрел на мир другими глазами, что одно и то же, наверное.

Если и были у них идеалы — все это выродилось. Партийные чиновники стали вельможами. Такой анекдот, помню, ходил: "Смотри, какая шикарная машина промчалась, кто это? — Как кто, слуги народа".

Но вот сразу после войны чувствовался подъем гражданского чувства. Люди верили, что зло побеждено, и раз мы были едины перед лицом врага, то и между собой больше не будет никаких разделений.

Быстро выяснилось, что это не так.

Когда из плена возвращались домой русские пленные, их сажали в тюрьмы сразу, первым делом. Мы думали… Мы так возмущались: ведь эти люди уходили на фронт добровольцами. Скажем, Всеволод Топилин, прекрасный пианист, мой знакомый: он разве виноват, что в плен попал? Не хотел умирать, ему было предложено — либо в плен, либо убьют на месте. Он остался жив. А когда вернулся — просидел в сталинских лагерях. И так многие, очень многие, огромная часть народа, победившего в войне.

У Николая Заболоцкого есть стихотворение, которое он написал в сорок восьмом году. Все тогда прекрасно понимали, о чем это. Я помню наизусть.

Вылетев из Африки в апреле
К берегам отеческой земли,
Длинным треугольником летели,
Утопая в небе, журавли.

Вытянув серебряные крылья
Через весь широкий небосвод,
Вел вожак в долину изобилья
Свой немногочисленный народ.

Но когда под крыльями блеснуло
Озеро, прозрачное насквозь,
Черное зияющее дуло
Из кустов навстречу поднялось.

Луч огня ударил в сердце птичье,
Быстрый пламень вспыхнул и погас,
И частица дивного величья
С высоты обрушилась на нас.

Два крыла, как два огромных горя,
Обняли холодную волну,
И, рыданью горестному вторя,
Журавли рванулись в вышину.

Только там, где движутся светила,
В искупленье собственного зла
Им природа снова возвратила
То, что смерть с собою унесла:

Гордый дух, высокое стремленье,
Волю непреклонную к борьбе —
Все, что от былого поколенья
Переходит, молодость, к тебе.

А вожак в рубашке из металла
Погружался медленно на дно,
И заря над ним образовала
Золотого зарева пятно.

Какая несчастная наша страна. И какой гениальный был Чаадаев, который все про нее понял. Он написал еще в пушкинское время: наше назначение — преподать урок миру, и один Бог знает, скольких страданий и слез будет стоить этот урок. За что был объявлен сумасшедшим.

Но свой собственный путь к пониманию того, какая катастрофа случилась с Россией, мне еще только предстояло пройти.

18

Музыканты в квартете — очень сложный мир. Был такой Люсьен Капе, основатель легендарного французского квартета. Мой педагог Вульфман у него в Париже учился. Капе говорил: "Я нашел музыкантов и потом сделал из них людей. Но если бы начинал сейчас, поступил бы наоборот". Вот я лично всегда именно к этому и стремился: чтобы мы были единомышленниками. Для игры в ансамбле человеческие качества важнее музыкальных. Да-да. Если прекрасный музыкант не обладает скромностью, гибкостью, терпением, не хочет слышать партнера, он не добьется хороших результатов в ансамбле. Многие знаменитые солисты оказывались в квартете совершенно беспомощны. Необходимо довериться интонации партнера, только тогда усилия каждого превратятся в музыку. Сколько раз я замечал на выступлениях, что моя левая рука движется как будто помимо моей воли: она следовала за игрой моих товарищей, и в результате получалось хорошо.

Я был никакой не руководитель, просто один из четырех участников квартета. Но, когда мы начинали, произнес речь. Сказал, что, вот, теперь нам предстоит вместе провести жизнь и мы должны делить все радости и невзгоды. Если у нас только огурец и больше нечего есть, надо этот огурец разделить на четыре части. Мы объединяемся ради того, чтобы добиваться совершенства, и только если будем на самом деле как родные братья, то сможем достичь больших успехов в музыке. А иначе ничего не получится.

Все были согласны. Молодые были. Еще не очень-то хорошо знали самих себя и друг друга.

После освобождения Минска Дубинского пригласили туда играть в квартете, и он уехал, но через некоторое время вернулся, и превосходный скрипач Леон Закс, занявший было его место в нашем квартете, ушел. Грише Кемлину не понравилась эта история, и он тоже ушел из квартета. Вместо него с нами стал играть Володя Рабей, ученик Ямпольского, чудесный парень, он к тому времени уже закончил консерваторию. Он ребенком жил в Берлине, его отец работал там в торгпредстве, Володя знал три языка, был очень образован и нас тоже развивал по мере возможности: приносил почитать всякие интересные научные статьи, прививал нам любовь к поэзии — знал множество стихов наизусть.

Жили мы в коммуналках, а Валя вообще за городом. Репетировали по кругу: у одного, потом у другого. Пультов не было, сидели за столом. Клали на него ноты, садились по сторонам и играли. Иногда после нескольких часов работы от усталости ложились на пол, вытягивались на десять минут — и снова к столу. У Ростика дома была такая теснота, что однажды пришлось репетировать в ванной — там оказалось просторнее.

Часто я приходил в консерваторию очень рано, к половине седьмого, чтобы позаниматься до начала уроков, не беспокоить дома соседей. Никого еще не было, тишина, только возле памятника Чайковскому старик с длинной седой бородой кормил голубей, воробьев, синичек. Снегири тогда еще жили в Москве. Это был Александр Федорович Гедике. Он считался отцом русских органистов, вел класс органа и класс оркестровой игры, был композитором. Он жил прямо в здании консерватории, во флигеле на втором этаже. Добрейший, деликатнейший, благородный человек. Единственный раз я видел, чтобы спокойствие изменило ему. Наш профессор Тэриан пришел погулять возле консерватории со своей собакой и демонстрировал студентам чудеса дрессировки: его бульдог по команде взобрался на дерево и уселся высоко на ветке. Александр Федорович был возмущен и качал головой: "Михаил Никитович, ну как же можно, это ведь не по-христиански, такое издевательство над живым существом!" Сам он был страстным кошатником, и в этой его квартире во флигеле жило столько котов, что он их путал. Помню, мы с Таней Николаевой, прекрасной пианисткой и моей дорогой подругой, с которой он меня и познакомил и потом мы много вместе выступали, были у него, и Александр Федорович говорит кошке: "Катюша, душенька, будь-ка добра, слезай с подоконника, ты простудишься. Ах нет, да это не Катюша. Василий, сойди на пол, холодно".

Позже мы играли с ним его фортепианный квинтет. Сыграли первую часть — чудесная музыка, только... как бы это сказать? — один в один квинтет Танеева, любимого ученика Чайковского. Сыграли вторую — квинтет Танеева. Гедике посмотрел на наши недоуменные лица и говорит: что, думаете, это квинтет Танеева? Мы молчим. Неловко ужасно, ну что тут можно ответить. А Александр Федорович вздохнул так кротко и говорит: "Так и есть. Но, признаюсь по чести, Сергей Иванович написал свой квинтет после моего".

Зимой сорок шестого мы раздобыли номер телефона, собрались с духом и позвонили Шостаковичу. "Дмитрий Дмитриевич, здравствуйте, это говорит Рудольф Баршай, студент". — "Да-да, я вас знаю". — "Мы вот выучили ваш Первый квартет, от которого мы в восторге, и хотели бы вам его сыграть". — "А когда у вас следующая репетиция?" — "Завтра". — "В котором часу?" — "Рано, в девять утра…" — "Где?" — "В сорок седьмом классе, в консерватории на третьем этаже". — "Я буду, в девять часов буду".

Мы, само собой, пришли заранее, чтобы настроиться, разогреться, и все время высылали дежурного смотреть, не идет ли Шостакович. Он опоздал на три минуты. Вошел в класс, поздоровался — и за эти три минуты опоздания перед нами десять минут извинялся. Этот гениальный музыкант, профессор перед мальчишками извинялся десять минут. "Вы знаете, — говорит, — я никогда не опаздываю. Это мой принцип — быть точным. Но сейчас я опоздал из-за того, что на улице морозно, и из-за мороза у меня возникли проблемы с транспортом: автобус не ходил, трамвай не ходил, и вышла у меня из-за этого накладка". Мы были поражены. Шостакович сел, мы взяли инструменты, заиграли.

Он был очень доволен. Ему понравилось. Говорил, что мы все правильно выучили и верно играли. Мы были на седьмом небе от его похвал. Говорим: мы хотим играть все, что вы будете сочинять. Он сказал: "Я буду счастлив".

Я осмелел и, провожая его, говорю: "Дмитрий Дмитриевич, а вы не разрешите мне иногда вам показывать мои сочинения? Я немножко занимаюсь инструментовкой…" — "Да-да, конечно, конечно. Всегда, в любой момент. В девять утра я всегда сам подхожу к телефону. Ровно в девять звоните — попадете на меня, и сговоримся".

С тех пор, должен сказать, я пользовался этим телефоном довольно часто. И не было случая, чтобы я попросил его об уроке, а он ответил, что сегодня занят, или даже просто предложил бы перезвонить. Ну, может, два, три раза назначал точный час на следующий день. Но обычно отвечал: "У вас рукопись при себе?" — "Да, при себе". — "Тогда приходите сегодня", — если днем, то в консерваторию, а чаще, к вечеру, к нему домой. В течение тридцати лет, сколько мы с ним встречались, не было ни одного случая, чтобы он мне не то что отказал, а отложил встречу. Такой был человек. Великой доброты, великого ума, великий человек. Я обязан ему до конца моих дней.

Усаживал меня на диванчик, брал мою партитуру, садился за стол и за столом, не за роялем, изучал ее. В ноты смотрел примерно минут двадцать, а могло быть и полчаса, после чего вставал, партитуру оставлял на столе, подходил к роялю и играл мне все, что я написал, наизусть. Причем так, что я слышал все голоса. Невероятно. У него от природы были феноменальные данные. Как он в шутку предлагал нажать на десять случайных клавиш, а потом одну отпустить, и он, не глядя, говорил, какую ты отпустил. Редакции свои гениальные "Хованщины" и "Бориса Годунова" Мусоргского он делал по памяти. Сказал мне: "Не хочу, знаете, чтобы на меня что-то влияло, чтобы что-то отвлекало, — поэтому решил не смотреть ни в рукописи, ни в издания".

Замечания его были исключительно точными, дельными, и не раз бывало, я уже по пути домой обдумывал какое-нибудь из них, показавшееся мелочью, и понимал, какой урок там скрыт. Смотрит-смотрит в ноты, потом говорит: "Вот в этом аккорде у вас не хватает квинты, а надо, чтобы все было". Или: "Я смотрю, вы тут написали партию валторн, а потом зачеркнули…" А меня предупредили друзья, что партитуру надо приносить Шостаковичу написанной чернилами, ни в коем случае не в карандаше. Поэтому я в первый раз пришел к нему, не спав ни минуты: всю ночь переписывал. Позже он и сам мне говорил: никогда не сочиняйте за роялем или за бумагой, все должно сложиться в голове, только потом пишите. Но в тот раз что-то у меня было зачеркнуто. "Да, Дмитрий Дмитриевич, хотел посоветоваться — может, валторны все-таки не помешают?" — "Нет-нет, могу вас только поздравить с тем, что обошлись без них. Чем меньше элементов будет в вашей партитуре, Рудольф Борисович, тем она ценнее".

Но никогда не поучал, всегда с юмором. "Ну что ж, — говорит после первой нашей встречи, — в процессе этой работы вы многому научились. Первая часть — твердое "хорошо". Вторая — намного лучше. Третья — мастерски, знаете ли, просто мастерски".

19

Когда Цейтлин увидел, как пошли дела с квартетом, он сам привел меня в класс к Вадиму Васильевичу Борисовскому, тогда крупнейшему нашему альтисту, и я стал у него заниматься. Со стороны Цейтлина это был рыцарский поступок — так отдать студента, и для меня его поддержка была исключительно важна. Хотя он и сказал через три года, после защиты диплома, на которой я играл Чакону Баха в своем переложении для альта: "Какой я все-таки осел, что отпустил тебя к альту". Обнял меня при всех. (И рассказал, как у Ауэра занимался мальчик из Тифлиса, который с гордостью сказал: "На летних каникулах я самостоятельно разучил Сиасопу". Ауэр никак не мог понять, что это. Оказалось, мальчик прочитал латинские буквы *Ciacona* как русские.)

Такой у меня был учитель. Такие у меня были педагоги в консерватории — замечательные педагоги, я должен их всех помянуть как святых людей. Они не просто научили меня музыке, а дали мне жизнь в руки. Благодаря этим людям я продолжал жить, и мне хотелось дальше работать.

Помню, как Евгений Михайлович Гузиков, который вел класс квартета, часами рассказывал мне о Люсьене Капе, у которого он учился в Париже. Это было небезопасно, между прочим, вот так рассказывать, потому что человеку, который пожил за границей, всегда грозил ГУЛАГ, срока давности не существовало. Мало того: Гузиков в свое время дружил с маршалом Тухачевским. Тот коллекционировал скрипки, а Евгений Михайлович прекрасно разбирался в инструментах. У него от Тухачевского была скрипка работы Гваданини, на которой Гузиков давал Ростику Дубинскому играть. Тухачевского в тридцать седьмом расстреляли, и хотя Гузикова не тронули, тень эта всегда висела над ним. Но во мне он чувствовал благодарного слушателя, видел, что я так же истово люблю квартеты, как он сам. Да и вообще уже ничего не боялся, потому что был стариком. За его светлые волосы мы его звали "дедушка с волосами цвета льна"[1]. Был он глуховат. Страшное несчастье для музыканта. Почему Бетховен потерял слух? Никто не знает, до сих пор это не выяснено. Я видел медицинскую бумагу с описанием прогресса бетховенской глухоты: за этот год потерял столько-то процентов, за этот столько-то. В тридцать один год он слышал только низкие звуки и играл себе все свои сочинения в басу. А в конце написано: "Полнейшая глухота". Но тогда он сочинял свои самые великие произведения. Именно тогда он сочинил Торжественную мессу, Пятнадцатый квартет, когда уже ничего не слышал. Одна из величайших тайн природы — это бетховенский феномен с его глухотой и его фантастической музыкой. Однажды на уроке Гузиков говорит студенту: "Возьмите-ка этот ля-бемоль

---

1   "Девушка с волосами цвета льна" — пьеса Клода Дебюсси.

пониже". А студент попался злой шутник. "Хорошо, говорит, пожалуйста", — а сам играет то же самое. Гузиков снова: "Еще пониже". Студент кивает и снова играет, как прежде. Нам стало ужасно неловко. А Гузиков помолчал и говорит: "Но глаза-то у меня есть". И действительно: хороший скрипач может определить звук по тому, как стоит палец, где стоит, сколько миллиметров от порожка, и главное, как повернут. Гузиков понимал в квартетах, как никто, и, разъясняя тонкости мастерства, учил нас главному: чувствовать целое. Вы, говорит, играете и наслаждаетесь собственной партией, а ведь здесь, например, этот голос надо придержать в пользу остальных... Вы свое *forte* делайте, как написано, но только чтобы не заглушить партнеров. После одного концерта сказал мне: "Сегодня вы хорошо играли плохую музыку, но хорошую, увы, играли хуже". Ему не нравилось, как мы играли Шостаковича. Надо сказать, мне тоже. Товарищи мои подчеркивали юмористическую сторону этой музыки, сатирическую сторону, ее остроумие, но пренебрегали глубокой теплотой и драматичностью. Как, впрочем, и многие исполнители Шостаковича в СССР. Я спорил, но поначалу казалось, что в таких вопросах можно со временем найти общий язык.

Альтом, кроме Борисовского, со мной занимался Михаил Никитович Тэриан, он когда-то учился у Гузикова. Мой первый альт достался мне от него. Был такой знаменитый скрипичный мастер Подгорный. Тэриан заказал ему копию альта Гварнери. Подгорный долго работал, сделал, принес инструмент. Тэриан посмотрел-посмотрел и говорит: у вас эф прорезан с бо́льшим наклоном. А Подгорный ему: "Ну не стану же я повторять ошибку Гварнери". Вот на этой копии альта Гварнери я и начал играть, чудесный был инструмент.

У легендарного Абрама Ильича Ямпольского я тоже занимался — совсем немного, но совершенно незабываемый получил от него совет. В жизни музыканта один такой совет может многое решить. Он мне сказал: "А вот знаешь, у тебя смычок идет немножко косо, не вдоль подставки, а как-то съезжает на нее. Звук у тебя, конечно, будет громче, но гораздо грубее, не будет гибким. А ты немножко локоть отведи назад, чуть-чуть, вот столько". Отвел мне на два сантиметра — и все, этого достаточно, и стал нормально смычок идти. Познакомили нас Ростик, который учился у Ямпольского, и Леня Коган, мой друг. Леня был из бедной семьи, папа его — фотограф из Днепропетровска, родителям разрешили жить вместе с Леней в комнате общежития, поскольку он был такой особо одаренный мальчик. Когда Ямпольский про это узнал, то взял Леню жить к себе. Как-то раз позвонил: "Рудик, знаешь, Леня должен заканчивать консерваторию. На выпускных экзаменах надо сдавать дисциплину "квартет". Я тебя прошу ему помочь. Если партнеры по твоему квартету согласятся, пусть сядет на место первой скрипки и сыграет что-нибудь. Он выучит любой квартет, что хочешь. А если нет, ты сам с ним сыграй на альте, а скрипача и виолончелиста найди". Помню, я нашел скрипача, а на виолончели Слава Ростропович согласился сыграть. Взяли мы, ни больше ни меньше, Второй квартет Чайковского, замечательный, но очень трудный. На репетицию позвали Гузикова, поскольку дело серьезное. Он делал замечания, а потом заслушался и говорит: "Какой, ребята, у вас квартет — вам бы его сохранить". Такой был добрый, занятный и незабываемый старик.

Студентом Нейгауза я не был, но вспоминаю и его в числе моих дорогих учителей. Думаю, он был самый красивый человек, которого я встретил в жизни. Не просто лицо красивое, а весь человек. Маленький, элегантный, седой, изящные усики, желтоватые от папирос. Говорил с легким-легким немецким акцентом. Впервые я побывал на его концерте до войны. Первый раз в России исполнялось трио Брамса для фортепиано, скрипки и валторны. Вообще, это теперь смешно обсуждать, великий композитор Брамс или нет. А в начале века еще Ауэр, как рассказывал мне Цейтлин, мог сказать ученику, который решил разучить концерт Брамса: "Брамса? Ты что, дурак набитый?" В Европе Брамса тоже знали, главным образом, по "Венгерским танцам" и вальсам. Танеев жаловался: "Бьешься-бьешься, надрываешься изо дня в день, а потом тебя еще русским Брамсом обзывают".

Успех у трио был огромный. Аплодисменты не прекращались четверть часа. Генрих Густавович вышел на авансцену и говорит: "Уважаемые товарищи слушатели! Это такая прекрасная музыка — позвольте нам исполнить ее еще раз". И конечно, сыграли снова.

Он так любил музыку, как будто дышал ею. Он потом в своей книжке написал, что прежде чем заниматься музыкой, надо иметь ее в себе, носить в душе и слышать ее. Никто из консерваторских профессоров так часто не ходил на концерты. Один раз я сидел с ним рядом в зале, был какой-то квартетный вечер. Музыканты играли слишком быстро. Смотрю — Нейгауз принялся тихонько отбивать рукой по колену верный такт. Но те мчались и мчались, как взмыленные кони. Им его страдания не передавались. В конце концов он вздохнул и опустил голову.

И вот что такое любовь к музыке, а не к своему успеху. Однажды он играл в Малом зале Дебюсси — которого до него в Москве никто, кажется, и не исполнял. С электричеством были перебои. Пришлось зажечь свечи. Нейгауз играл наизусть. Вдруг он запнулся. Ну, бывает. Забыл. Начал снова, сначала. Дошел до того же такта — и снова замолчал. Мы похолодели. Ужас, катастрофа. А он что сделал? Тихонько засмеялся, взял ноты, открыл, пододвинул канделябр и спокойно стал играть по нотам дальше. Никакой паники, досады, гнева — и он в один миг успокоил слушателей и вернул нас к музыке. А как играл — этого я не забуду никогда. Мастер Генрих, его Мандельштам назвал, *Meister* Генрих...

Позже нам посчастливилось работать вместе. И в концертах, и на радио в прямом эфире, тогда ведь не давали в записи, только прямой эфир. Он вел себя с нами, четырьмя совсем молодыми ребятами, как с равными. Никакого менторства, высокомерия, совершенно исключительное дружелюбие и всегда полная отдача. Репетиции были праздником: мы не упражнялись, а наслаждались музыкой. Не будем, говорит, останавливаться по мелочам: лучше сыграем еще раз всю часть целиком.

Довольно быстро он прознал, в каких условиях мы репетируем без него. "Знаете что, — говорит, — приходите ко мне в класс, когда я заканчиваю занятия, и там работайте".

Мы, конечно, приглашением воспользовались. Очень часто он не уходил, а садился тихонько в углу и смотрел, как мы репетируем. После целого дня занятий ему доставляло удовольствие слушать музыку. Особенно Бетховена. Как-то раз мы сыграли финал ми-минорного квартета, и вдруг Нейгауз встал, подошел к нам взволнованный, со сжатой в кулак рукой, и говорит: "Это же *sforzando* Бетховена! Это знаете что такое? Это когда скалы рушатся!" Запел тему, дирижируя кулаком, и на этом *sforzando* как подпрыгнет и каблуками по полу! Мы, не сговариваясь, подняли инструменты и сыграли финал снова. Он был доволен.

Потом приглашал репетировать у него дома на Земляном Валу. Трехкомнатная квартира, по тем временам прекрасная, все-таки крупных профессоров обеспечивали. Но мы попадали не просто в квартиру, а в совершенно другой мир, чем был за ее окнами. Нейгауз, конечно, как мог, старался держаться в стороне от советской жизни, хотя это было почти невозможно, особенно немцу во время и сразу после войны, можете себе представить. В начале войны его просто посадили в тюрьму. Он отказался эвакуироваться с консерваторией, потому что не мог оставить тяжело больную тещу. Обвинили его в антисоветчине, припомнили, что он в свое время осуждал пакт Молотова — Риббентропа (это при том, что, когда он сидел на Лубянке, фашисты были на окраинах Москвы!), сослали. Потом, спасибо, выпустили. Но он был полон любви к жизни, умел выпить, любил пошутить и посмеяться и много-много чего нам рассказывал. Он до революции подолгу жил в Италии, в Австрии, прекрасно знал чуть не пять языков, был человеком очень образованным. В юности дружил с Горовицем и Рубинштейном. Разговоры эти были бесценны, но еще дороже для меня сам этот незабываемый человек. Его присутствие делало тебя лучше. Он умел так ценить другого, что и тот начинал иначе ценить себя, людей, жизнь. Однажды говорю: "Знаете, Генрих Густавович, нас приглашают на радио сыграть квинтет Шумана... если вы будете". — "Квинтет Шумана? Конечно. Вы его уже играли?" — "Да, — говорю, — играли". — "Ну и отлично. Я тоже играл, значит, репетировать не надо". Мы встретились на радио и сыграли так, как будто всю жизнь играли эту вещь с ним вместе. Нейгауз играл бесподобно, а мы старались соответствовать.

20

Мне удалось поселиться в коммуналке в Лебяжьем переулке — знаете, он начинается у Каменного моста и упирается в Пушкинский музей. Сейчас уже не помню как, но смог получить там комнату, и мы стали жить с родителями отдельно.

Однажды рано-рано утром мне позвонил папа: "Рудик, у нас нет больше мамы".

Прямо перед ее похоронами я заболел тифом. Попал в больницу. Оттуда поехал на похороны. У меня была высокая температура, я был в какой-то дремоте, почти без сознания, когда хоронил маму. И когда потом вернулся в палату, там уже понял весь этот ужас, что мамы нету. Помню, как горько плакал на железной больничной кровати. Не понимал, как это — мамы нет. Вся жизнь моя вертелась вокруг маминой заботы и маминой теплоты. Это до сих пор у меня боль в сердце, когда я про маму думаю. Я с ней советуюсь, бывает. Такой второй мамы, как мне казалось, нет, не существует. Но так, может быть, каждому кажется.

21

В сорок шестом году я участвовал в конкурсе на вакантное место альтиста и начал играть в оркестре Большого театра. Это был в то время лучший советский симфонический оркестр. Руководил им Николай Семенович Голованов. Он пришел в Большой еще до революции, а прежде был регентом церковного хора, преподавал в Синодальном училище. При советской власти его несколько раз увольняли из театра, потом возвращали снова. Кто слышал, как он дирижирует оперы Мусоргского, не сможет их слушать больше ни в чьем исполнении. Он вообще был крупнейшим дирижером русской музыки.

В консерваторию я ходил только на занятия с педагогами, на другие уроки времени не оставалось. А экзамены сдавать надо. В частности, по марксизму-ленинизму. Но тут Славка придумал гениальную вещь, которая нас обоих спасала. Называлось "Ростроповичев глаз". Это был чистый лист бумаги с аккуратно прорезанным сверху окошком шириной в строчку. Под него клалась заранее заготовленная шпаргалка, и ты делал вид, что пишешь ответ, а на самом деле, глядя в окошко, строка за строкой все списывал. Потом шпаргалку прятал, верхнюю часть листа с прорезью аккуратно по линеечке отрывал и шел к экзаменаторам читать ответ.

День мой был такой: с утра репетиция в Большом, потом где-нибудь на ходу перекусить — и на репетицию квартета, вечером спектакль в Большом. Конечно, я здорово уставал. В оркестре бывало интересно, только если дирижировал Голованов, с другими дирижерами я скучал.

Теперь, когда прошло столько лет, я понимаю, как многому научился у Голованова, хотя мальчишкой над какими-то вещами посмеивался. Скажем, он требовал от всех полнейшей отдачи — и мы с другими альтистами развлекались так: играли *fortissimo* с высоко поднятыми инструментами — только совсем тихо. В грохоте медных и ударных это ничего не меняло, но Николай Семенович видел, как мы вдохновенно задираем инструменты, и одобрительно нам кивал. А вообще я играл без халтуры, он умел воспламенить оркестр с первой ноты и требовал ни на секунду на протяжении целого спектакля не терять этого накала. Каждое вибрато должно было играться с полной выкладкой. "Что вы спите, — кричал он, — почему не играете?!"

Кричал он много и людей обижал запросто. Когда приходил на репетицию, стояла такая тишина — муха не пролетит. Боялись его. Если особенно свирепел, то Виктор Львович Кубацкий, виолончелист, его старинный друг, ему тихонько говорил (я слышал): "Не бушуй, Коля". И надо сказать, Голованов мгновенно успокаивался.

Видит, кого-то нет на репетиции. А у него, объясняют, сегодня студенты в консерватории. Голованов говорит: "Понабрали профессоров — играть некому". Хотя и сам был действующим профессором, а кроме того, еще руководил оркестром Радиокомитета.

Тут две вещи сошлось. Почтенная, увы, традиция дирижера-тирана, которой ломает палочку о голову оркестрантов, — и сталинская система управления, основанная исключительно на страхе. Она вытаскивала из людей худшее.

Но была и еще одна сторона. Все понимали, что Голованов служит исключительно музыке и в первую очередь не щадит самого себя. Оркестр в его руках превращался в единый организм, отзывался на каждый жест и ни у кого другого не звучал так полно. А дирижерская палочка у Голованова была строгая и ясная, никаких разночтений. Затакт сильнее, чем такт, этим все сказано. Сильные музыканты были рады подчиняться ему, слабые сопротивлялись и ныли.

Говорили, он антисемит. Не могу свидетельствовать. Помню, как он орал на репетиции: "А где евреи? Оркестр вообще не звучит!" Знаю, что многим музыкантам помогал. Когда позже уничтожали Прокофьева — я расскажу, — Голованов устроил в Большом театре оркестровую премьеру фрагментов его нового балета, и после нее оркестр и он сам обрушили на Прокофьева такие аплодисменты, что, в общем, можно было Николая Семеновича в очередной раз увольнять. Что не сразу, но вскоре, и было сделано.

А когда я только поступил в Большой, ставили "Ромео и Джульетту". Дирижировал Юрий Федорович Файер, главный балетный дирижер театра. Прокофьев приходил на все репетиции. Если Файер просил, он с готовностью вносил изменения, и на следующий день приносил новый вариант на огромных подклеенных, переклеенных партитурных листах. Музыка мне так нравилась, что я переложил несколько номеров для альта с фортепиано. Однажды в антракте подошел к Прокофьеву, сказал, что вот сделал такие обработки и хотел бы ему показать. "Ну конечно.

Приходите ко мне домой". Жил он в проезде Художественного театра. Я пришел. Он сел смотреть ноты, потом говорит: "Вот это место мне не совсем ясно. Разве можно так на альте сыграть?" — "У меня инструмент с собой, Сергей Сергеевич. Послушаете?" Сыграл. "Видите, — говорю, — даже очень просто". Почему-то это его очень обрадовало и расположило ко мне. "Надо же! Я не знал, что так можно. Слушайте, как здорово!" И с тех пор началось наше общение. Он был милый человек и огромный композитор, но все же я бы не произносил их с Шостаковичем имена через запятую. Как Антон Веберн однажды написал Бергу: "Получил твое письмо, в котором ты обожествляешь Баха и Генделя, но, знаешь ли, два этих имени нельзя произносить на одном дыхании". Прокофьев занимался, что называется, "искусством для искусства", недаром он был так силен в балетной музыке. Когда начались гонения, преследовали его действительно за диссонансы, а не за содержание музыки. Даже в официозных вещах, вроде "Семена Котко" или оратории "На страже мира", Прокофьев совершенно не изменял себе. Послушав же Четвертую симфонию Шостаковича, невозможно не задуматься, о чем он рассказывает, и не оглянуться вокруг. Сам Шостакович терпеть не мог литературщину в музыке, но и я говорю не о программе, а именно о музыке. Он стеснялся своей "Песни о лесах", хотя, в общем, это была честная попытка написать "популярную музыку". Когда я дирижировал его симфонии с хорошим оркестром, у меня всегда оставалось чувство, что я за один вечер прожил целую жизнь. Прокофьева я играл с охотой, но такого чувства не было.

22

Я всегда был очень влюбчив. Особенно если женщина талантлива... страшное дело. Нина Маркова была очень хорошая скрипачка. Познакомил нас, думаю, Гриня Кемлин: они оба учились у профессора Мостраса. Такой был педагог, который не только вел класс, но еще и преподавал методику обучения игре на скрипке. Преподавал, между прочим, замечательно. Я навсегда запомнил один его постулат: необходимо совершенствовать исполнение пассажа и даже целой части до тех пор, пока оно не станет автоматическим, когда вы уже об этом можете не думать, а как бы само собой играется. Только тогда можно считать, что фрагмент выучен, и двигаться дальше.

Нина играла в студенческом ансамбле, который назывался "Эмиритон", в честь электронного инструмента того времени. На нем имелся рисунок вроде клавиш, и, в общем, можно было играть не только примитивные вещи. Я взял и сделал для их ансамбля обработку нескольких пьес из "Мимолетностей" Прокофьева. Ребятам понравилось, они выучили и исполняли на концертах. Потом наш квартет тоже стал это играть. С тех пор я и сделался известен как обработчик. Прокофьеву "Мимолетности" в таком виде очень пришлись по душе, он предлагал, чтобы я их все инструментовал.

Нине тоже понравилось. Она, по-моему, и влюбилась в меня как в обработчика. Она, надо сказать, была хорошенькая очень, очень-очень, и скрипачка замечательная. Так что мы влюбились друг в друга и взяли поженились, долго не думая, чего там.

Родился Лева. Как совмещать обязанности молодых родителей с нашей работой, мы совершенно не понимали. Это невероятно трудно. Поэтому в нашей комнате на Лебяжьем появилась еще домработница. Крестьянская девушка, старая дева, звали ее Капа. Простая-простая. Она была совершенно преданный, совершенно свой человек в семье. И, в сущности, она воспитывала нашего Леву. Даже если мы ездили куда-нибудь летом на каникулы, на Азовское море например, — всегда Капа с нами. Вчетвером отдыхали.

Володя Рабей ушел из квартета. Это была серьезная драма. У них не сложились отношения с Дубинским, тот был недоволен Рабеем как вторым скрипачом, мы защищали Володю, но кончилось дело расставанием.

Объявили конкурс на пульт второй скрипки. Лучше всех кандидатов, по общему мнению, оказалась Нина. Она стала играть с нами. Поначалу все этому радовались. Выступления квартета пользовались у публики успехом, работали мы с огромным энтузиазмом. С приходом Нины захотелось начать как бы заново, сбросить все, что накопилось дурного. Мы все вместе написали устав квартета и подписали кровью. Каждый проколол себе палец булавкой и поставил отпечаток под текстом. Главное в уставе было просто: один за всех, все за одного, квартет — главное дело в жизни каждого.

Нина ушла из школы, где она преподавала, а я подал заявление на уход из Большого театра.

На другой день позвонил директор оркестра Большого театра: с вами хочет поговорить Голованов. Я пришел в артистическую, дождался антракта, появился Николай Семенович, усталый. Извинился передо мной, сказал, что должен прилечь. Он был уже не очень здоров. Вытянулся на диване и предложил мне стать концертмейстером группы альтов. Я растерялся, но ненадолго. Это высокая честь, говорю, но, понимаете, Николай Семенович, у меня квартет и консерватория. Я просто не могу посвятить себя театру. Голованов даже приподнялся на подушках. "Сколько вам лет, Рудольф Борисович?" — "Двадцать два". — "Рудольф Борисович, сосунок двадцати двух лет получает предложение стать концертмейстером в Большом театре и воротит нос?" Я вежливо засмеялся. Он говорит: "Ладно. Тогда играйте не на полную ставку, а когда время будет". Я поблагодарил. Недолго, пока мне не нашли замену, — играл, а потом ушел из Большого.

Затем позвонил Мравинский. Мы были знакомы: он приходил на наши концерты в Ленинграде, когда мы исполняли квинтет Шостаковича и Дмитрий Дмитриевич сам был за роялем. Мравинский предложил мне место концертмейстера в своем оркестре. Я, конечно, был глубоко тронут, польщен… Но и ему ответил, что состою в квартете. Поскольку мы все живем в Москве, я мог бы принять предложение, если мои товарищи тоже получат место у Мравинского в Ленинграде. Поразительно, но он попытался это устроить. Но у первых пультов не было свободных мест, и ничего не вышло.

В сорок восьмом году я защитил диплом. На следующее утро стучат соседи, зовут к телефону в коридор. Звонит

Свет Кнушевицкий, Святослав Николаевич Кнушевицкий, лучший тогда в стране виолончелист. "Мне, — говорит, — вчера после твоего дипломного концерта звонил Ойстрах и сказал: "Есть альтист для нашего квартета!" Трудно описать мою радость и гордость. Давид Федорович Ойстрах — лучший русский скрипач, за всю историю мировой музыки таких единицы. Я к тому времени был с ним знаком. Наш квартет участвовал в отборе на международный конкурс в Праге. Прошли первый тур, сыграли второй. Ойстрах был в жюри. После заседания он подошел к нам и сказал, что в третий тур мы не допущены. "Но, — говорит, — я хочу вам сказать: вы играли лучше всех". Потом мы узнали, что после этого заседания Ойстрах и Тэриан вышли из жюри в знак протеста. Подоплеку истории тогда никто особо не скрывал: у нас были неподходящие фамилии. Берлинский, Дубинский, Баршай — даже двое Баршаев.

Ойстрах с Кнушевицким и Львом Обориным играли в трио и хотели расширить его до квартета. Но у нас был свой квартет — как я мог уйти? Так и ответил. И все же начал время от времени сотрудничать с их трио. Мы иногда играли программы вчетвером в Москве и в Ленинграде. Что это были за чудесные поездки на "Красной стреле"! Не спали, конечно, всю ночь: садились у столика, что-то жевали, и я слушал их рассказы до самого утра. Помню такую историю, например. Кнушевицкий возвращался после премьеры из Большого. Он играл соло виолончели, потом был банкет, на котором хорошо выпили. И вот он идет по ночной улице Горького, несет виолончель и думает: а зачем я ее несу? Я же разумный человек, зачем я несу такую тяжесть? Надо ее кому-нибудь подарить. Решено. Тут, возле Центрального телеграфа, навстречу прохожий. Какой-то, показалось Кнушевицкому, интеллигентный человек. Кнушевицкий к нему. "Добрый вечер, — говорит. — Не хотите ли виолончель в подарок?" — "Конечно, — отвечает человек. — Хочу. Хорошая?" — "Страдивари", — говорит Кнушевицкий. Виолончель действительно была Страдивари. Человек забирает виолончель, пожимает руку Свету и удаляется. Кнушевицкий, испытывая приятную легкость, не спеша идет домой. Жена открывает ему дверь… В общем, оказалось, ему повезло. Человек, которого он встретил на улице, его сразу узнал. Может, и сам шел с той же премьеры. Во всяком случае, понял ситуацию. Поэтому взял виолончель и наутро принес в проходную Большого театра.

Кнушевицкий был чудесный, совершенно изумительный человек, веселый, добрый, щедрый. Мы много потом играли вместе, да только, увы, он рано умер, от инфаркта.

23

Как-то раз, подходя к Большому, я обратил внимание, как много вокруг театра милиционеров. Стояли заборчики, и людей с музыкальными инструментами проверяли люди в военной форме. Меня тоже военный остановил, отдал честь. "Что в чемодане?" Я говорю: альт.

— Не понял.

— Ну, виола.

— Это что?

— Скрипка такая большая.

— Откройте, пожалуйста.

Я открыл.

— Ясно. Куда направляетесь?

— В Большой театр.

— Участвуете в мероприятии?

— В оркестре работаю.

— Проходите.

В Большой нередко ходили крупные государственные чиновники, и нас часто проверяли. Любопытно было, кто пожалует на этот раз.

На проходной тоже милиционеры, и снова проверка инструментов. Проверяли уже двое. Один нашел у меня в футляре сурдинку.

— Это что?

— Сурдинка.

— С какой целью проносите?

Я надел сурдинку на струны.

— Это зачем?

— Звук глуше, она придает некоторую окраску. Вот смотрите. — Провел смычком с сурдинкой, потом снял, провел без. Они переглянулись. Слышу, у меня за спиной, кто-то на валторне заиграл. Проверяют, нет ли чего внутри, наверное.

— А вот это?

Смотрю, второй держит мою металлическую коробочку для канифоли.

— Канифоль.

— Паяете?

Я открыл коробочку, провел канифолью по смычку.

— Улучшает скольжение.

— Спасибо. Проходите.

В оркестровой яме нас ждали люди в штатском. Они не смотрели ни в зал, ни на сцену: только на музыкантов.

Догадались мы правильно. Вскоре после начала спектакля — а это был балет "Пламя Парижа" — в правительственной ложе, той самой, где когда-то сиживал купец Ушков с дочерью, появился товарищ Сталин. Один музыкант возле меня совершил резкое движение — полез в карман за сурдинкой. Его тут же крепко схватил за руку энкавэдэшник. Увидел сурдинку, отпустил, тот едва успел вовремя вступить.

С трудом дождавшись конца акта, артисты на сцене повернулись к ложе и начали аплодировать Сталину. Он стал хлопать в ответ. Пошла цепная реакция: публика, поняв, в чем дело, взорвалась аплодисментами. Он встал, вышел вперед и показался зрителям.

То, что началось, нельзя назвать аплодисментами и даже овациями. Это был шквал. Это было так страшно, что казалось, сейчас обвалится потолок с люстрой и плафонами. Я держал альт и смычок и мог на законных основаниях не аплодировать, но некоторые музыканты хлопали и с инструментами в руках. Больше всего меня поразило то, как Сталин реагировал на эту бурю восторга и обожания. Никак. Его лицо было абсолютно неподвижным, абсолютно равнодушным: каменный истукан. Посмертная маска. Он молча допускал все это безумие, потом повернулся и ушел в ложу. Аплодисменты тут же стихли, как будто люди испугались его рассердить. Начался следующий акт. Я всматривался в его лицо — оно было по-прежнему таким же неподвижным, бесстрастным. В антракте он ушел.

На "Пламя Парижа" Сталин приходил несколько раз. А в начале сорок восьмого года посетил оперу "Великая дружба", и вскоре началось страшное.

Я думаю, бацилла желания уехать поселилась во мне сразу же после Постановления о музыке. Это трагически знаменитое постановление партии, в котором били Шостаковича, Прокофьева и Хачатуряна за так называемый формализм. Как над ними издевались, какие были ужасные вещи. "Правда" писала: товарищи Шостакович и Прокофьев, ваша музыка не нужна народу. В подтверждение приводились письма, подписанные шахтерами, токарями, доярками.

В консерватории было устроено собрание, настоящее средневековое аутодафе, которое продолжалось три полных дня с перерывами на ночь. Какой это был позор, какой страшный абсурд. Профессор Келдыш, известный музыковед, завкафедрой истории русской музыки, говорил, что такие педагоги, как Шостакович, толкают студентов в бездну, учат презирать нашу собственную музыку, классическую музыку, и обожествлять формалистскую. "Вот, товарищи, студент Борис Чайковский не сумел на экзамене перечислить все оперы своего великого однофамильца".

"Прошли те времена, — говорил министр культуры Лебедев, только что назначенный, — когда развитие советской музыки определяли всякие Мадлеры и Хандемиты!"

Гольденвейзер, старик, игравший когда-то Льву Толстому в Ясной Поляне (он любил об этом напоминать по всякому поводу), бывший директор консерватории, классик, которому не было никакой нужды участвовать в этом позоре, но, видимо, хотелось показать свою важность, тоже выступил. Откройте, он говорил, любой квартет Гайдна: в нем больше музыки, чем во всех симфониях Шостаковича, вместе взятых. А что такое сонаты Прокофьева? Ведь они могут навсегда испортить пианисту руки!

Шостакович сидел в последнем ряду. Мы, студенты, — на ярусе. Сверху мы видели, как он каждые десять минут выходит покурить, а потом возвращается на свой стул как на лобное место. Он ни на кого не смотрел — и на него никто не смел взглянуть.

Когда одна дама, преподававшая историю музыки, страшно поносила Прокофьева, мы с ребятами написали записку и передали в президиум: "Скажите, пожалуйста, когда Вы врали: сегодня или в прошлом году на лекции о Прокофьеве?" Она с каменным лицом прочитала и положила в карман.

Поздно вечером я сел в троллейбус, который ходил тогда по улице Герцена, и услышал за спиной разговор двух старушек: "Помнишь, мы выбирали депутата Шебалина?

Директором консерватории был. Вывели голубчика на чистую воду: враг оказался. Сочиняет музыку, вредную для народа!"

Незадолго до этого погиб великий Соломон Михоэлс. Теперь известно, что его убили по личному приказу Сталина, гэбэ, или как оно тогда называлось, инсценировало несчастный случай. После собрания Дмитрий Дмитриевич зашел к Талочке, дочке Михоэлса, обнял ее и сказал: "Как я ему завидую".

Был у меня добрый друг, Герман Галынин. Он пришел учиться в консерваторию прямо с фронта. Демобилизовался и явился в солдатских обмотках, в шинели на композиторский факультет, стал учеником Шостаковича. Вскоре вся консерватория знала, что учится новый гений. Его сочинения не оставляли равнодушным никого.

Герман был незаурядным пианистом. Одно время мы вместе жили в общежитии на Трифоновке, возле Рижского вокзала, — не помню, почему мне пришлось временно там поселиться, — и по вечерам еще с одним нашим приятелем играли трио Гайдна. Это совершенно бесподобная музыка, простая, как будто наивная, естественная, как бывает народная музыка. Гайдн писал, что отец его был ремесленником, мастерил колеса, и во время работы напевал немудреные песенки. Эти песенки, пишет, навсегда поселились в моей душе, и я не стеснялся употреблять их в качестве какой-то части моих трио, квартетов, потом симфоний. Мы с Германом решили, что все трио Гайдна сыграем, а их очень много — сто или больше. Действительно сыграли, и каждый вечер у двери комнаты, где мы играли, собирались ребята и слушали.

Германа как ученика Шостаковича тоже стали уничтожать за "формализм". Герман потерял рассудок. Однажды в холод, не надевая пальто и шапки, он пошел на улицу Горького, вошел на Центральный телеграф, посмотрел кругом и громко закричал: "Сталин и Жданов — убийцы!"

Его схватили, конечно, потом посадили в сумасшедший дом. Самое умное, что они могли сделать. Он пробыл там несколько лет. Его жена, верная его Наташа, носила передачи. Однажды вдруг звонок мне в дверь — открываю, она стоит на пороге: Рудик, Германа отпустили, пойдем скорее к нам. Мы встретились, обнялись. Считалось, что его вылечили. Я сказал: "Удивительное дело, как раз сейчас мы с оркестром репетируем твою сюиту. Хочешь, пойдем послушаем?" — "Конечно, конечно хочу." Пошли, репетиция была в филармонии, на улице Горького. Он послушал, дал какие-то советы, потом пешком пошли обратно домой. Он говорит: "Спасибо тебе, Рудик". — "Да что ты, это спасибо тебе за такую чудесную музыку". — "Знаешь, когда будешь играть, следи, пожалуйста, внимательно, чтобы враги ничего не испортили. Они ведь кругом, кругом, Рудик, только ждут…"

Как сумел выдержать сам Шостакович, не потерять рассудок, не покончить с собой? Ведь это не в первый раз с ним проделывали. Как выдержал Прокофьев и все остальные? Их уничтожали, унижали. Прокофьев тоже держался с замечательным достоинством, даже вызывающе. Хачатурян, великий композитор и высокой порядочности человек, оказался не так силен, но он был потрясен силой духа Шостаковича. Он потом говорил: "Шостакович приходил с этих страшных заседаний, садился за стол и писал гениальную музыку". Это не художественный образ: Гликман тоже мне рассказывал, что Дмитрий Дмитриевич в самом деле приходил вечером домой и писал концерт для скрипки с оркестром.

Детей Шостаковича травили в школе. Им кричали: "Ты сын (или дочка) врага народа". В эти дни я впервые повел Леву в цирк на Цветном бульваре. Выбегает на манеж клоун — был такой замечательный Карандаш, очень смешной. В руках у него собачка. А на манеже стоит пианино. Он эту собачку на пианино бросает, и она начинает бегать по клавишам — бам-бам-ля-ля-ля, туда-сюда. Заведующий сценой выходит. "Карандаш, что это делает твоя собака?" А он говорит: "Ах, не обращайте внимания, она играет новую симфонию Шостаковича". И публика корчится от хохота.

После собрания я позвонил Д. Д. Мы его так звали между собой. "Я хотел бы как-то выразить вам свое сочувствие, Дмитрий Дмитриевич". — "А знаете что, Рудольф Борисович, вы не могли бы ко мне приехать?" Он единственный из педагогов консерватории был всегда со студентами на "вы". "Могу, конечно, с удовольствием". — "Приезжайте". — "Когда?" А он говорит: "Когда хотите, хоть сейчас". Я взял и поехал.

Приезжаю домой. Один он дома сидит. Повел меня к столу, сели за стол. Молчали. Ничего не говорили. Что можно было сказать? Сказать было нечего ни ему, ни мне, и некому было тогда ничего сказать. Ужас. Обуял нас ужас обоих, и все. Он пошел, принес бутылку вина и коробку шоколада. Хорошее было вино, грузинское, вроде "Хванчкары". И мы с ним бутылку всю выпили, закусывали конфетами только. Ну, молодые все-таки были. Он, правда, уже не такой молодой, а я совсем мальчишка. Сидели-сидели, — чувствую, пора уходить. Ну сколько можно сидеть и молчать? Встаю. Он видит, что я собираюсь прощаться, и говорит: "Спасибо".

Протянул мне руку, пожал руку: "Спасибо". И все. И я ушел.

Всякая тираническая власть, всякая деспотия всегда против модернизма, всегда. Так было, уверен, и в Древнем Риме, и в Египте при фараонах. Модернизм нарушает существующий порядок. Он прежде всего свидетельствует о свободе человека, в данном случае — композитора, а свобода заразительна. Напоминать человеку о том, какое он сложное явление, всегда значит выступать против власти. Писать такие аккорды, как писал Шостакович, это был вызов, и я вас уверяю, он прекрасно это понимал. Он никогда не был официальным композитором, даже когда под пытками, не преувеличиваю, под моральными пытками, писал симфонию про Великий Октябрь и Ленина. Его музыка выражает страдание и разорванность души, так страдают при любой тирании, во все времена и где угодно, так вообще страдает человек, поэтому музыка Шостаковича универсальна. Его аккорды непонятны уху испуганному, холопскому, оглушенному, а живому человеку прекрасно понятны.

Говорили: "Надо писать музыку, которая понятна народу". Что эти люди знали о народе или хотя бы о публике? В СССР была прекрасная публика, чуткая, серьезная, благодарная. А хотите знать, что думал об этом Бах, не только величайший, но и популярнейший композитор? Однажды его сын — тоже композитор, как и все сыновья Баха, — пришел домой очень довольный: он давал концерт и имел колоссальный успех. А наутро отец ему сказал: "Ты имел вчера большой успех у толпы — значит, ты плох. Надо сочинять не для масс, а для знатоков. Если у знатоков будешь иметь успех, тогда станешь великим композитором". Это, прямо скажем, идет вразрез с большевистской моралью и понятиями о воспитании трудящихся масс. Для деспотии опасно искусство, которое воспитывает не массы, а человека.

В гитлеровской Германии Малер был запрещен. Немцы были недовольны, когда его, пусть редко, исполняли у нас в тридцатые годы. А когда Сталин объявил, что Гитлер — его друг, Малера и у нас запретили. Тут, вы скажете, дело в антисемитизме Гитлера. Но что такое этот антисемитизм применительно к музыке? Не надо объяснять его просто происхождением Малера, который, к слову сказать, принял католичество — это было условием властей, чтобы дать ему пост директора Венской оперы: еврей не мог занимать такую должность. Нет, здесь под видом антисемитизма выступает вражда против человечности, личного достоинства, сострадания, доброты. Эту вражду сформулировал еще Вагнер, который ввел в оборот словосочетание "еврейская музыка".

Помню, как в конце семидесятых репетировал со Штутгартским оркестром Первую симфонию Малера и случайно услышал в перерыве, как один музыкант восторгался этой музыкой и говорил, что она сильнее брукнеровской, а другой ему сказал: "Дурак же ты. Брукнер — это святая музыка, а Малер — еврейская музыка". Этот другой на литаврах играл.

С другой стороны, возвращаясь к модернизму: при Гитлере вполне благоденствовал Карл Орф, очень модерновый композитор, который, правда, писал на старинные стихи, с большими хорами, и это подходило эстетике рейха. Ему предложили сочинить новую музыку к "Сну в летнюю ночь" вместо музыки Мендельсона — потому что Мендельсон был запрещен. Орф согласился.

Так что под словом "модернизм" власть имеет в виду не всякую новизну, нет-нет, она чутко распознает именно то, что для нее опасно, то, в чем таится глубинный протест и подлинная революционность. И наоборот, с подачи власти часто расцветает поддельный модернизм, который симулирует свободу и дискредитирует ее.

Когда я услышал Четвертый струнный квартет Шостаковича, написанный в сорок восьмом году, то был потрясен откровенностью и бесстрашием этой музыки. Там, скажем, с невероятным сарказмом проходит православный хорал, потом еврейская танцевальная тема, и это повторяется несколько раз. Однажды я показал Шостаковичу это место в партитуре. Каким же взглядом он на меня посмотрел. Тут была и гордость, и радость, что кто-то все понял... Он несколько секунд так смотрел, а потом как будто потушил огонь — хотя при этом, наоборот, зажег спичку и закурил "Казбек" — он курил "Казбек" или "Беломор", — и сказал официальным тоном, как будто хотел и меня научить, как надо об этом говорить: "Но это ничего не значит. Просто музыка, и все, просто музыка".

24

Как-то раз Дмитрий Дмитриевич назначил мне урок на девять утра. Прихожу к нему домой, он открывает дверь еще в утреннем халате. "Это вы? Пойдемте скорей". Я подумал, что-то случилось, так он был взволнован. Быстро повел меня к себе в кабинет. Вижу, на рояле, на пульте стоит раскрытая партитура Пятнадцатого квартета Бетховена, опус 132. Шостакович перехватил мой взгляд: "А вы что, знаете этот квартет?" Я говорю: "Ну, вообще знаю…" — "А вы уже играли его?" — "Нет, еще не играли. Пока не дошли еще". — "Учите скорее. Учите скорее!" Взял меня за руку и начал трясти, нервно трясти: "Учите скорее. Лучшей музыки я не знаю".

Кто это сказал? Сам создатель, сам создатель великих произведений!

Не мог же я ему признаться, что когда-то предлагал ребятам начать именно с этой вещи Бетховена, но Ростик отказался. "Лучше будем играть Седьмой". Ну, Седьмой квартет тоже гениальная музыка, что говорить. Он, возможно, эффектнее, доходчивее, романтичнее. В Седьмом есть такие мгновения страстных порывов, чуть ли не доходящие до Чайковского. Нет, это, конечно, кощунство сказать, что у Бетховена что-то похоже на Чайковского — нет-нет, никогда. При всей моей любви к Чайковскому. Но вот такие порывистые звучания, в которых прорезается душевная боль.

Позже я предложил сыграть Восьмой. Там такое замечательное адажио, оно состоит из хоралов, которые движутся. Это святая музыка, от которой я без ума. Это молитва. Как будто хор поет в соборе. И в этом хоре вдруг появляются какие-то голоса, которые гаммами спускаются как будто с неба и проходят весь диапазон скрипки. Дубинский ответил: "Гаммы я могу играть дома без Бетховена". Меня это очень покоробило. "Я думал, ты музыкант, — думал я, — а ты..." Он в самом деле первоклассный музыкант, но это все были серьезные трещины в отношениях.

В Пятнадцатом квартете гениально все и ничего нельзя выделить. Скажем, эта вторая часть, адажио. У нее есть подзаголовок: "Благодарственная песня выздоравливающего божеству". Красота этой музыки неописуема, действительно красота. И притом как бы ничего примечательного. Не то что в Седьмом квартете финал на русскую тему. Там ничего такого нет. Это выше всяких национальностей, выше всего. Видите ли, я должен обязательно сказать про Бетховена, что совершенно верю ему, когда он в разговоре с Шупанцигом, скрипачом, который играл все его квартеты... Про этот квартет Шупанциг ему сказал — ну, как сказал? — написал, ведь Бетховен уже не слышал ничего: "Людвиг, в твоем последнем квартете ты написал пару пассажей, которые почти невозможно сыграть на скрипке, так трудно". Что он ответил, этот глухарь, что ответил? "Какого черта ты толкуешь мне о своей проклятой скрипке (он по-немецки написал: "о своей проклятой *fidel*, "фидель" — это презрительное название, в деревне играют на фидель, пиликают) — в то время, как я разговариваю с небесами". И я ему верю. Верю, что он это слышал. Такую музыку написать простой смертный человек не мог. Я много понимаю из того, как композиторы сочиняют музыку, меня Шостакович хорошо учил. Такую музыку простой смертный написать не способен.

После разговора с Дмитрием Дмитриевичем я пришел на репетицию и буквально потребовал, чтобы мы сейчас же начали учить Пятнадцатый. Получил категорический отказ. Это был конец. Ну, уже накопилось. Было ясно, что наши расхождения — главным образом, в понимании Бетховена и Шостаковича — слишком велики, чтобы дальше работать вместе. Я сказал, что ухожу из квартета. Конечно, не раньше, чем найдут другого альтиста.

Нина к этому времени уже с нами не играла, потому что поссорилась с Ростиком еще прежде. Она замучила его, да и всех, беспрестанными спорами. Всегда знала, кому каким штрихом играть. Когда мы ездили в Венгрию на Всемирный фестиваль молодежи в составе молодежного оркестра, на нашем с Ниной купе написали мелом — извините за подробность — "штриховая кафедра". Кончилось дело тем, что однажды они с Дубинским на репетиции подрались. Нина сломала об его голову смычок. Хотя играла она превосходно. К сожалению, наши семейные отношения тоже совсем расстроились, и в конце концов мы с Ниной решили развестись. Горько. Лева уже пошел в школу. Он был очень живой и любознательный мальчик, интересовался техникой. Еще малышом завоевал у приятелей авторитет. Стоило ему выйти на улицу, кто-нибудь кричал: "Ребята, Левка вышел", — и весь наш переулок наполнялся детворой. Он у них был предводителем. Годам к пяти знал все марки автомобилей. Он и пошел по технической части, а когда, уже взрослым человеком, уехал в Америку, то весьма в этом преуспел. И еще, у Левы всегда была очень добрая душа. Одно время, в юности, он работал таксистом. И потом как-то раз мне сказал: "Ты, папа, когда едешь на такси, подумай о шофере: у него очень тяжелая работа. Не заставляй какие-то лишние повороты делать, щади его и лучше заплати побольше, чем недоплати". Я всегда так и делаю.

Я стал играть в Квартете имени Чайковского, который основал совершенно гениальный парень, скрипач Юлиан Ситковецкий. Я впервые слушал его на экзамене в ЦМШ. В тринадцать лет это был взрослый, мудрый, законченный музыкант. Ученик Ямпольского. Помню, мы репетировали квартет Шуберта "Девушка и смерть", и Юлик сидел напротив меня. Долго работали, а в перерыве я случайно увидел, что на его пульте обложка стоит, а самих нот нет. Он ноты забыл дома. И всю репетицию играл по памяти — причем помнил даже цифры, которыми отмечаются фрагменты, и когда я называл цифру, играл правильно. Мы все испытывали благоговение перед ним. Действительно гений. Ойстрах очень его ценил. Два человека на свете так играли концерт Сибелиуса для скрипки: сам Ойстрах и Ситковецкий, больше никто. На репетициях он всегда держал в правой руке смычок и сигарету, она была между пальцев воткнута. Это его и погубило, к сожалению. Он умер от рака, чудовищно рано, ему было чуть больше тридцати.

Кроме работы в своем квартете, пока не нашли мне замену, и в Квартете Чайковского, я выступал как альтист — в сольных и сборных концертах, на радио, и начал преподавать игру на альте в училище Ипполитова-Иванова. В таких переменах начался пятьдесят третий год.

25

Была у меня любимая подруга, Ирочка Воеводская, врач. Красавица неописуемая. Когда она входила в комнату, казалось, солнце взошло. Замечательный человек. Она диссидентов спасала от беды: клала к себе в больницу и укрывала от КГБ. Несколько человек из них потом уехали в Израиль, и там в честь Ирины каждый посадил по дереву. Я видел эти деревья.

У Ирины был феноменальный дедушка: профессор Скворцов, крупнейший врач, главный патологоанатом Советского Союза. Однажды к ним в дверь раздался звонок. Открывают — стоит человек в военной форме. Без телефонного звонка, без предупреждения. И дедушке говорит: "Прошу вас следовать за нами". Ира с мамой решили, что деда арестовали. Мама в слезах собрала ему котомочку с провизией, и увели старика, увели деда.

А по радио в это время передают бесконечные траурные марши и сводки состояния товарища Сталина: такое-то давление, такой пульс, в крови то-то и то-то. Это звучало день и ночь: траурная музыка — анализы товарища Сталина — снова траурная музыка.

На другой день Ира с мамой сидят дома, пьют чай, звонок в дверь — входит дед. Отпустили. Слава богу, ничем не виноват... А он вошел, пританцовывает и присвистывает. Ну, мы с мамой, Ира говорит, решили, что его там пытали и дед спятил. Господи, что делать? Кому звонить, как сказать родным? Любимый, всеми обожаемый дед спятил...

А оказывается, он его уже вскрыл. Его для этого возили — вскрывать товарища Сталина.

Утром шестого мне звонит Холодилин, начальник управления музыкальных учреждений: "Вашему квартету доверена честь играть на панихиде по товарищу Сталину в Колонном зале Дома союзов. За тобой сейчас придет машина, объедешь всех музыкантов, и давайте сюда, я буду встречать ".

Во дворе стояла "скорая помощь". Я не сразу понял, что это за мной. Оказывается, проехать по Москве уже можно было только на "скорой" — на улицах сгущались толпы. Мы забрали ребят, все уселись в фургон и так прибыли в Колонный зал. Нас тщательно обыскали, велели снять фраки — не концерт — и повязали траурные ленточки на руки. Повели в комнату, как бы артистическую: тут находиться, ждать распоряжений, будет вывешено расписание, когда кто выступает.

Сталин уже лежал в гробу. На сцене играл оркестр Большого театра — не помню, кто дирижировал вместо Голованова. Когда оркестр отдыхал, выводили нас. Мы играли всякую безобидную музыку, вроде Анданте кантабиле Чайковского. Народ шел мимо гроба и кричал. Это произвело на меня самое сильное впечатление. "Сталин, родной, дорогой! На кого ты нас оставляешь?" И рыдают женщины, рыдают.

В почетном карауле сменялись члены правительства. Вдруг один из них, военный, подошел к нам: "Что-то вы очень, — говорит, — заупокойную музыку всё играете. Немножко оживите. Потому что, слышите, в зале рыдают все время — это от вашей музыки". — "Хорошо, оживим". И мы ударили начало фа-минорного квартета Бетховена. Очень драматичное — Бетховен. Тогда эти, в почетном карауле, как встрепенулись! А я показываю на военного: "Ребята, спокойно. Нас просили так".

Я не плакал. Я с удовольствием смотрел на Давида Ойстраха, который в перерывах между выступлениями своего трио спокойно играл в шахматы, и думал: какой умница. Но главная мысль была о Шостаковиче, это была вообще первая мысль, когда я узнал, что Сталин умер: теперь он сможет свободно писать. Кончилась для него эпоха страха. Ведь он сочинял всегда под страхом. Первый раз его уничтожали в тридцать шестом за "Леди Макбет" и балет "Светлый ручей". Товарищ Сталин счел, что это сумбур вместо музыки. После убийственных статей в "Правде" на Шостаковича набросились завистники, бездари, люди, желавшие выслужиться, мерзавцы, которых так любовно пестовала советская власть. Его жизнь висела на волоске, он каждый день и ночь ждал ареста. В Ленинградской филармонии репетировали его Четвертую симфонию. Шостакович отменил премьеру, сказал, что не удовлетворен качеством своей музыки. На самом деле ему посоветовал так сделать директор филармонии, который иначе бы запретил премьеру по совсем другим мотивам. Мы услышали Четвертую только в шестидесятые годы благодаря Кириллу Кондрашину. Я считаю эту музыку одним из величайших созданий двадцатого века. Это Кёльнский собор, построенный одним человеком. Это музыка, в которой Шостакович гениально выразил, что случилось с нашей страной, с человеком, это совершенно пророческое произведение. Однажды он сам мне сказал: Четвертая — лучшее, что я сочинил. В этой симфонии он впервые решился ступить на путь, которым шел Малер. И с тех пор это уже другой Шостакович. Один журналист как-то раз спросил его — знаете, такой классический дурацкий вопрос: "Какую одну партитуру вы взяли бы на необитаемый остров?" Д. Д. без колебаний ответил: "Малера".

Но играть эту симфонию в тридцать шестом году значило добровольно пойти на плаху. Шостакович понимал, что ему остается либо погибнуть — потому что не писать музыку означало для него смерть, он говорил Гликману, что, если ему отрубят руки, он возьмет карандаш в зубы и будет так писать, — так вот, либо погибнуть, либо найти такой музыкальный язык, который власть понять не сможет, но не сможет не принять. Потому что прямая насмешка в музыке его чуть не погубила. И он нашел решение. Шостакович написал Пятую, которую газеты назвали "ответом советского художника на справедливую критику". Никто не смел предположить в этой музыке подвох. Такой анекдот был — позже, правда, после войны, когда люди голодали: стоит дядька в очереди за продуктами, три часа стоит и наконец говорит: "До чего страну довел, черт усатый". Тут же подходят двое в форме, берут его под белы руки: "Вы, гражданин, кого имеете в виду?" Дядька отвечает: "Гитлера, конечно". А потом грозно их спрашивает: "А вы, граждане, кого имели в виду?" Пятой симфонией власть была абсолютно довольна. А публика прекрасно понимала настоящий смысл музыки. Успех был величайший. Старики говорили, что видели такой успех лишь однажды — когда Чайковский дирижировал своей Шестой симфонией незадолго до смерти. Шостаковичу после концертов посылали телеграммы благодарности от всего зала. Люди, когда слушали *Largo* третьей части, плакали. Должен сказать, к слову, что этот настоящий смысл не так легко открывается иностранной публике. В изданной партитуре симфонии долгое время была опечатка: указано, что последнюю часть надо играть при четверти в 188. Это указание для метронома, оно определяет темп исполнения. Если играть так, финал выйдет очень быстрым, радостным. На самом деле должно было стоять не четверть, а шестнадцатая. Опечатка. И вот в конце пятидесятых Пятую играл на гастролях в Москве Леонард Бернстайн. Он исполнял часть, как написано в партитуре. А рядом со мной сидел Д. Д., бледный от ярости, и тихо говорил: "Ничего не понял, ничего не понял, дурак". Темп последней части должен быть медленный, преувеличенно торжественный: потому что это фальшивое празднество, это ликование фальшивое! Бернстайн не заподозрил опечатки, не почувствовал смысла финала.

Однажды, спустя годы, я дирижировал в Ленинграде на концерте, посвященном шестидесятилетию Пятой. Поскольку Мравинского, который был главным исполнителем шостаковичевских симфоний, уже не было в живых, дирижировать его оркестром позвали меня. В финальной части есть место, где у Шостаковича проходит диссонанс. Вдруг на репетиции слышу — музыканты играют вместо него что-то красивое. Просто Сен-Санс какой-то. Оказывается, в их нотах так написано. Мне объясняют: "Исправил переписчик. У нас был такой талантливый переписчик, библиотекарь оркестра филармонии, который исправлял ошибки авторов". Я говорю: возьмите ручки и верните бемоль. Там должен стоять си-бемоль. Шепот, ропот, потом встает старый пердун из первых скрипок: "Мы, — говорит, — так играли в присутствии Шостаковича, и он ничего не сказал". Я говорю: "Конечно, он ничего не сказал. Вы хотели, чтобы он сказал? Может, вы не знаете, как он жил, не понимаете, что ему грозило за каждый диссонанс?"

Принес им на репетицию старый том: вот, показываю, смотрите, переложение симфонии для фортепиано, изданное перед первым исполнением, здесь рукой Шостаковича си исправлен на си-бемоль. Прошу вас внести исправление в свои партии.

Они с раздражением вписывают бемоль — но играют по-прежнему. Остановил оркестр: "Если во время концерта я услышу, что кто-то сыграл си вместо си-бемоль — на этом концерт закончится". Такой разговор они поняли.

Потом я рассказал эту историю Гликману. Он говорит: "Знаете, Рудольфино (он так называл меня с ташкентских времен), перед премьерой Пятой ко мне подходили музыканты и просили: поговори с Д. Д., пусть уберет еще пару диссонансов. А то как бы чего не вышло". И вот, значит, Шостакович не убрал — библиотекарь поправил.

Когда-нибудь в будущем историки будут в исторических словарях писать, кто такой Сталин: крупный политический деятель эпохи Шостаковича. Музыканты в моем кругу прекрасно это понимали. Для учеников Д. Д. смерть Сталина тоже означала какую-то надежду — ведь они все так или иначе пострадали вместе с учителем. Про Германа Галынина я уже рассказал. Волик Бунин, мой друг, замечательный композитор, был любимым учеником Шостаковича. Когда он закончил консерваторию, Д. Д. позвал его своим ассистентом на кафедру в Ленинград и рекомендовал Мравинскому симфонию Бунина. Начались репетиции. Мравинский мне потом рассказывал, что оркестр был под огромным впечатлением от музыки. И тут "Постановление". Премьеру запретили. Из Ленинградской консерватории вышвырнули, само собой, не только Д. Д., но и его ассистента Бунина. Шостакович, который вообще всю жизнь заботился об учениках, счел себя в ответе и пытался, как мог, устроить жизнь Волика. Но что он тогда мог?

А Метека Вайнберга, которого Д. Д. очень любил и потом посвятил ему Десятый квартет, вообще посадили: Метек был польский еврей. Он приехал в СССР, когда немцы вошли в Польшу.

Антисемитизм на государственном уровне возник, как ни странно, во время войны. Помню, замдиректора консерватории вернулся из Москвы в Ташкент и сказал: "Для евреев наступают черные дни". Вспыхнула эта чума в армии, а потом разошлась повсеместно. Правда, поначалу Сталин рассчитывал, что Израиль станет его форпостом, как Польша или Чехословакия, и приветствовал создание еврейского государства на Ближнем Востоке. Советские евреи понадеялись, что пронесет. Но израильские коммунисты оказались в большей степени сионистами, чем коммунистами. Сталин предал их анафеме, и в последние годы его жизни антисемитизм захлестнул страну. Это была страшная эпоха. Помню, как Цейтлин, многое к тому времени понявший, сказал при всех в консерватории: "Если они теперь настолько против евреев, то должны всем евреям выдать выездные визы в Израиль". Сам он, конечно, никуда в жизни бы не уехал. Он не покинул Россию и в более страшные времена. Но ему оставалось недолго. В первые дни пятьдесят второго года Льва Моисеевича не стало. Николай Семенович Голованов пришел на его похороны с высоченной температурой, совершенно бо́льной. Его отговаривали, а он сказал: "Я должен проститься с великим музыкантом". Такого нельзя забыть.

Вайнберг — очень талантливый композитор. Широкая публика знала его по музыке к фильму "Летят журавли" и мультяшкам про Винни Пуха. Но он автор более двадцати симфоний. Лучшие его сочинения, на мой взгляд, те, где он обращается к еврейско-польской поэзии. Родные Метека были уничтожены в концлагере. У него есть симфония, посвященная павшим героям восстания в Варшавском гетто. Там в какой-то момент внезапно возникает реминисценция: баллада Шопена. И невозможно удержаться от слез, ну невозможно. Когда он написал свою последнюю симфонию, я уже был за границей и умолял его: "Дай я сыграю ее. Здесь сыграю!" — "Ты знаешь, Рудик, нет. Я не могу. Я еще боюсь". Он боялся до конца своих дней. Его пытали крысами в тюрьме. Раздевали догола и запускали в камеру голодных крыс. Он рассказывал мне, как они его кусали, повсюду кусали. "Нет, Рудик, лучше не надо". Шостакович делал все, что мог, пытаясь вызволить Вайнберга из тюрьмы: писал письма, ходил к кому-то на приемы... Когда Сталин умер, следователь вызвал Метека и сказал, что вот, знаете, дело ваше, гражданин Вайнберг, пересмотрено, открылись новые обстоятельства, обвинение было ошибочным, вы, оказывается, невиновны. Собирайте вещи и идите домой. Метек отказался. Он решил, что это провокация. "Нет, — говорит, — никуда я не пойду. Я — еврейский буржуазный националист, я, как вы знаете, рыл подкоп к Кремлю, и не надо меня провоцировать". Следователь бился неделю, но Вайнберг отказывался признать, что не виноват. Тогда тот позвал жену Вайнберга, Талочку Михоэлс: "Не знаю, — говорит, — что мне делать, как мне заставить вашего мужа подписать бумагу, что он невиновен". Он, понимаете, не знал, как заставить. Жена попросила, чтобы следователь соединил ее с мужем по телефону, когда снова вызовет его в свой кабинет. Тот так и сделал. И жена сказала: "Метек, Сталин умер". Через полчаса он признался, что не виноват.

Какой ужас, какой ад. Куда там Кафке. Как пережить такое?

Шостакович никогда не мог простить Сталину антисемитизма. Это был для Д. Д. особый пункт. Он не был никаким евреем: просто презирал антисемитов, как все настоящие русские аристократы и интеллигенты. Он говорил, что для него в евреях сосредоточена беззащитность человечества. Хотел бы сказать, что и по моему убеждению, антисемитизм — величайшее историческое заблуждение. Интеллигентный, цивилизованный человек не может не знать, что Иисус был евреем. Настоящим, рожденным от еврейской женщины евреем и, более того, раввином. Он служил в синагоге, службы вел. Он упрекал евреев в своих проповедях в том, что они забыли заветы великих предков, забыли, по существу, настоящую религию. И он ее восстановил, Иисус. И он именно из еврейской религии создал христианскую — для неевреев, для других народов. Это известно, это не может образованный человек не знать. Другое дело, воскрес — не воскрес, это вопрос вкуса. Но что такой человек был, что он стал переживать за человечество и пострадал за человечество — какие тут могут быть сомнения? Так что антисемит, я считаю, не может считаться настоящим человеком, а тем более христианином. Он принадлежит к антихристовой армии. Это самые ненавистные для меня люди. И так же было для Д. Д.. Помню, как он возмущался, когда Ведерников отказался петь партию в "Бабьем Яре" — это часть Тринадцатой симфонии, о ней разговор впереди. "Какой позор, — он говорил, — как ничтожно отказаться от этого!" Еврейская тема в Четвертом квартете — это же был прямой вызов Сталину. Или цикл "Еврейские песни". Однажды я был с Шостаковичем на исполнении этой вещи, мы часто ходили на концерты вместе. Поднялись потом в артистическую, и слышу, Василий Ширинский, музыкант, говорит: "Какая прелесть — сегодня среди исполнителей ни одного еврея, хотя тема вот такая еврейская". Шостакович как стоял на пороге — громко сказал, чтобы все слышали: "Терпеть не могу охотнорядцев. Пойдемте-ка отсюда, Рудольф Борисович".

…Играли мы, играли над гробом товарища Сталина, потом подходит Холодилин: "Ребята, одевайтесь, поедем сейчас в Союз композиторов, там другие похороны".

Нас посадили в "скорую" и привезли в Дом Союза композиторов. А там у входа — портрет Прокофьева в траурной рамке. Прокофьев. Я последний раз виделся с ним в пятьдесят втором году, на концерте, где мы с квартетом сыграли его "Увертюру на еврейские темы" и "Мимолетности". Сергей Сергеевич умер дома, в Камергерском переулке. Автобус, чтобы забрать гроб, подъехать туда не мог из-за того, что творилось в Москве, и несколько студентов на руках пронесли Прокофьева в гробу через толпы и пробки до здания Союза композиторов на Третьей Миусской. Мы надели фраки, сели у гроба и сыграли часть из его квартета.

Так я в один день хоронил товарища Сталина и Прокофьева, играл панихиду. В Колонном зале, правда, мы потом еще играли три дня и, кажется, две ночи.

26

Наверное, вам будет трудно поверить: из огромного наследия Вивальди до середины двадцатого века в России знали три или четыре концерта. Старинную музыку, в частности Генделя, Баха и дальше до Моцарта включительно, играли большими составами, обыкновенным оркестрами — камерных оркестров в России не было. А ведь Бах, Вивальди, Моцарт, все композиторы эпохи барокко писали именно для камерного. Вернее, в их времена это был обычный состав: десять — пятнадцать музыкантов. Потом оркестры делались все больше и больше — в симфонических бывает более ста человек, — и эту музыку стали адаптировать под их возможности. А вернее, потребности: чтобы занять побольше оркестрантов. В книге о Бахе Альберт Швейцер пишет, что когда ми-мажорный концерт Баха, это гениальнейшее творение, играют большим составом и вторую часть, адажио, начинают развозить двенадцать виолончелей и полдюжины контрабасов, ему хочется в ужасе бежать из зала. Совершенно точно. Но публика привыкла.

И вот после войны в мире появилось несколько замечательных камерных оркестров. В частности, скрипач Вильгельм Штросс собрал в Германии небольшую группу музыкантов: ровно столько, сколько нужно, чтобы исполнить, например, ми-мажорный концерт Баха. Чтобы сыграла скрипка соло, а потом вступили остальные — для достижения эффекта "тутти", то есть "все вместе", достаточно, чтобы играло еще четыре скрипки максимум. Вполне достаточно! А не то что целая группа начинает завывать.

Со своим оркестром Штросс приехал на гастроли в СССР, и я пришел послушать. Шесть скрипок, включая его самого, два альта, две виолончели, один контрабас. Впечатление от того концерта определило мою жизнь. Это всех тогда потрясло. Был даже устроен специальный дополнительный концерт в Союзе композиторов. Я понял, что нужно создать камерный оркестр и вернуть настоящее звучание великой музыке. Такой оркестр сможет также исполнить сотни произведений, которых никогда не слышала наша публика, а потом наверняка вызовет интерес и у современных, действующих композиторов.

Но как создать, из кого? Камерный оркестр — совсем особенное дело. Многие музыканты думают, что это просто уменьшенный симфонический. Просто меньшего состава. Но играют те же самые оркестранты, с теми же самыми оркестровыми, лабушскими навыками. Ничего подобного. Это не те музыканты, которые могут составить настоящий камерный оркестр. А настоящий камерный оркестр может составиться скорее из музыкантов камерных, из солистов, из квартетных исполнителей, например.

У меня был консерваторский товарищ Миша Богуславский. Сейчас его уже нет на свете, последние годы он жил в Солт-Лейк-Сити. Мы вместе бывали на концертах Штросса, "Загребских солистов", "Виртуозов Рима", и у него тоже горели глаза. Я ему рассказал свою идею. "Рудик, — он говорит, — давай. Я помогу". Миша был хорошим альтистом, а кроме того, обладал административным талантом. "Будешь директором этого дела?" — "С удовольствием. Попробуем".

Составили список музыкантов, которых хотели бы пригласить, и решили, что с каждым я должен встретиться и поговорить лично. Это была Мишина идея, совершенно правильная.

Звонили по телефону, договаривались, встречались. Я рассказывал, что вот так и так, речь о создании камерного оркестра, сколько продлится репетиционный период — неизвестно, потому что никто не знает, как быстро сумеем достичь нужного качества. Зарплаты, само собой, никакой, все на чистом энтузиазме. Кто-то сразу говорил: "Нет, меня не устраивает". Ясно, спасибо, извини. Следующий кандидат. Встречаемся на углу Герцена и Грановского. "Какую музыку будем играть, Рудик?" — "Главным образом старинную, барокко". — "Нет, понимаешь, мне все подходит, но я хочу играть большие полотна — Бетховена, Брамса, Чайковского". Понятно.

Конечно, я сразу же позвал Володю Рабея. Он говорит: "Я так бы хотел участвовать, ребята, но у меня ученики в Гнесинке, да в несколько смен, — никак не смогу". Что поделаешь. А в три часа ночи звонит: "Знаешь, заснуть не могу. Запиши меня".

Собралось пятнадцать человек, все музыканты-струнники. Танечка Николаева взялась играть клавесин, и еще мы звали духовиков для отдельных произведений.

Надо где-то репетировать. Пошли наугад в Центральный дом работников искусств, на Пушечной. Пожалуйста, говорят, занимайтесь, когда хотите.

Первые репетиции были по ночам. Большинство музыкантов работали в оркестрах, в театрах. Они могли приходить только после концерта или спектакля. Другие, помоложе, студенты, подстроились под этот режим.

Иногда ЦДРИ оказывался занят — готовили какие-нибудь свои утренники или концерты. Мы договорились с одной школой. В одиннадцать вечера сторож впускал нас в спортзал, закрывал там и уходил спать, а в четыре утра выпускал. Некоторые музыканты, бывало, освобождались раньше — не всегда нужен полный состав. Тогда они открывали окно, прощались и выпрыгивали на улицу.

Наша цель была создать безотказный механизм исполнения полифонической музыки. Прежде всего, Баха и Вивальди, а потом — Гайдна, Моцарта и так далее.

Полифоническую музыку можно сравнить с картиной, которую пишут не масляной краской, а тонким-тонким пером. Полифония должна, прежде всего, звучать очень ясно, очень отчетливо. В ней нет ничего неважного, ничего проходного, не бывает "сопровождающих" нот. Даже если целая длится долго, то каждая ее шестнадцатая доля имеет значение, потому что вступает во взаимодействие с другими движущимися голосами.

Первым делом оркестру надо было поставить голос. Как ставят голос певцу или певице — тогда он звучит иначе, чем непоставленный, пусть даже прекрасный от природы. В симфоническом оркестре струнные используются как пушечное мясо: это просто звуковая масса среди других звуковых масс. Струнные в камерном должны играть с полнейшей отчетливостью. Чтобы звук шел без сипения, без одышки, ясно, как солнечный луч. Но как это сделать? Каждому музыканту надо самостоятельно найти такое место на струне, где инструмент звучит идеально. У каждой скрипки и альта, у каждого смычка это место разное. Недели ушли на то, чтобы найти его. Когда наконец оркестр зазвучал, это было так красиво, что ребята засмеялись от удовольствия и поаплодировали друг другу смычками: они сами услышали.

Дальше — работа над штрихом. Начали мы с Третьего Бранденбургского концерта Баха. Баховская полифония — чудо природы. Эту музыку надо играть так, чтобы она своей гармонией доставляла наслаждение. Либо лучше не играть. Гармония у Баха никогда не стоит на месте: постоянно в движении, постоянно меняется. Чтобы эта игра света и тени стала видимой, правильный штрих исключительно важен. Полифония нигде не должна мешать гармонии.

Я пересказывал музыкантам уроки Цейтлина: нельзя, чтобы звук возникал толчком. Он должен иметь форму вилочки, вот как Цейтлин рисовал мне в тетрадке. Чтобы взять ноту, прижимаешь смычок сначала слегка и только потом покрепче: тогда звук стремительно, почти мгновенно вырастает из тишины. И потом так же затихает. Если правильно это делать, то есть очень быстро и незаметно усиливать давление на смычок, чтобы никто не понял, в чем дело, то звук будет возникать не толчком, не грубо, а как будто наполненный мышцами, знаете, как будто тело какое-то… Эту технику мы в оркестре назвали "баховским штрихом". Штрих Баха — лежачий, там все происходит на струне. У Моцарта он другой, более легкий, там осьмушки и шестнадцатые играются *spiccato*, то есть прыгающим смычком — смычок прыгает. В Моцарте нельзя пережимать — звук должен веять, парить над землей. А Баха играть прыгающим смычком нельзя. Кто так играет Баха, играет стилистически неверно. Хотя таких и немало.

С каждым музыкантом я работал в отдельности. Практически приходилось вести индивидуальные занятия, прямо как будто консерваторию открыл. Я брал скрипку, на скрипке показывал штрих, который нужно воспроизвести, подсказывал, как это делать.

Общие репетиции начинались с гамм. Играем все вместе медленно, быстрее, громко, тихо, пианиссимо, вместе тянем долгие аккорды. Потом открываем ноты.

27

Начали мы осенью, а к зиме стало ясно, что дело пошло. Тогда я отправился к директору Московской филармонии Митрофану Кузьмичу Белоцерковскому. Это был маленького роста, квадратный, как тумбочка, человек, нос картошкой, из крестьян, — он шел-шел по административной линии и добрался до поста руководителя всех московских музыкантов. Очень своеобразный и вместе с тем очень характерный для того времени тип. Мужлан, самодур, один из маленьких царьков, составлявших систему власти. А с другой стороны — немало сделал хороших дел и бывал добродушным, сердечным, смелым даже. Никогда нельзя было знать заранее, каким окажется на этот раз.

Когда я оставил квартет, он взял меня солистом в филармонию. Мог и не брать, поскольку в штатном расписании не существовало должности "солист-альтист". Но Белоцерковский хотел мне помочь и написал в приказе: "Зачислить Баршая Рудольфа Борисовича на должность скрипача — в скобках "и альтиста" — в Московскую филармонию".

Так что я пришел к своему непосредственному начальнику. Рассказываю: помните, с каким успехом выступал Штросс, вот, нам нужно создать собственный камерный оркестр, и мы с коллегами уже начали… Он говорит: "Что ты ерундой занимаешься?" Так он разговаривал. "У тебя такая специальность в руках! Где ты видел, чтобы альтист давал сольные концерты? А ты даешь! И что же, теперь хочешь это похерить и заняться камерным оркестром? Кто вам музыку будет писать?" — "Она, Митрофан Кузьмич, уже написана. Двести лет назад". — "Двести? Не пойдет, нет". — "Мы призовем и советских композиторов писать для камерного оркестра". — "Знаешь что, брось. Иди отсюда и больше не приходи ко мне с такой чушью". Потом тут же меняет тон и, как отец родной: "Я знаю, Баршай, ты мечтатель. Не трать время попусту, занимайся своим делом, играй концерты".

Но остановить меня было нельзя. Репетиции продолжались по три-четыре ночи в неделю. Я, кроме того, выступал со своими сольными концертами, так что в первый год спал часов по шесть, не больше.

К тому времени у меня появился второй сын, Вова, от счастливого брака с Аней Мартинсон. Тогда счастливого. Аня была очень хорошая, очень милая девушка, дочка великого мейерхольдовского артиста Сергея Александровича Мартинсона, который ее нежно любил и с которым я потом очень дружил и после развода нашего тоже дружил. Работала Аня художницей по костюмам на "Мосфильме". Она делала первый фильм Тарковского, и Вовка там снимался в эпизоде, делала комедию "Пес Барбос и необыкновенный кросс", много еще что. Мы прожили вместе десять лет, в коммуналке на улице Грановского. Там обитало десять семей, была одна кухня, одна ванная, туалетов, правда, имелось два. Комната шестнадцать метров, где мы жили с Аниной мамой и Вовкой. Аня на столе рисовала свои эскизы, а я работал с партитурами и репетировал — иногда, правда, сидел на сундуке в общем коридоре и тихонько занимался там.

Меня вызвал заместитель Белоцерковского, Моисей Абрамович Гринберг, худрук филармонии. Большого ума человек, такой классический еврей при губернаторе, про него говорили "не голова, а целая синагога". Прежде он руководил издательством "Музгиз" и журналом "Советская музыка", но в годы борьбы с космополитами его выгнали отовсюду. И тогда Белоцерковский, несмотря на сопротивление партийных органов, взял Гринберга худруком. Музыканты его ценили, он дружил со Свиридовым, с Кондрашиным очень дружил. Вызвал меня и тоже стал отговаривать. Говорил доверительно: "Ну что вы, в самом деле, мы в стране не можем приличный квартет создать, а вы хотите такую сложную организацию, как камерный оркестр. Где будете репертуар брать?"

— Весь Вивальди, весь Бах, Корелли, — все это для камерного оркестра.

— А кто будет голоса расписывать?

— Пока сам справляюсь, потом найдем кого-нибудь…

— Не тратьте время. Поддержки вы не получите.

Ладно, думаю, посмотрим.

В филармонии был клубный отдел, который организовывал концерты-лекции: на заводах, в институтах, домах культуры. Как сотрудник филармонии, я был обязан ездить и иллюстрировать эти лекции музыкой. Скажем, лектор читает о Моцарте — играю что-нибудь из Моцарта.

Весной в Октябрьском зале Дома союзов была объявлена лекция о Бахе. Меня позвали сыграть Чакону: я довольно часто исполнял ее на альте, это имело успех. Пошел в клубный отдел и говорю: "Такое предложение: давайте я вместо себя приведу камерный оркестр, и мы сыграем вместо Чаконы Вторую сюиту Баха. За те же двадцать три рубля. — Это была моя ставка за концерт. — Не будете возражать?" — "Ну кто же, — говорят, — может возражать против Второй сюиты Баха?"

И мы заявились на лекцию всем оркестром и сыграли Вторую сюиту Баха с солирующей флейтой, великолепный Саша Корнеев играл.

Волновались страшно. Мне потом ребята рассказывали, что не чувствовали под собой пола. Успех вышел ощутимый. Двадцать три рубля мы поделили на всех и в тот же вечер потратили.

Вскоре после этого позвонил Гена Рождественский, который был хорошим моим другом, я и сейчас его очень люблю. Говорит: "Рудик, есть площадка для вашего оркестра. Мама (его мама — певица Наталья Петровна Рождественская) будет петь на открытии большой выставки в Пушкинском музее. Может, саккомпанируете ей, а другую половину концерта сыграете сами?" В конце пятидесятых Пушкинский музей превратили в выставку подарков товарищу Сталину, что там собрались открывать? Оказалось, в Москву привезли картины из Дрезденской галереи, которые наши солдаты спасли от гибели, а реставраторы из Пушкинского восстановили. В частности, будет "Сикстинская мадонна", ее потом возвратят в ГДР. "Мама хочет спеть несколько русских романсов. Правда, оркестровок нет, — но вы же сами их и сделаете, что вам стоит, а?" Я согласился. Взял романсы и песни, которые Наталья Петровна мне назвала, за вечер соркестровал полконцерта. И действительно все состоялось. Мы саккомпанировали Наталье Петровне, а потом играли музыку эпохи барокко. Публика встречала с исключительным энтузиазмом. А там собралась замечательная публика: сама выставка была одним из главных послевоенных событий культурной жизни, очередь обвивала здание музея несколько раз, стояли часами, чтобы посмотреть, люди приезжали из других городов.

Позже я узнал историю спасения этих картин. Был такой художник в Киевском оперном театре, Леонид Рабинович. Ушел добровольцем на фронт, попал в плен, бежал, вернулся в армию, прошел всю войну и оказался в Дрездене. И ему, как человеку, разбирающемуся в живописи, поручили искать картины из *Gemäldegalerie*, галереи старых мастеров, как она называлась. Дрезден был совершенно разрушен бомбардировками. Где искать? Стали опрашивать местных жителей. Те, конечно, ничего не знали, но предположили, в каких местах за городом могут находиться тайники. Рабинович взял с собой пятерых саперов — он был лейтенантом, — они спустились в заброшенные шахты, в штольни — и нашли всю коллекцию. Немцы там ее спрятали. От сырости многие картины погибли. Другие перевезли в Москву, восстановили и через десять лет показали публике.

Пользуясь служебным положением, я уже после концерта ходил в Пушкинский несколько дней подряд и уходил с последним посетителем. Были полотна, от которых я не мог отойти. Я физически не мог сойти с места, не мог добровольно прервать впечатление. Мурильо, Рубенс, Вермеер, Леонардо да Винчи. Помню, стоят перед картиной двое солдат и тоже не могут оторвать глаз. Серьезные такие, хорошие ребята. И один другому говорит, я случайно услышал: "Ты подумай, какая сила искусства: голая, а смотреть не стыдно".

На следующей репетиции я сказал музыкантам: "Приближается время, когда мы должны дать первый по-настоящему серьезный самостоятельный концерт. Чем это кончится — неизвестно, никакой поддержки нет, как вы знаете. Я очень ценю ваше доверие, но хотел бы, чтобы вы сами решили, когда будете готовы. Тогда вместе определим, что играть". Через две-три репетиции они сказали: "Пора. Можем".

Программу решили делать такую: *h-moll*'ная сюита Баха, два сочинения Вивальди: Кончерто гроссо и Концерт для четырех скрипок — блестящий номер, настоящий шлягер, а во втором отделении симфония Манфредини, современника Вивальди, очень симпатичная симфония для струнных, и Куперен — "Концерт в театральном вкусе".

Я пошел к директрисе Малого зала консерватории Дизе Арамовне Картышевой. Она говорит: "Мы не можем разрешить неизвестному оркестру играть сюиту Баха перед публикой. Давайте сначала проведем закрытое прослушивание".

Устроили прослушивание. Пришли чиновники, Гринберг пришел. После этого на второе апреля пятьдесят шестого года был объявлен первый концерт нашего оркестра в Малом зале консерватории. Друзья повсюду расклеивали афиши, боялись, что публика не придет, но билеты раскупили в первый день продаж.

28

Реакция публики — это либо приятно, либо неприятно. Но собственная оценка точнее всего. Часто они не совпадают. Это знают многие музыканты. Бывает, тебе кажется, играл замечательно, потрясающе, вдохновенно, просто разговаривал с небесами, а никого не тронуло. Бывает и наоборот.

Думаю, без публики я смог бы. Может, на самом деле я не смог бы — но мне кажется, что смог. Потому что я, как бы это сказать, точно знаю, чего мне надо. Я слышу, как в идеале должно быть исполнено. И когда добиваюсь того, что хотел, — я очень счастлив. Тогда я музыкантам своим говорю: "Вот, ребята, сейчас обратите внимание. Давайте мы кусок этот повторим. Не потому, что было плохо, наоборот, было так хорошо, что надо запомнить ощущение, понять, почему получилось так хорошо, и не забывать".

Боюсь, я смог бы и без критиков. Ведь глубоко чувствующих и понимающих музыку людей очень мало и среди них. Однажды мы с Камерным оркестром давали концерты в Тюбингене. В программе стояла все та же сюита Баха, которая стала нашим коронным номером. Устроитель гастролей счел, что уже слышал ее много раз, а лучше мы сыграем Бартока, как играли в Штутгарте. Мы сыграли Бартока. На другой день в газете музыкальный критик — очень милый человек, с которым после концерта мы выпивали на приеме, — написал, что в сюите Баха, к сожалению, чувствовалась русская сентиментальность а-ля Чайковский. Он не усек, что мы Баха не играли. Помню, как одно и то же исполнение один критик отругал за то, что от него веяло сибирским холодом, другой похвалил за теплоту и проникновенность. Знаменитый, очень влиятельный нью-йоркский критик Шонберг — не путать с композитором Шёнбергом — написал доброжелательную статью об исполнении Девятой Малера и только пожалел, что дирижер по финансовым причинам был вынужден сократить оркестр и вместо восьми валторн на сцене было пять. Если бы он заглянул в партитуру, то узнал бы, что у Малера валторн четыре. Я посадил пятого помогать первому. В "Правде" однажды сообщили, что концерт Святослава Рихтера прошел с небывалым успехом. Действительно небывалым: Рихтер в нем не участвовал, он заболел.

На свете есть считаные люди, чья критика может иметь значение. Хотя слышать критику от них бывает больно. Помню, как Ойстрах обиделся на Цейтлина, когда тот после концерта спросил: "Додик, почему у вас такие резкие смены смычка?" Ойстрах покраснел, ничего не ответил и с тех пор со Львом Моисеевичем не разговаривал. Но резкие смены смычка ушли.

Д. Д. говорил: "на критику обижаются только дураки", а на самом деле обижался еще как. Однажды было дружеское застолье после премьеры, все восхищались его новым сочинением, а он говорит: "Ну, не бывает все хорошо. Все-таки посоветуйте, что стоило бы исправить". Метек совершенно искренне сказал: "Тут нельзя изменить ни одной ноты". Шостакович посмотрел на него с выражением такой благодарности и беззащитности... А другой человек решил помочь Шостаковичу. Знаете, говорит, может, стоит немножко сократить последний ре мажор, тянуть его на один такт поменьше. Д. Д. так быстро закивал и ответил: "Да-да, спасибо. Очень хороший совет, очень. Я обязательно учту его в следующем сочинении". И долго мне потом поминал этого человека: видите, он знает, как надо, а я нет. Волик рассказывал, как Д. Д. сидел на репетиции своей симфонии у Мравинского, Шостаковичу не нравилось, и он в перерыве сказал про какое-то место: "Вот черт, сделал я ошибку". Мравинский говорит: "Ничего страшного, Митя, давай я поправлю". А Д. Д.: "Нет-нет. Я в следующем сочинении сам поправлю". Он не делал таких ошибок, которые можно было "поправить". Какой-то духовик к нему подошел, говорит: "Вот у вас есть там длинное соло гобоя. Нельзя ли, чтобы его играли два гобоя?" А Шостакович: "Два гобоя? Блестящая идея, блестящая. Но почему же только два? Три гобоя. Четыре, нет, знаете, пять! Нет, двадцать гобоев — вот будет здорово!" При всей своей исключительной доброте Д. Д. бывал очень саркастичным. Он мог бы многое рассказать вам о критике.

В общем, я хочу сказать, что премьера Камерного оркестра прошла с колоссальным успехом. Директор Большого зала рассказывал мне, как его зам заглянул в кабинет и говорит: выйдите на минутку во двор, посмотрите, что творится у Малого зала. Там стояла толпа, которая пыталась попасть на наш концерт. Нельзя было достать лишнего билетика.

После этого нам предложили провести концерт в Большом зале в первый же свободный вечер, на следующей неделе. Билетов снова нельзя было достать.

В библиотеке консерватории работали несколько очень пожилых женщин. Эти старушки знали про музыку все. В частности, Ирина Амазасповна Адамова помнила наизусть самые редкие вещи, знала то, чего никто не знает, вы могли спросить ее о чем угодно или попросить найти любую партитуру — если у нее не было, она всегда знала, где есть. Эти женщины из библиотеки побывали на нашем концерте. Когда на другой день я зашел к ним, на меня обрушилась лавина восторгов. "Какие же вы молодцы. Какие правильные темпы в *h-moll*'ной сюите!" — и стали напевать, эти три старушки. Вот это был настоящий успех. Я был счастлив. Пошел к ребятам и все пересказал.

И тут я хочу сказать вот что. У меня в оркестре были такие таланты, такие потрясающие музыканты, без которых я ничего не смог бы сделать. Второго такого дарования, как наш концертмейстер Евгений Смирнов, я больше не встретил никогда в целом мире, где бы ни дирижировал. Я работал с отличными концертмейстерами, одаренными, честными, но это было что-то другое. Женя был светоч. Чистый, светлый человек, огромного трудолюбия и великого таланта. Помню, как бывало, что я останавливал оркестр на репетиции, но не успевал ничего сказать: Женя уже кивал головой и просил повторить фрагмент — он понимал, что надо исправить, без объяснений. Я не знаю равного исполнителя "Времен года" Вивальди. Известный парижский критик Бернар Гавоти написал: "Много я знаю исполнений Вивальди, но никогда не слышал такого поэта скрипки, как Евгений Смирнов". Без Жени, светлая ему память, оркестр был бы совершенно другой. Но и без остальных... Были музыканты, я бы сказал — большинство, которые не то что меня поддерживали, но вдохновляли тем, что выполняли мои пожелания даже лучше, чем я себе представлял. Их энтузиазм убеждал меня в том, что мы движемся правильно.

Первый наш виолончелист Виктор Симон — позже он стал концертмейстером виолончелей в БСО — какой музыкант! Через много лет, о которых мне еще предстоит рассказать, в первый приезд после эмиграции мы с БСО играли Девятую Малера. Там в конце третьей части есть небольшое соло виолончели. Витя сыграл его так проникновенно, что у меня выступили слезы на глазах. Неловко, смешно, дирижер, перед всеми музыкантами, — но я ничего не мог с собой поделать. Такой он талант большой. Когда Виктор ушел из Камерного, Ростропович порекомендовал нам свою ученицу Аллу Васильеву. Она оказалась действительно прекрасной виолончелисткой. Играла партию бассо континуо и все соло виолончели. Скрипачи Андрей Абраменков и Леня Полеес, непревзойденный валторнист Боря Афанасьев, блестящий флейтист Наум Зайдель и другие, о которых я еще скажу, — я помню и думаю о них всех. Прежде чем продолжить рассказ, мне хочется сказать: без них все было бы иначе, а может, ничего бы и не было. Всегда на афишах нашего оркестра указывались имена всех музыкантов.

29

После такого успеха Белоцерковский стал повсюду рассказывать, какой камерный оркестр он создал. На конференциях, в Министерстве культуры, в ЦК... Мы посмеивались: пусть говорит, лишь бы помогал. Он действительно начал помогать. Вызвал меня, похлопал по плечу: "Ну вот, теперь, когда оркестр есть, можем перейти на законные основания. Получите репетиционное помещение на третьем этаже в зале Чайковского, музыкантам положим зарплату, будете играть, гастролировать по Союзу и называться Камерный оркестр Московской филармонии". — "Может, просто, коротко: Московский камерный оркестр?" Он подумал: "Не возражаю. Меньше краски на афиши пойдет". (Тут не могу удержаться и не вспомнить одну историю про афиши. Когда в Москве выступал Исаак Стерн, город обклеили афишами: "Гастроли Исаака Штерна, скрипка". Стерн сказал чиновнику в филармонии: "Вообще-то во всем мире меня знают как Стерна". Тот смутился: "Не волнуйтесь, мы поправим". Через день приносит Стерну новую афишу, тот смотрит и говорит: "Спасибо, слава богу. Теперь правильно. Я боялся, будет написано "Ишаак Стерн".)

А через год Белоцерковский добился для нас статуса государственного. Мы были обязаны играть в Москве пять-шесть концертов в месяц, а на гастролях выступали почти каждый день. За каждый концерт сверх нормы филармония нам доплачивала. Украина, Белоруссия, Молдавия, Грузия, Закавказье, Прибалтика. Мы объехали чуть не весь Союз, от Соловков до Камчатки. Я видел такой документ, отчет: только за первые десять лет существования оркестра мы дали около шестисот концертов в девяноста городах у нас и еще двести — в ста сорока городах за границей.

Бывает, камерным оркестром руководит "стоячий скрипач". В нашем случае был стоячий альтист. Играли мы стоя. Я не дирижировал, а стоял среди прочих с альтом в руках и играл. Даже сам Бах предпочитал исполнять полифоническую музыку, играя вторую скрипку или на альте. Его спросили: "Почему?" Он ответил: "Очень просто. Я тогда нахожусь в центре контрапункта и получаю наибольшее удовольствие от полифонии".

Несмотря на разницу в возрасте, я с консерваторских времен очень дружил с отцом Геннадия Рождественского Николаем Павловичем Аносовым (Гена носит фамилию мамы). Ну вот бывают такие дружбы: я — студент, он — маститый, уважаемый профессор консерватории, и все равно подружились. Время от времени совершали долгие прогулки по Москве, я слушал его рассказы, он мои рассуждения. Николай Павлович был замечательнейшим музыкантом, хоть и не самым удачливым дирижером. Зато сына своего научил прекрасно. Знаете, пианист Яков Флиер, блестящий педагог, однажды мудро сказал: "Сам не смогу — но точно знаю, как надо". Вот Николай Павлович знал. И когда я заканчивал консерваторию, он все мне говорил: "Вам надо дирижировать, Рудик. Обязательно. Альт — это хорошо, но вы себя обкрадываете". Потом просто насильно притащил в свой класс и начал мне преподавать. Божий человек был Аносов, царство ему небесное, какой же он замечательный человек был. Я Гене уже говорил и сейчас скажу, что его отцу по гроб благодарен. Аносов был моим первым педагогом по дирижированию, и не только потому, что разбудил во мне интерес к этому искусству, но и преподал азы, показал, с чего начинать. Все эти обязательные фокусы — например, кладешь на кисть руки спичечный коробок и вращаешь ею в разные стороны так, чтобы коробок не падал. То есть вырабатываешь стабильность кисти, это одно из первых дирижерских упражнений.

Когда я получил диплом альтиста, в сорок восьмом, то хотел поступить к Аносову в аспирантуру. Подал заявление в ректорат, но ответа все не было, не было, я ходил, ждал, потом меня вызвал зав учебной частью. Такой Орвид, в прошлом — кавалерийский трубач в Красной армии, потом в милицейском оркестре. В сорок восьмом году стал замдиректора Московской консерватории. При Хрущеве поработал директором Большого театра. Вы, говорит, хотите в дирижеры идти, а зачем вам это надо? Вы уже вполне преуспевающий солист... Не надо себе портить карьеру альтовую.

И вот теперь, когда возник Камерный оркестр, Николай Павлович Аносов снова стал наседать: "Рудик, вы неправильно делаете, что с альтом в руках учите музыкантов и рассказываете им, как играть. Если научитесь дирижировать, будете то же самое руками показывать. Ведь это все-таки не квартет. Музыка должна идти от дирижирования". Уговаривал меня беспрестанно. "Вы себя лишаете будущего. Вы не остановитесь на камерной музыке, это ясно, вы пойдете дальше, и тогда уж точно оркестр не сможет играть без дирижера. Поверьте мне, начните сейчас".

Думаю, два впечатления тогда еще повлияли на меня. В Москву приехали с гастролями Шарль Мюнш, а потом Юджин Орманди. Концерты Мюнша с Бостонским симфоническим оркестром в Большом зале были самым большим музыкальным событием за долгие годы. Мы просто обалдели от услышанного, у меня нет другого слова. В антракте Ростропович ходил по залу как пьяный. Подошел и говорит: "Рудька, как это возможно: сто гениев на эстраде?!" Они играли так согласованно, как самый лучший квартет, только увеличенный в тридцать раз. Огромное богатство оттенков: ты слышал различия между *pianissimo* и *piano*, между *piano* и *mezzo forte*. И все это непостижимо естественно. Сегодня такого оркестра в мире нет. Мюнш был еще одним учеником Люсьена Капе, скрипачом, долгие годы играл в оркестре и только в сорок лет начал дирижерскую карьеру. Но каким же дирижером он стал! Было полное впечатление, что Мюнш ничего не диктует оркестрантам: они просто сами выбирают верные темпы, сами идеально вступают, и если дирижер уйдет — оркестр продолжит играть сам. Наш завкафедрой дирижирования Лео Морицевич Гинзбург даже сказал потом: "Мюнш — музыкант гениальный, но никакой не дирижер. У него приказа нет в руках. Музыканты играют не по его рукам, а наоборот, он идет за музыкантами". Это, конечно, было не так. У дирижера должен быть приказ в руках, верно. Но высшее мастерство — когда диктат дирижера не чувствуется.

Потом приехал Юджин Орманди. Он тоже в свое время начинал как скрипач и стал дирижером случайно: попросили заменить заболевшего маэстро. Почему-то решили, что именно он сумеет. А он в это время играл где-то на последних пультах в Нью-Йорке, он вообще эмигрант из Венгрии. И Орманди заменил, причем дирижировал симфонией Чайковского наизусть. В Москве он дал несколько концертов и все тоже дирижировал наизусть. Но не это впечатляло, конечно, а феноменальная подготовка музыкантов. Он руководил Филадельфийским оркестром, на этот пост рекомендовал его, в частности, Рахманинов. Рахманинов посвятил ему свои "Симфонические танцы". Впечатление производила глубокая продуманность целого и отработанность каждой детали. Было ясно, что это результат долгого труда. Такое не дается одним энтузиазмом и вдохновением. Такого нельзя добиться ни за одну, ни за две репетиции. И другое, что впечатляло: полная погруженность Орманди в контакт с оркестром. Никакого позерства, никаких штучек на зрителя: только музыка.

Я решился. Правда, с Аносовым заниматься не вышло, но о моем желании узнал через общих знакомых Илья Александрович Мусин. Это педагог, который преподавал дирижерское искусство в Ленинградской консерватории чуть не шестьдесят лет. Арнольд Кац, Темирканов, Гергиев, Семен Бычков — все его ученики. И еще десятки дирижеров. Его не стало не так давно, он и в девяносто продолжал преподавать и дирижировал, причем по памяти, без партитуры. Когда ему вручали звание почетного члена Королевской академии музыки, меня позвали в Лондон как его ученика, но мы, увы, разминулись: я был на первых после эмиграции гастролях в России.

А году в пятьдесят шестом-седьмом он через свою студентку передал, чтобы я приехал к нему в Ленинград поговорить. Я приехал. Илья Александрович видит, как я волнуюсь, и смеется: "Вы, кажется, собрались мне экзамен сдавать? Это ни к чему. Я знаю вас как музыканта.

Давайте прямо сейчас приступим к первому уроку". И достает коробок спичек. "С оркестром у вас, Рудольф Борисович, ловко получается. Но, если не возражаете, мы начнем с самого начала, с азов". Я смеюсь: коробок удерживать я уже умею. Показал ему. "Хорошо". Он принес и поставил на дирижерский пюпитр фортепианную сонату Гайдна. "Вот смотрите. В фортепьянной сонате Гайдна есть все: нужный ритм, нужный характер, нужная музыка. Там вы все найдете, что потом будет в его симфониях".

На первых уроках дирижирования изучают самые простые жесты. Надо руками нарисовать так называемую сетку, скажем, на четыре — то есть на счет четыре: раз-два-три-четыре. Мусин показал как: "Вы должны научить правую руку, а потом и левую, как бы рисовать на большом листе бумаги четкий крест". Я попробовал. "Не совсем так: нельзя дирижировать грубым крестом. Нужно обязательно делать гладкую траекторию, плавно от четверти к четверти переходить. Вот одна точка: ее надо коснуться ласково. Теперь вторая — ее надо как бы мягко подхватить. Упражняйтесь".

Договорились, что на следующий урок я приеду через неделю с готовым заданием. И с тех пор я ездил из Москвы в Ленинград почти каждую неделю и учился у Мусина. Выступал с оркестром, давал еще концерты как солист-альтист и всякую свободную минуту выполнял домашние задания по дирижированию.

Они, конечно, становились все сложнее. Скажем, после каждой четверти кисть, которая пришла к этой четверти, должна дать отдачу. Будь добр освоить это. А бывают четверти с задержанной отдачей, чтобы подчеркнуть какой-то ритм. Получается, что вы "четыре" дирижируете как бы на "восемь": раз — и — два — и — три — и— четыре — и.

Потом руки должны научиться выполнять разные задачи независимо одна от другой. Вот попробуйте одновременно делать что-то левой в одном ритме, а правой в другом — например, левой пилите, а правой рубите, — поймете, как это трудно.

Но особенно важно добиться того, чтобы руки выражали музыкальную мысль. Должно быть то, что связывает ноты. Не просто долбить их — одну, вторую, третью, — а показать руками связь.

На уроках обычно за роялем сидел пианист, а иногда двое, и я дирижировал их игрой. Занимались мы очень интенсивно, но помимо того, я много расспрашивал Мусина. Он с удовольствием рассказывал. Например, он был знаком с Клемперером. А это самый великий дирижер на земле после Малера, такое мое мнение. Откуда я это знаю про Малера? Из его партитур, из бесчисленных указаний исполнителям в нотах. Из самой их сути, разумеется, не просто количества. Малер в партитурах нередко указывал штрихи для струнных! Часто очень трудные для исполнения. В "Песне о земле", например, есть указание: играть пианиссимо целым смычком. То есть очень-очень тихо, при этом используя всю длину смычка. Тогда невесомый звук струится как будто из небесных сфер. Если исполнять все указания Малера, музыка звучит феноменально. Такое мог написать только величайший дирижер, и мне не надо его слышать, чтобы это понять. Но для справедливости добавим, что я читал отклики людей, которые все-таки слышали, — я им полностью доверяю. И я знаю его прямых продолжателей — в частности, Бруно Вальтера.

Клемперер не собирался быть дирижером, он начинал как пианист, но однажды Макс Рейнхардт ставил оперетту Оффенбаха и предложил Клемпереру продирижировать.

Успех был такой шумный, что с Клемперером захотел познакомиться Малер. Он сразу понял, с кем имеет дело, и рекомендовал его, двадцатилетнего юношу, на пост руководителя оркестра Пражского театра. А потом, уже перед самой смертью, именно с Клемперером готовил премьеру своей Восьмой симфонии и сказал ему на репетиции: "Если после моей смерти что-то будет звучать не так — прошу вас, внесите изменения. Я не только даю вам право — вы обязаны это сделать".

Мусин рассказывал мне, как Клемперер приезжал в Ленинград на гастроли в тридцать шестом году. До того он несколько лет отказывался выступать в СССР в знак протеста против того, что арестовали знакомых ему людей. А приехал, чтобы познакомиться с Четвертой симфонией Шостаковича. Через несколько месяцев после "сумбура вместо музыки". Гликман и Иван Иванович Соллертинский, о котором я еще расскажу, помогли устроить эту встречу, Клемперер пришел домой к Дмитрию Дмитриевичу, и тот сыграл симфонию на рояле. Клемперер был восхищен. Он, правда, попросил Шостаковича сократить число флейт, потому что, говорит, очень трудно на гастролях рассчитывать на шесть хороших флейтистов. На что Д. Д. ответил: "Что написано пером — не вырубишь топором". В отличие от Прокофьева, он исключительно строго относился к своей оркестровке, не позволял ничего менять — и там действительно ничего нельзя изменить. Партитуру он Клемпереру под разными предлогами не дал. Не из-за флейт, конечно. Боялся.

В тот приезд Клемперер дирижировал Первым Бранденбургским концертом Баха и Пятой Бетховена. Мусин мне говорит: "Потрясение от Бранденбургского концерта было такое сильное, что я не мог оставаться в зале, должен был немедленно уйти. Я боялся, что рассеется впечатление. Сидел где-то в темном углу фойе и не мог успокоиться. А потом — шквал аплодисментов, браво, брависсимо. Я пошел в артистическую. Клемперера поздравляют, трясут ему руку, а он говорит: "Поздравлять надо не меня, а Шостаковича, который написал Четвертую симфонию".

Кумиром Мусина был его первый учитель Николай Андреевич Малько, про которого он мне много рассказывал. Тот поначалу симпатизировал советской власти, но в конце двадцатых годов поехал дирижировать в Чехию да и остался за границей. Очень успешно работал. В Австралии, где Малько жил в последние годы, поставили ему памятник. Представляете, памятник русскому дирижеру в Сиднее. А в Копенгагене, где он дирижировал оркестром Королевской капеллы, Кениглихе Капелла, каждые четыре года проводят конкурс молодых дирижеров его имени. Однажды я репетировал с этим оркестром Восьмую Шостаковича. В антракте подошел пожилой гобоист. Скажите, говорит, маэстро, вы, случайно, не ученик Николая Малько? Я смутился. Говорю: "Нет. Но я ученик его ученика". — "Ну вот. Видите ли, ваш жест так напоминает его жесты! И первое адажио вы ведете так медленно, как только один Малько умел".

Я пошел, нашел телефон и позвонил Мусину. Мне хотелось ему это сказать. Он, конечно, был рад. А позже мне удалось ему переправить воспоминания вдовы Николая Малько, и Илья Александрович занимался их изданием в России, но, кажется, не преуспел.

30

Кто такой Гилельс, я знал с детских лет. Мало еще что понимал про пианистов и пианизм, но, когда слушал Эмиля Григорьевича по радио, поражался феноменальному звуку. Особенно мне нравилось, как звучит его рояль в верхнем регистре. Верхние ноты — как будто серебряные колокольчики. Невероятное что-то. Потом оказалось, говорить о красоте его звука в приличной компании не принято, потому что и так всем ясно, что такого звука нет ни у кого. Как он его добивался — не понимали. Вероятно, особое строение пальцев, их подушечек. Но кроме того — титаническая работа. Он так развил пальцы, что они стали живыми молоточками. Только вместо металлической основы в каждом молоточке косточка. Эта косточка была какая-то… музыкальная. Мышцы вокруг нее были развиты таким образом, что он пальцами ударял по клавишам, как молоточек рояля бьет по струнам. Я думаю, если бы Гилельс стал скрипачом, он обладал бы такой же красоты звуком на скрипке.

В Москве я ходил на все его концерты. Как он играл "Петрушку" Стравинского этими своими звонкими пальцами! Музыка била как фонтан, живая, радостная, блестящая. И еще сонаты Прокофьева и сонаты Бетховена играл изумительно. У меня вот стоит полное собрание его записей Бетховена, я слушал их не знаю сколько раз.

Познакомились мы, когда образовалось трио Гилельс — Коган — Ростропович. Я ходил на каждое их выступление, а потом они предложили мне вчетвером сыграть фортепианный квартет Форе.

В этой компании Гилельс был явным лидером. Он изучил квартет и раньше, и полнее нас. Замечания, которые он нам делал, были правильные, хоть он не струнный исполнитель. Ему, например, казалось, что какая-то нота не так звучит, как следует, чуть матово, надо сделать ее более звонкой... Он не боялся останавливаться и отрабатывать каждую подробность. Мне очень это нравилось. Иногда я тоже просил что-нибудь повторить, и Гилельс кивал: я, говорит, готов повторять столько раз, сколько будет нужно, с удовольствием буду повторять. То повторяли все вместе, то он играл парой с кем-нибудь — еще раз, еще... Ему хотелось, чтобы звук фортепиано наилучшим образом слился со скрипкой, с альтом, с виолончелью.

Когда мы записывали пластинку — это было в Малом зале консерватории, — Гилельс раз десять переставлял рояль. Чтобы звучало не четыре отдельных инструмента, а единый квартет. Запись получила самую престижную тогда музыкальную премию Гран-при Де Диск и стала знаменитой на весь мир. Должен нескромно признаться, я не был удивлен.

Вскоре Гилельс ко мне обратился: "Рудик, у меня есть намерение сыграть в Большом зале консерватории три концерта. Гайдна, Моцарта Двадцать первый и ре-минорный концерт Баха. Я хотел бы играть с твоим оркестром и чтобы ты дирижировал". — "Но... "— "Соглашайся, Рудик. Я очень хочу с тобой поработать". — "Я буду счастлив. Только мы можем не устанавливать дату концертов, а сыграть, когда будем готовы?" — "Да, я так и хотел. Для Моцарта и Гайдна тебе понадобятся духовики". — "Я найду. Только нужно, чтобы они ходили на репетиции. Это ведь не один раз. Могут не согласиться". — "Я соглашусь, а они не согласятся? Что ты говоришь. Совесть у них есть?" Я его обожал. В нем была замечательная гордость — не заносчивость, а хорошая, благородная гордость. Духовики в самом деле согласились.

На первой репетиции начали с Баха. Гилельс долго выбирал, как подвинуть рояль и повернуть его так, чтобы музыканты не теряли контакта не только с дирижером, но и с ним. Передвигали, устанавливали, а тем временем все успокаивались, и я тоже как-то перестал волноваться. Он сел за рояль — все, порядок, дал мне понять, что готов и ждет моих команд. Я встал за дирижерский пульт и начал. Когда Гилельс заиграл, все пошло как по маслу. Он играл так естественно, что и репетировать было нечего. Казалось, по-другому вообще сыграть нельзя. Я не дирижировал — летал, а со мной и весь оркестр, потому что музыканты чувствуют такие вещи. От Гилельса шел ток, который передавался всем. Мы останавливались, что-то уточняли, но ни разу он не обратился к музыкантам напрямую: только через дирижера, только через меня. Удивительного благородства был человек. Откуда это берется? Он из Одессы, не такой уж особенно благородный город — но каких же благородных людей этот город дал! Рихтер тоже ведь там рос, знаете.

На второй репетиции был концерт Гайдна. Я не мог себе представить, что этот замечательный, но в общем-то скромный концерт можно так играть, как Гилельс. Чтобы он приобрел такое радостное сверканье и глубину. И снова исполнение было таким естественным, что мне ничего не надо было делать. Вообще ведь дирижером можно стать, если выполнишь два условия. Первое — не мешать оркестру. Это не многие умеют. Второе — когда научился не мешать, можешь попробовать помогать. Если удалось первое и второе — можешь руководить. На репетициях с Гилельсом я совершенно четко это уяснил.

Потом перешли к Моцарту. Надо сказать, до того мы с оркестром не один месяц занимались музыкой Моцарта, его стилем и звуком. Читали о его жизни все, что можно было достать.

Показываю темп. Гилельс кивнул и вступил. Абсолютно наши ощущения совпали. Ни он мне не уступал, ни я ему: просто чувствовали одинаково. Играли свободно, но в ритме — как замечательный пианист Артур Шнабель сказал: его спросили, как совместить живое чувство и ритм, а он ответил: "Почему бы не чувствовать в ритме?"

Говорю музыкантам: мне кажется, не надо из вступления делать марш. Мне представляется, это идет огромный тигр, шагает мягкими-мягкими лапами. А потом мгновение — и характер музыки полностью меняется. Для Моцарта очень важна такая мгновенная смена характеров и настроения, и чем это будет ярче и резче, тем будет более правильно. Гилельс говорит: "Соглашаюсь с большим энтузиазмом".

Людям незнакомым Гилельс мог казаться холодноватым, отчужденным. На самом деле он был не скажу даже теплым человеком — горячим. Мы работали с ним в невероятно дружелюбной атмосфере. Даже не могу вспомнить, с кем еще так. С Рихтером! Конечно. С Рихтером.

На одну репетицию Гилельс пришел с дочкой Леной. Ей было лет десять. Сидела в уголочке, слушала. Потом репетиция заканчивается, и Эмиль мне говорит: "Знаешь, Рудик, она тоже неплохо играет этот концерт. Хочешь послушать?" Я зову: "Леночка, иди сюда". Посадил ее за рояль, встал за пульт, поднял палочку. Оркестр заиграл. Она поначалу смутилась, Гилельс ей кивнул, и девочка вступила. Заиграла так, что мы не могли остановиться. Исполнили весь концерт от начала до конца. Думаю, до этого она в жизни не играла с оркестром. И когда закончила, музыканты аплодировали ей.

Встреча с Гилельсом была, конечно, жизненно важной и для меня, и для оркестра. После концертов — а мы в первый раз играли вместе в Ленинграде, с большим успехом, и потом возвращались "Красной стрелой", разговаривали всю ночь о том, что Моцарта надо играть только с камерным оркестром, — я ему сказал: "Я мечтал бы сыграть с вами концерты Брамса". — "О-о! Это мы непременно осуществим". Но не состоялось. Была бы образцовая запись. Мы были во многих отношениях родственны. Я так же любил работать над каждой деталью, как и он. Признаться, сам процесс работы доставлял мне даже большее удовольствие, чем потом игра на концерте. Правда, чем большего мы добивались на репетициях, тем больше удовольствия получали и на концерте. Всё это как-то связано именно с работой, работой, работой. Мудрый Шафран[1] сказал мне однажды: "Вдохновение очень важно разыграть. Надо его разбудить в себе работой, только потом можно идти выступать".

В Москве я старался не пропустить ни одного концерта Гилельса. Спустя много лет он приехал к нам сюда, играл в Базеле. И знаете, на концерте почему-то было не много публики. Какие же люди дураки, ну какие дураки... Я ко-

---

1   Даниил *Шафран* (1923–1997) — выдающийся виолончелист.

гда-то ходил на занятия по философии, много читал философов, и однажды говорю профессору: "Если мудрецы давно поняли, как следует жить, почему мир такой ужасный?" Профессор ответил: "Потому что очень много дураков. Никому не говорите: это и есть основная проблема философии". — Гилельс вышел, как всегда, с гордой осанкой и направился к роялю, смотря на публику. Он так всегда шел к роялю: повернув лицо к слушателям. Сел, спокойно оглядел сцену и начал играть. Гилельс всегда начинал очень спокойно, потому что был во всем уверен. У него не было повода для беспокойства ни за свою технику, ни за успех. Его интересовала только музыка. Мы попрощались у машины — с ним была его чудесная жена, такая она была хорошая, добрая, красивая, с тонкой осиной талией женщина... Тогда я видел его в последний раз. Они уехали в аэропорт, а вскоре Гилельс умер. Умер глупо и страшно. Пришел в Кремлевскую больницу — ну, все пусть это знают, — в так называемую Кремлевку, куда брали врачей по анкете. Не по медицинским заслугам, а чтобы анкетные данные были правильные. Пришел и сказал, что чувствует себя как-то очень устало, а ему надо уезжать, гастроли... Врач говорит: "Устал? Никаких проблем!" И всадил ему ампулу глюкозы внутривенно. Гилельс тут же упал в коме, потому что у него был диабет. А врач, не проверив кровь, не знал этого. Если бы проверил, ничего бы не случилось. Вывести его из комы не удалось. Так и кончился Гилельс. Так погиб этот мой светоч. А другой мой светоч, Леня Коган, тоже умер глупо, внезапно, рано — в поезде, по дороге на концерт в Ярославль. Тоже лечился у врачей по анкете. Врачи по анкете...

31

Бранденбургские концерты Баха — по существу, первые симфонии, которые появились у человечества. Это продолжение стиля, в котором писали Вивальди, Корелли, все итальянцы, — но в то же время и нечто совсем другое: то, к чему этот стиль привел. Это содержательная, насыщенная мыслями музыка. При исполнении первого же концерта возникла техническая трудность: нужны были две высокие, так называемые "баховские" валторны. В наше время их не существует. Поэтому очень хорошим валторнистам приходится играть очень-очень высоко, с большим напряжением на обычной валторне. Борис Афанасьев виртуозно с этим справился. Второй Бранденбургский мы сыграть так и не смогли: там требуется баховская труба, которая играет в тесситуре гобоя — высоко и четко. Сыграть так на современной трубе, думаю, невозможно.

Сравнительно недавно в мире появились оркестры старинных инструментов, называющие себя аутентичными исполнителями. То есть они считают, что исполняют музыку именно так, как слышали ее Бах, Гендель, Вивальди и прочие. Я с симпатией отношусь к самой затее, только уточнил бы: они играют музыку так, как слышали ее слушатели времен, к примеру Баха. Мы не знаем, что слышал Бах, когда записывал свои ноты. И это величайший вызов для каждого исполнителя — он не решается выбором инструментов. Ведь ноты — не мертвые значки, которые исполнитель должен "одухотворить". Чепуха, это путеводные знаки на дороге, которой шел автор. Сумеешь ли ты по ним ее отыскать, сможешь ли пройти сам и провести слушателей — вот вопрос. Великие композиторы ничего не "сочиняют" — смертный не способен сочинить подобного. Они слышат, и им хватает мастерства записать. Посредственные — да, те сочиняют, комбинируют. Бетховен мечтал бы, чтобы в его распоряжении были инструменты, которые появились уже после его жизни. По существу, мы не знаем даже и того, как слышали музыку современники Баха или Вивальди. Да, инструменты звучали вот так, но как эти люди воспринимали? Мы — другие.

Играть на старинных инструментах само по себе ничего не решает. Сколько шарлатанов нашло прибежище в этом деле! Некоторые из них требуют, например, чтобы музыканты играли без вибрации. Что ж, Корелли, которого многие считают отцом европейской музыки, потому что именно от него пошла форма кончерто гроссо, которую подхватили Гендель и Бах в Бранденбургских концертах, был не только композитор, но и великий скрипач и играл без вибрации, это известно. Но он обладал таким качеством звука, которое не нуждалось в украшении вибрацией. На его могиле написано: "Здесь спит вечным сном величайший певец всех народов". Понимаете, какая удивительная похвала: певец. Современники рассказывали, что звук его скрипки напоминал звук трубы, "если бы только труба могла петь человеческим голосом". То есть критерием была человечность звука. Такой глубины, такой чистоты был звук. Играете без вибрации — будьте добры добиться такого же качества. Звук не должен сипеть, как будто у скрипки простужено горло. Музыканты плакали, когда дирижеры-"аутентисты" заставляли без вибрации играть даже Брамса. Играть Брамса без вибрации не только смешно, но и мучительно. Человек более-менее музыкальный не может удержаться от вибрации, играя музыку Брамса или Чайковского, а дирижер требует. Другие "аутентисты" требуют, чтобы каждая нота игралась на *crescendo*. Если кто-то из музыкантов не делает *crescendo* на каждой ноте, его из оркестра выгоняют. Так, во всяком случае, мне рассказывали, случалось в Голландии. Я однажды слышал "Искусство фуги" Баха с крещендо на каждой ноте: это был настоящий кошачий концерт.

Третий Бранденбургский был уже в нашем репертуаре, так что после Первого мы перешли к Четвертому. Там солирует скрипка. С ней играет небольшой струнный оркестр. Скрипка и не может спорить с гигантским симфоническим оркестром, когда виолончели и контрабасы как будто возят тяжелый воз. Это для полифонической музыки, как я уже говорил, невыгодно и неинтересно. Получается кашеобразная звучность, а без прозрачности и четкости нет настоящей полифонии.

Я подумал: вот момент, когда можно приглашать Ойстраха. Позвонил Давиду Федоровичу, договорились, что приду к нему после уроков в консерваторию.

Он меня выслушал и согласился сразу. "Ого, — говорит, — это трудная задача. С удовольствием!" Я стал рассказывать, какого штриха мы пытаемся добиться: как будто пальцем лепишь фигуру из пластилина — нажал смычок, и обратно, нажал, и обратно. Но не размазывать, не просто "деташе"[1]: четкость должна быть необыкновенная. Ойстрах взял скрипку и сыграл: "Вот так?" — "Да, абсолютно". — "Я тоже стараюсь Баха играть таким штрихом". Потом говорит: "У меня есть пластинка с записью этого концерта, — сейчас уже не помню, какой-то неизвестный нам скрипач играл с голландским камерным оркестром, — вы не будете возражать, если мы все вместе, с оркестром, ее послушаем, вас это не обидит?" Чем сильнее чувство собственного достоинства, тем, я заметил, скромнее человек. Он хотел начать работу с того, чтобы послушать, как играют другие, и совершенно этого не стеснялся. К слову сказать, мне рассказывал его сын Игорь, как они с отцом выступали в Вене, Игорь играл в первом отделении концерт Брамса, а Давид Федорович во втором дирижировал Первую симфонию Брамса, и оказалось, в зале сидел Клемперер. Они не знали, никто не предупредил. После концерта Клемперер подошел к Ойстраху. Тот от неожиданности даже вздрогнул. Клемперер говорит: "Поздравляю, коллега". На что Давид Федорович: "Герр профессор, я и не знал, что вы играете на скрипке". Каков ответ?! А Ойстрах был и дирижером выдающимся, хотя сам не считал это своим призванием. Ужасная история: в голосах Венского оркестра — не Винер Филармоникер, там такого бы себе не позволили, но Винер Симфоникер — Ойстрах написал штрихи струнным. А следующий дирижер распорядился стереть их ластиком. Штрихи Ойстраха. Все-таки невежество — великая всемирная сила.

На нашу репетицию Давид Федорович пришел с проигрывателем в чемоданчике, мы все послушали пластинку,

---

1   *Деташе* — прием игры на струнных инструментах, при котором каждая нота извлекается отдельным движением смычка, меняющего при этом направление.

обсудили исполнение, Ойстрах сказал, что ему понравились некоторые музыкальные украшения, которые делал тот скрипач, и он, пожалуй, их повторит.

Репетиции и запись прошли легко, хотя, мне кажется, есть у нас совместные записи и получше этой. Дошла очередь до Шестого Бранденбургского. Там солируют два альта. Надо репетировать вдвоем. Давид Федорович пригласил меня домой. Скромнейшая квартира. Тамара Ивановна, чудесная его жена, приготовила пирожков, усадила нас пить чай. Потом пошли в комнату репетировать. Смотрю — он устраивается перед пультом, на котором стоят ноты с надписью "виола вторая". Я говорю: "Давид Федорович, нет-нет, поменяемся местами". — "Ну как же, — отвечает, — вы альтист, я скрипач". — "Но я не могу с вами играть первый голос". — "Да нет, это я не могу с вами играть первый!" Торговались-торговались, наконец он сказал: "Хотите, вы встанете за мой пульт, а я за ваш. Только я все равно сыграю второй альт, а вы первый". В конце концов Тамара Ивановна пригласила нас опять попить чаю с пирожками. Репетиция не состоялась, и мы перенесли ее на завтра. Назавтра повторилось то же самое. Сначала спорили-спорили, кто второй — кто первый, потом выяснилось, что пора пить чай с пирожками. Так мы провели несколько дней и не договорились. Причем у меня в те времена был альт Страдивари из госколлекции, а у Ойстраха — альт Гварнери, который он купил за границей, настоящий Гварнери. И когда мы пробовали, инструменты звучали, как в раю инструменты звучат. Но я на самом деле не мог себе позволить играть первым голосом с Ойстрахом. Понимаете, такой был пиетет. А он: "Нет, не буду играть первый, потому что вы профессиональный альтист, а я скрипач, а как альтист я любитель и достоин с таким альтистом, как вы, играть только второй альт". Как же мы оба потом жалели.

Но вскоре случилось счастливое происшествие. Я нашел в библиотеке Концертную симфонию Моцарта для скрипки и альта с оркестром. Красота этой музыки поразила меня, едва я открыл партитуру. Самому трудно поверить, но я не знал ее прежде. Может, в Ленинграде когда-нибудь играли, но в Москве не слышал никогда. Позвонил Ойстраху. Он тоже ее не знал! Посмотрел ноты и сказал: "Счастливый день".

Мы сразу же стали репетировать, заиграли с листа. Играли-играли и обнаружили, что все понимаем одинаково: все фразы, штрихи, наложения. Если в каденции делаем в каком-то пассаже замедление, то получается до противности вместе. Вообще — все вместе, нам не надо было репетировать: получалось сразу.

Я старался подхватить у него легкость звука, легкость звукоизвлечения. Его смычок иногда как будто летал над струнами. Это связано, кроме прочего, с колоссальной свободой обеих рук. Никакого напряжения — то, что немцы называют *entschlossener Bogen*, уверенная рука. Ойстрах в этом отношении был непревзойден. Как звучала у него вторая часть Симфонии Кончертанте, трагическая, пронзительная! Я читал, что Моцарт сочинял ее в Париже, в дешевой гостиничке, зарабатывая на жизнь уроками, в то время умирала его мать.

Когда мы играли премьеру в Большом зале, пришел папа. После концерта он, как обычно, поднялся в артистическую и подошел к Ойстраху. Стоял с ним, они о чем-то разговаривали, а ко мне в это время тоже кто-то подошел. И вдруг смотрю — папа заплакал. Заплакал, вышел в коридор, чтобы никто не видел. Я за ним, спрашиваю, что случилось, в чем дело. А он ответил: "Жаль, что мама не слышала того, что сказал Ойстрах". Но повторить не хотел ни за что.

Кроме памяти о Давиде Федоровиче, которая всегда со мной и в жизни и в работе, у меня осталась надпись на пластинке "Гарольд в Италии". Ойстрах позвал меня записать с ним эту вещь Берлиоза. Теперь, говорит, меняемся ролями: я буду дирижером, а вы солистом. Снова замечательно работали, и он написал мне на пластинке добрые слова[1].

---

1   Надпись Ойстраха такова: "Моему чудесному Гарольду, музыканту-поэту, с искренним восхищением от любящего Давида Ойстраха".

32

Первое условие плодотворной работы дирижера с солистом — чтобы оба хорошо знали ту музыку, которую собрались играть. К сожалению, это бывает нечасто. Чаще солист гораздо лучше знает концерт, который намерен исполнять, чем дирижер — аккомпанемент, который собрался аккомпанировать. Второе важнейшее условие — чтобы дирижер в самом деле не относился к оркестровой партии концерта как к аккомпанементу. Он должен работать с ней как с симфонией. Если, в свою очередь, солист не понимает этой необходимости — дело плохо. Тогда дирижер немногого сможет добиться от оркестра и не будет солисту единомышленником. Да, формально — приоритет у солиста, и в глазах публики, особенно профанов, оркестровое сопровождение является аккомпанементом. Но относиться к нему так — значит не понять замысла автора. Тут мы касаемся важнейшей проблемы. Я думаю, главная задача исполнителя — выполнить все намерения композитора. Однажды я поделился этой мыслью с Шостаковичем, и он откликнулся с большим жаром: безусловно, он сказал, это так, очень мало кто считается с композитором. Сколько раз мне приходилось слышать заявления такого рода: дело Шостаковича было сочинить, а дальше — я хозяин или я хозяйка. Дальше, мол, исполнитель сам решает, выполнять ли ему то или другое указание автора, делать ли *crescendo* или *diminuendo*, делать ли *rubato* тут, а не тут. Я считаю, это в корне неверно. И то исполнение, которое будет далеко от замысла автора, лучше всего считать несостоявшимся. Мне скажут: откуда вам знать, что хотел автор? А я отвечу: существует манускрипт. Возьмите его, читайте внимательно, сравнивайте с напечатанной партитурой. Может, вы даже найдете места, где горе-библиотекарь исправил "ошибку" композитора. А не найдете — все равно: читайте ноты. Клемперера спросили: "Почему вы дирижируете по партитуре — ведь сейчас все дирижируют наизусть?" Он ответил: "Очень просто — потому что я умею ее читать". Я считаю, дирижер обязан знать партитуру наизусть. Но она должна лежать раскрытая перед тобой, потому что сколько ни дирижируешь — каждый раз находишь новые и новые прелести, новые и новые подробности, которые раньше не успевал заметить, а вот именно сейчас заметил. Воплощая эти подробности, приближаешься к цели автора. Опять-таки Клемперера спросили: "Вот вас считают лучшим исполнителем Бетховена. В чем ваш секрет?" А он говорит: "Никакого секрета. Просто я стремлюсь, чтобы в каждой целой ноте было две половинки, а в каждой половинке — ровные две четверти, а в каждой четверти чтоб были ровные восьмые. Но обязательно ровные. Вот это, наверное, не каждый умеет".

Договориться бывает трудно. Иногда — невозможно. Скажем, Рихтер и Караян, два великих музыканта, в какой-то момент поняли, что вместе играть больше не будут. Последней каплей стал, кажется, тройной концерт

Бетховена с Ростроповичем и Ойстрахом. Мне рассказывал Рихтер, что они с Ойстрахом не приняли караяновской трактовки, считали, что он красуется, интересничает за счет музыки. А Ростропович с готовностью выполнял все пожелания Караяна. В результате была не работа, а подспудное сражение. Когда Караян наконец сказал, что запись окончена, Рихтер попросил сделать еще дубль. Тот ответил: "У нас нет времени, нам еще фотографироваться". Вот это возмутило Рихтера до глубины души — что фотографироваться важнее.

Я дирижировал Четвертый концерт Бетховена с Национальным оркестром Франции и одним знаменитым пианистом, очень хорошим. На все давалось только три репетиции, включая репетицию с солистом. Само собой, я работал не только с ним, но и с оркестровыми фрагментами. Солист не скрывал негодования, а в перерыве пошел жаловаться руководству: вот, мол, дирижер раньше не репетировал с оркестром, а теперь тратит на это время в моем присутствии.

Такое было невозможно ни с Ойстрахом, ни с Рихтером, ни с Гилельсом. Они не выступали как солисты с сопровождением: наоборот, требовали ансамблевой игры.

Должен сказать, из всех, с кем мне приходилось выступать за мою долгую жизнь, меньше всего было проблем с двумя людьми: Рихтером и Ойстрахом. С Гилельсом мы, к сожалению, играли слишком мало, — но и с ним проблем не возникало никогда. Никогда. Почему так? Потому что эти люди все могли. Они умели все сыграть. Если я предлагаю Ойстраху: не хотите попробовать вот таким штрихом сыграть такое-то место? — он берет скрипку и точно играет, что я предлагал. "Так?" — "Да-да, именно так!" — "Ну да, так может быть, но на мой вкус было бы лучше вот эдак". Всё, он меня убедил! Почему? Потому что доказал, что и способен сыграть иначе, и понимает иной подход. Тогда я готов уступить. Но когда я вижу, что солист просто не может сделать того, что я предлагаю, а говорит "это никуда не годится", — тогда я не уступаю. Я же вижу, что он скрывает свою неспособность. Этого я не уважаю. Один альтист мне сказал: "Так на альте не играют". — "Вы не играете. А я играю".

Есть еще одна сторона дела. Ревность музыкантов оркестра. Часто оркестрант думает, что сыграет лучше солиста, которому аккомпанирует. Иногда он прав, иногда нет. В Камерном оркестре такой проблемы не было никогда — наши солисты и музыканты испытывали друг к другу искреннее и глубокое уважение. Думаю, оркестр с нашими великими солистами объединяло одинаковое отношение к делу.

С Рихтером мы начали выступать, еще когда были студентами консерватории, я играл в квартете. Что он гений, было ясно всем и сразу. Помню, как Борисовский, мой учитель по альту, пришел на занятия и пол-урока рассказывал нам, студентам, про концерт Рихтера, который слушал накануне: "У Рихтера рояль звучит как симфонический оркестр: такого количества тембров я никогда прежде не слышал — у него гобой звучал явственнее, чем в оркестре".

Я сам позже имел возможность убедиться, как Рихтер просто нажимает на клавишу в басу, а рождается звук, как у контрабаса и тубы, причем он перекрывает звучание оркестра.

Рихтер был любимым учеником Нейгауза, очень его почитал и много у него взял. Мы вместе репетировали вечер Брамса у Нейгауза дома. Генриху Густавовичу доставляло удовольствие слушать, как играют его ученики.

А у нас, конечно, в такой атмосфере вырастали крылья. Он похвалил Славу, мы в шутку приревновали, а Нейгауз сказал: "Понимаю, понимаю, вы считаете это немецко-немецким коллаборационизмом. Но что я могу поделать, если он так потрясающе играет?"

Рихтер был гением трудолюбия. Он мог заниматься двадцать часов в сутки — я тому свидетель.

Репетируем дома — он тогда жил в маленькой двухкомнатной квартире на Арбате. Мы с Берлинским преподавали в училище и назначали уроки на четыре часа дня. С девяти утра — репетиция. В перерывах Рихтер не нуждался. Я, надо сказать, тоже: устаю от перерывов. Работаем, работаем, в три Валя показывает мне глазами на часы: пора, мол. Но как прерваться? Проходит еще полчаса. Берлинский говорит: "Слава, прости, нам пора, у нас уроки в четыре". — "Ничего страшного. До четырех порепетируем, и пойдете. Пока там ваши ученики соберутся…" Четыре, полпятого. От него до училища хороших минут сорок. Я говорю: "Слава, все, прости, мы опаздываем на уроки". Рихтер помолчал, потом захлопнул рояль и говорит: "Так, или мы даем концерты, или сеем доброе и вечное". В общем, мы не пошли в училище, а репетировали до ночи. Пару раз Нина Львовна Дорлиак, Славина жена, приносила бутерброды, которые мгновенно уничтожались, и однажды Слава пошел под ледяной душ, вернулся в халате и так в нем и репетировал.

В пятьдесят четвертом году мы с квартетом Чайковского поехали в Будапешт. Рихтер играл программу с нами и давал сольные концерты. В одном он сыграл сонату Бетховена "Аппассионата". Всякое мы слышали, но это исполнение нас потрясло. Возвращаемся в гостиницу, полные впечатлений, ужинаем, сидим за столом. Вдруг Рихтер наклоняется ко мне: "Рудик, знаете, я последний сапожник". — "Что такое?" — "Я в "Аппассионате" рано начал разработку. Поторопился, понимаете, стал преждевременно создавать напряжение, поэтому в результате достаточной силы оно не имело, и кульминация не состоялась, как надо". — "Слава, я никогда в жизни не слышал лучшей "Аппассионаты". Он покачал головой: "Нет. Я последний сапожник".

Поужинали. Рихтер говорит: "Надо пойти поспать, завтра трудный день, мы должны начать с репетиции квинтета, нам вечером квинтет играть — это сложно".

Я заснул. А минут через десять — пятнадцать слышу: играет. Мой номер находился как раз напротив его номера, в который специально для Рихтера поставили рояль. Ну, я, конечно, спать не мог: мне было страшно интересно, что он учит и как он это учит. А он начал учить совсем не "Аппассионату", а пассаж из одной замечательной пьесы Равеля, она называется "Альборада дель грациозо". Очень какой-то трудный пассаж, который ему никак не удавался. Он повторял этот пассаж бесчисленное количество раз, учил его минимум до пяти часов — в пять я не выдержал и заснул.

По приезде в Москву Рихтер должен был играть сольный концерт. И он из программы эту "Альбораду" Равеля снял. Пообещал, что сыграет на следующем концерте. Но как же он эту пьесу сыграл через месяц, как! Это было абсолютное какое-то совершенство музыкальной мысли, ткани и звука. В этом было что-то совершенно необыкновенное, даже неприличное, — странно было, как это смертный человек производит такие звуки и так играет.

Это — страстное желание добиться совершенства. Это напоминает работоспособность таких великих людей, как

Бетховен, Гёте. Ведь Гёте понадобилось сорок лет для того, чтобы написать "Фауста". А Бетховену, как мы знаем, понадобилось десять лет, чтобы сочинить только одну тему второй части. На восемь тактов — десять лет. Это признак гения. Как говорил Гёте, очень трудно, конечно, без конца повторять одно и то же и добиваться совершенства, не каждый может выдержать, но только на этом пути возможно появление великих произведений.

Работа с Гилельсом, Ойстрахом, Рихтером позволила Камерному оркестру подняться на такую творческую высоту, на которую только огромная личность может поднять единомышленников.

33

Советские музыканты очень любили ездить за границу. Да вообще любой человек в Советском Союзе очень это любил, потому что рассчитывал приодеться, привезти какой-нибудь магнитофон или, позже, проигрыватель для дисков, да просто оказаться там, где вообще-то никак не мог бы оказаться. Большинство об этом не смело и мечтать. Но для музыкантов такой соблазн существовал.

Поводок отпускали постепенно, на строго определенную длину. Сначала едете в страны соцлагеря. Потом, за хорошее поведение, — Ближний Восток, Индия, капиталистическая Европа. И наконец, особо отличившимся — Америка и Япония. Рихтера, например, до шестидесятого года выпускали только в страны победившего социализма. Он был немцем по отцу, которого арестовали и расстреляли в Одессе перед приходом фашистов за то, что он якобы шпионил в их пользу. Отец был органистом в протестантской церкви. А мать, наоборот, уехала с немцами, когда те уже отступали, и жила потом в Германии. Двадцать лет они со Славой ничего друг о друге не знали. Белоцерковский пришел в Министерство культуры и сказал: Рихтер в мире известен только по записям, весь дипломатический корпус, аккредитованный в Москве, не понимает, почему такого великого пианиста не могут услышать за рубежом, — разрешите, я поеду с ним. Беру на себя всю ответственность". И — разрешили. Приехали они за границу, а через день Белоцерковский приносит Нине Львовне, жене Рихтера, обратный билет: "Звонили из Москвы, вам необходимо срочно вернуться". — "Почему, что случилось?" Представляете, что они пережили. Месяц спустя выяснилось через знакомых в министерстве: никто не звонил. Это была полностью инициатива Белоцерковского. Его свои спросили: "Зачем же ты отослал жену Рихтера в Москву?" Он ответил: "Она мешала мне вести наблюдение за Рихтером".

Сегодняшним молодым людям в России трудно будет себе представить, как происходил выезд за границу в те годы. Сначала на каждого музыканта готовилась характеристика парторганизации. В нашем случае — от парткома филармонии. Затем ее должен был заверить районный комитет партии. А потом, не скоро, каждого вызывали на собеседование в выездную комиссию. Между собой ее называли "комиссия народных мстителей". Там сидели так называемые старые большевики, которые ненавидели счастливцев, едущих за границу, — музыкантов, цирковых, девочек из "Березки". Задавали каверзные вопросы: "Кто председатель Монгольской компартии?", "Сколько орденов у комсомола?", "Кто руководит Бангладеш?" — и ты обязан был ответить. А не ответишь — не поедешь. Потом нам объясняли, чего надо остерегаться за рубежом. Читали специальную лекцию. В отношении стран "народной демократии" получалось несколько неловко, ведь они вроде наши братья. Зато если предполагалась поездка в капстрану, инструкторы могли развернуться. Больше всего, они говорили, следует опасаться вербовки. Однажды я спросил, какой интерес представляет альтист для иностранных разведок — что он может им передать, кроме дислокации Московской филармонии. Инструктор ответил, что любого могут похитить и потребовать выкупа. За известного артиста, говорит, это могут быть очень серьезные суммы. Придется тратить народные деньги. Ни под каким предлогом нельзя принимать от иностранцев подарков. Это может быть подкуп с последующей попыткой шантажа или просто подслушивающее устройство. Или даже взрывное. Шоколад может быть отравлен. Не дай бог оказаться с иностранкой в купе — во всяком случае, ночевать: завербует. Нельзя выходить в город по одному — только впятером. "Пятерками" ходить, в которых один главный и отвечает за всех. Возвращаться в строго определенное время. Мне казалось, что, по крайней мере, некоторые из этих инструкторов понимали, какую чушь они несут. Но так полагалось. В действиях организаций, которые занимались моральным воспитанием советских людей, многое было непонятно. И тем не менее мы жили в то время, и надо было с этим считаться. Как говорил Сократ, "других людей не дано", люди вот такие, надо с этим мириться. Вот мы мирились. Мирились. После инструктажа подписывали бумаги о том, что предупреждены, что осознаём и в случае чего — понесем наказание. Я как руководитель отвечал за всех.

С нами всегда ехал кагэбэшник. Это называлось "сопровождающий". Приходил на одну из последних репетиций перед поездкой, говорил, что он представитель Моссовета и поедет с нами. Ну, все понимали, какой он представитель Моссовета. Если еще не большая сволочь —

то ничего, терпимо. Среди них бывали люди вполне приличные.

Паспорт с визой выдавали в последний день накануне поездки, а иногда только в аэропорту: до последней минуты ждали, не поступит ли на человека какой-нибудь "сигнал".

Первый раз Камерный оркестр выпустили в Венгрию. Это был пятьдесят восьмой. Прошло всего два года с тех пор, как русские танки проутюжили улицы Будапешта, венгерская революция была разгромлена, а Имре Надь, возглавлявший ее, повешен. Я был знаком с ним по той поездке, когда Рихтер разучивал "Альбораду". Нас тогда позвали на правительственный прием. Все чинно, официально... Рихтер неожиданно сел к роялю и исполнил Восьмую сонату Прокофьева. Все были ошеломлены, даже растеряны, трудно было вернуться к пустым разговорам и токаю. Надь подошел к нам, мы познакомились, нам обоим он показался симпатичным человеком. И вот его повесили. Причем он просил, чтобы расстреляли как военного. Но его повесили. Хитростью, обманом выманили из посольства Югославии и повесили. Это, как и сами венгерские события, произвело на меня большое впечатление. Если еще оставались какие-то надежды на эволюцию советского строя — они были подорваны бесповоротно.

В Венгрии нас встретили сдержанно. Вежливо, приветливо, но не то, что прежде. Мне было с чем сравнить: когда я приезжал Будапешт в составе студенческого оркестра на фестиваль молодежи, нас встречали толпы и с таким ликованием, которое нельзя организовать. Это были еще послевоенные чувства, сорок девятый год. Мы ехали в автобусе, а по улицам венгерки несли блюда, подносы с горячими пирогами и протягивали нам в открытые окна.

Поселили в общежитие медицинского института, повели в столовую. Первым делом принесли корзинки с большими ломтями белого хлеба, поставили на стол. Ждем продолжения. Тут один из наших, будущий известный эстрадный дирижер, громко кричит: "Ребята, рубай горчицу — вкусная!" Мы взяли этот теплый хлеб, стали на него мазать горчицу, через две минуты корзинки были пусты. Венгры посмотрели на нас как на диких зверей. Принесли еще корзинки с хлебом. Через минуту опустошили и их. Но это, так сказать, частный эпизод. Общее настроение по отношению к нам царило тогда самое доброе. Теперь люди часто прятали глаза.

Концерт прошел с большим успехом. Я чувствовал, как такт за тактом аудитория проникалась доверием, волнением, и, в общем, в конце нам аплодировали долго, с жаром и с какой-то подчеркнутой серьезностью, не знаю, как лучше это определить. На обратном пути, когда провожали на поезд, министр культуры доверительно рассказывал мне, как недавно они праздновали юбилей национального венгерского композитора Золтана Кодая, восемьдесят лет. Кодая очень почитали, во время революции даже хотели выдвинуть президентом. К юбилею его наградили каким-то большим венгерским орденом, и на специальном торжественном заседании правительства Кодай должен был его получить и произнести благодарственную речь. Насколько она будет благодарственной — всех очень беспокоило. В правительстве, министр говорит, все дрожали. Понимали, что слово Кодая ловят миллионы венгров. И вот собрание, старик пришел, ему вручили орден, он поднялся на трибуну и говорит: "Не думайте, что я успокоюсь. — Все замерли. — Я не успокоюсь до тех пор, пока в школах моей страны, моей Венгрии... — ужас, ужас, что он скажет?! — …не будет введен еще один дополнительный час музыкального воспитания!" У них отлегло от сердца. Дополнительный час музыкального воспитания в школах! Они действительно пересчитали сметы, сократили какие-то другие дисциплины и ввели этот час. Причем моментально, чуть ли не за месяц. Думали, что легко отделались. И, может быть, напрасно: час музыки в школе может перевесить любую идеологию.

34

После гастролей в ГДР и Болгарии нам разрешили поехать в Австрию — то ли "осиное гнездо", то ли "логово фашизма", сейчас не помню точно. Впечатления от логова были сильные. Не только от уровня жизни — жизни музыкантов, в частности, — но и от ощущения непрерываемой традиции во всем, что мы видели. Притом что был ужас Третьего рейха, потом поражение Германии в войне... Тогда мы об этом особенно не думали — просто многому поражались и многое восхищало. Это проходило фоном, потому что главные события и впечатления были музыкальные. Мы ведь ехали не туристами и не, в самом деле, магнитофоны покупать. Главным было, как мы сыграем в легендарном "Моцартеуме" в Зальцбурге. И теперь у меня в памяти из всех впечатлений — наши разговоры с Рихтером. Мы играли вместе *Es-dur*'ный концерт Моцарта. Там есть медленная до-минорная часть, очень грустная. Репетируем. За окнами — тот самый город, по которому ходил Моцарт и смотрел на эти же дома, деревья и, во всяком случае, на это же небо. Мы с Рихтером уже исполняли этот концерт в Москве бог знает сколько раз. Но теперь на репетиции он вдруг прервался, посидел молча и говорит: "Нет, не так. Здесь не просто грусть или меланхолия: в этой мелодии — страдания артиста. Это муки творческой души". И мы сыграли совсем иначе, совсем-совсем иначе. Невозможно передать словами. Но это было главное в поездке.

А потом я репетировал там с оркестром Симфонию ре мажор, которую Моцарт сочинил, когда ему было шестнадцать лет, и у меня никак не получалось начало. Оно торжественное, мощное, но я не мог правильно передать оркестру своего ощущения. Так пробую, иначе. Не выходит. Все хорошо, но не тот характер. "Слава, — говорю, — не понимаю, как мне показать им". Он подошел перед самым концертом: "Я подумал. Вы представьте себе, что вы — король. Вот король выходит к оркестру и поднимает палочку. Ну конечно, король, который разбирается в музыке". Все. Я вышел на сцену "Моцартеума" как король, и это было лучшее из наших исполнений Двадцатой симфонии.

35

В шестьдесят втором году в Москву приехал Иегуди Менухин. Нас познакомил Давид Федорович, и на этих гастролях Менухин выступал с нашим оркестром. Мы сыграли два концерта Баха, два Моцарта (один, фортепианный, — с его сестрой Хефцибой), а на бис исполнили вдвоем вторую часть из Симфонии Кончертанте. Удивительно, но мы так же одинаково чувствовали темпы, как и с Ойстрахом. Правда, Менухин играл совершенно иначе, чем Ойстрах, более романтично и более свободно, он допускал больше *rubato*, чем Ойстрах, и это стилистически было не всегда оправданно. Ну, дело вкуса: могло нравиться, могло и не нравиться. Но, в общем, неплохо у нас получилось.

Менухины хотели обязательно прийти ко мне домой. Домой. Как я рассказывал — коммуналка, девять комнат, теснота, — как я мог пригласить их туда? Я врал. То у нас прорвало трубу, то золотая свадьба у тети, то еще что-то... Но Менухин не сдавался. "Позову, — я решил. — Пусть видит". Приглашать иностранцев домой было запрещено. Требовалось получить разрешение. Будь я сам по себе —

может, и пренебрег бы, потом что-нибудь сочинил, если привяжутся. Но я — дирижер, на мне оркестр. Обратился в МИД. Нет, сказали, и не вздумайте. Пригласите в хороший ресторан. Я заранее пошел в "Арагви", предупредил, что приду со знаменитым скрипачом, пожалуйста, устройте все достойно. Фамилию Менухина там знали — на его концерты билетов было не достать. Привел я Менухиных в "Арагви". После ужина Диана, его жена, говорит: "Ну а завтра мы к тебе". Назавтра у меня скоропостижно заболела бабушка, гриппом, очень заразным, и мы пошли с Менухиными в "Националь". Думаю, он все-таки понимал, что происходит. В конце концов, когда он в сорок пятом году был в Москве и предложил букинисту доллары, тот от ужаса просто стал на него кричать и вытолкал из магазина.

Менухин руководил музыкальным фестивалем в английском городе Бате. *Bath* — по-английски "ванна", там сохранились древнеримские бани, термы. И вот на этом фестивале он пригласил нас выступить.

Незадолго до того с Митрофаном Кузьмичем Белоцерковским приключилась неприятная история. Он привез из-за границы автомобиль. Машину эту ему там вроде бы подарили. Власти были разгневаны, и Белоцерковского отстранили от руководства зарубежными поездками. Нас посылали — а он, получалось, не имеет к этому никакого отношения.

Ко мне подошел Гринберг: настоятельно рекомендую потребовать, чтобы в Бат вас сопровождал Белоцерковский. "Как потребовать?" — "В Министерстве культуры". — "Но что я скажу?" — "Что он незаменимый руководитель". — "Они послушаются?" — "Настаивайте".

Особо настаивать не пришлось. Белоцерковский поехал с нами руководителем группы.

Зал, где мы играли, был устроен в церкви. Перед началом концерта к публике обратился священник, сказал, что в храме нельзя аплодировать и если кто-то захочет выразить одобрение — можно встать. Когда отзвучал последний аккорд большой соль-минорной симфонии Моцарта, Менухин вскочил со своего места, и вслед за ним в полной тишине встал весь зал. Я поднял оркестр — и так мы молча стояли и смотрели друг на друга с улыбками на лицах, музыканты и публика.

На другой день мы с Менухиным играли Симфонию Кончертанте, а потом отправились с нашими оркестрами в Лондон. Играли сочинение популярного современного композитора Майкла Типпетта — Концерт для двух струнных оркестров. Такой веселый, бодрый концерт. Без мировой скорби — английские композиторы этого не любят. Там я впервые дирижировал сразу двумя оркестрами. Создать ансамбль между ними было интересной задачей. Мусин меня учил дирижировать так, чтобы каждому музыканту казалось, что ты дирижируешь именно для него. Конечно, в жесте должен быть приказ, не просто просьба играть, а именно приказ. Но разные оркестры по-разному воспринимают дирижерский жест. Это известная проблема. Мы справились. Майкл Типпетт — высокий такой был — пошел большими шагами из зала на сцену и показывает два больших пальца. Каждому оркестру, значит, по одному. Публика ликовала.

Мы решили на следующем концерте сыграть Симфонию Кончертанте тоже двумя оркестрами. Причем оба дирижера солировали — Менухин на скрипке, я на альте. Об успехе этого исполнения мне приятно вспоминать, но неловко рассказывать. Читайте английские газеты тех дней. После концерта Менухин организовал грандиозный прием в гостинице "Савой", был замечательный вечер и попойка от души.

Рано утром просыпаюсь от стука в дверь. Открываю — на пороге Белоцерковский. Молча входит в номер, прикладывает палец к губам, бесшумно закрывает за собой дверь. "По-английски читать умеешь?" Это была одна из традиций партийных начальников: ты с ним на "вы", а он с тобой на "ты". — "Более-менее". — "Прочти-ка, что здесь про Хрущева и Макмиллана". Протягивает свежую газету. Макмиллан был тогда британским премьер-министром. Статья называлась "Почему бы вам не играть на скрипке?". "Этот вопрос, — писал автор, — приходил мне в голову, когда я слушал Менухина и Баршая в Фестиваль-холле. Они играли Концертную симфонию Моцарта, и такое это было совершенство, и так это было прекрасно и вызвало такие восторги, что я подумал: если музыканты так хорошо спелись — может, и вам, политикам, тоже начать играть Моцарта на скрипке? Может, тогда дела у вас получше пойдут?" Перевел. Белоцерковский забрал газету, спрятал в карман: "Никому ни слова, смотри". Я говорю: "Это уже читает вся Англия, весь мир. Да и в Москве наверняка читают уже". — "Все-таки не говори, на всякий случай не говори". Эти люди, понимаете, сами боялись. Сами боялись ситуации, которую они же и создали.

Слух о концертах разошелся быстро, и несколько звукозаписывающих фирм обратились к нам с предложением выпустить пластинки. Белоцерковский распорядился: пусть придут, хочу на них посмотреть. К встрече он готовился как генерал к сражению: "Ты, Баршай, сидишь вот тут слева от меня, ты, Хохаузер (знаменитый английский импресарио, главный импресарио всех советских "звезд" в Англии), — справа, этих посадим вот за тот столик". Дело происходило

Я стал играть в Квартете имени Чайковского, который основал совершенно гениальный парень, скрипач Юлиан Ситковецкий. На фото: Р. Баршай, А. Шароев, Я. Слободкин, Ю. Ситковецкий.

Рихтер был любимым учеником Нейгауза,
очень его почитал и много у него взял.

"Правда" писала: товарищи Шостакович и Прокофьев, ваша музыка не нужна народу. В подтверждение приводились письма, подписанные шахтерами, токарями, доярками. На фото: С. Прокофьев, Д. Шостакович, А. Хачатурян

РИА Новости

ЦЕНА 20 КОП.

Об опере «Великая дружба» В. Мурадели.

Постановление ЦК ВКП(6) от 10 февраля 1948 г.

ЦК ВКП(6) считает, что опера «Великая дружба» (музыка В. Мурадели, либретто Г. Мдивани), поставленная Большим театром Союза ССР в дни 30-й годовщины Октябрьской революции, является порочным как в музыкальном, так и в сюжетном отношении, антихудожественным произведением.

Основные недостатки оперы коренятся прежде всего в музыке оперы. Музыка оперы невыразительна, бедна. В ней нет ни одной запоминающейся мелодии или арии. Она сумбурна и дисгармонична, построена на сплошных диссонансах, на режущих слух звукосочетаниях. Отдельные строки и сцены, претендующие на мелодичность, внезапно прерываются нестройным шумом, совершенно чуждым для нормального человеческого слуха и действующим на слушателей угнетающе. Между музыкальным сопровождением и развитием действия на сцене нет органической связи. Вокальная часть оперы — хоровое, сольное и ансамблевое пение — производит убогое впечатление. В силу всего этого возможности оркестра и певцов остаются неиспользованными.

Композитор не воспользовался богатством народных мелодий, песен, напевов, танцовальных и плясовых мотивов, которыми так богато творчество народов СССР и, в частности, творчество народов, населяющих Северный Кавказ, где развертываются действия, изображаемые в опере.

В погоне за ложной «оригинальностью» музыки классической оперы Мурадели пренебрег лучшими традициями и опытом классической оперы вообще, русской классической оперы в особенности, отличающейся внутренней содержательностью, богатством мелодий и широтой диапазона, народностью, изящной, красивой, ясной музыкальной формой, сделавшей русскую оперу лучшей оперой в мире, любимым и доступным широким слоям народа жанром музыки.

Исторически фальшивой и искусственной является фабула оперы, претендующая на изображение борьбы за установление советской власти и дружбы народов на Северном Кавказе в 1918—1920 г.г. Из оперы создается неверное представление, будто такие кавказские народы, как грузины и осетины, находились в ту эпоху во вражде с русским народом,

которой непонимание музыки многих современных советских композиторов народом объясняется тем, что народ якобы «не дорос» еще до понимания их сложной музыки, что он поймет ее через столетия и что не стоит смущаться, если некоторые музыкальные произведения не находят слушателей. Эта насквозь индивидуалистическая, в корне противоречащая теория в еще большей степени способствовала некоторым композиторам и музыкальным деятелям отгородиться от народа, от критики советской общественности и замкнуться в свою скорлупу.

Культивирование всех этих и им подобных взглядов наносит величайший вред советскому музыкальному искусству. Терпимое отношение к этим взглядам означает распространение среди деятелей советской музыкальной культуры чуждых ей тенденций, ведущих к тупику в развитии музыки, к ликвидации музыкального искусства.

Порочное, антинародное, формалистическое направление в советской музыке оказывает также пагубное влияние на подготовку и воспитание молодых композиторов в наших консерваториях, и, в первую очередь, в Московской консерватории (директор т. Шебалин), где формалистическое направление является господствующим. Студентам не прививают уважение к лучшим традициям русской и западной классической музыки, не воспитывают в них любовь к народному творчеству, к демократическим музыкальным формам. Творчество многих воспитанников консерваторий является слепым подражанием музыке Д. Шостаковича, С. Прокофьева и др.

ЦК ВКП(6) констатирует совершенно нетерпимое состояние советской музыкальной критики. Руководящее положение среди критиков занимают противники русской реалистической музыки, сторонники упадочной, формалистической музыки. Каждое очередное произведение Прокофьева, Шостаковича, Мясковского, Шебалина эти критики объявляют «новым завоеванием советской музыки» и славословят в этой музыке субъективизм, конструктивизм, крайний индивидуализм, профессиональное усложнение языка, т. е. именно то, что должно быть подвергнуто критике. Вместо того, чтобы разбить вредные, чуждые принципам социалистического

Из архива ВМОМК имени М.И. Глинки

Герман Галынин

Револь Бунин

Для учеников Д.Д. смерть Сталина тоже означала какую-то надежду — ведь они все так или иначе пострадали вместе с учителем.

Моисей Вайнберг

Думаю, два впечатления тогда еще повлияли на меня.
В Москву приехали с гастролями Шарль Мюнш, а потом Юджин Орманди.

Из архива ВМОМК имени М. И. Глинки

Клемперер — самый великий дирижер на земле после Малера, такое мое мнение. Мусин рассказывал мне, как Клемперер приезжал в Ленинград на гастроли в тридцать шестом году.

Из архива ВМОМК имени М.И.Глинки

Когда возник Камерный оркестр, Николай Павлович Аносов снова стал наседать: "Рудик, вы неправильно делаете, что с альтом в руках учите музыкантов и рассказываете им, как играть. Если научитесь дирижировать, будете то же самое руками показывать".

РИА Новости / Олег Макаров

О моем желании узнал через общих знакомых Илья Александрович Мусин. Это педагог, который преподавал дирижерское искусство в Ленинградской консерватории чуть не шестьдесят лет.

ПРИКАЗ № 57

ОСКОВСКОЙ ГОСУДАРСТВЕННОЙ ФИЛАРМОНИИ

Москва   „23 февраля 1957 г.

§-1.

Включить в состав музыкальных коллективов Московской Государственной Филармонии камерный оркестр под художественных руководством Р.Б.БАРШАЯ, численностью 18 единиц.

§-2.

Зачислить с I/I-57 г. на договорных условиях следующих артистов камерного оркестра :

1. БАРШАЙ Р.Б. — Художественный руководитель и альт.
2. ДИЖУР С.Л. Орган и чембало
3. ГЕРТОВИЧ В.Ф. — скрипка
4. МАРКИЗ Л.И.   "
5. ПОЛЕЕС Л.И.   "
6. РАБЕЙ В.О.   "
7. СААКЯНЦ З.Г.   "
8. БОГУСЛАВСКИЙ М.Я. альт /в порядке перевода из симфонического оркестра МГФ/
9. ОДИНЕЦ-ТИМЧЕНКО Г.М. — альт
10. ВАСИЛЬЕВА А.Е. — виолончель
11. ДОБРОХОТОВ Б.В.   —"—
12. КОРНАЧЕВ В.И. — скрипка
13. ГЕГИН А.Н. — Контрабас.

§-3.

НИКОЛАЕВУ Т.П. числить в составе камерного оркестра на условиях поконцертной оплаты.

§-4.

Разрешить художественному руководителю т. БАРШАЙ Р.Б. приглашать на имеющиеся вакантные места исполнителей с разовой оплатой, непревышающей ставки установленной для артистов камерного оркестра.

СПРАВКА : Условия оплаты разрешены письмом Главного Управления Театров и муз. учреждений Министерства Культуры СССР от 13/УI-56 г. № 3-3-А-312.

Директор Московской
Государственной Филармонии   /М.Белоцерковский/

У меня в оркестре были такие потрясающие музыканты, без которых я ничего не смог бы сделать. Всегда на афишах нашего оркестра указывались имена всех музыкантов.

Московская Государственная Филармония

Малый зал Консерватории
(ул. Герцена, 13)

Среда
2
мая
Сезон 1955-56

КАМЕРНЫЙ ОРКЕСТР

под управлением
Рудольфа БАРШАЯ

в составе:

Заслуженная артистка РСФСР
Т. НИКОЛАЕВА
(чембало)

А. ВОЛКОНСКИЙ
(орган и чембало)

Лауреат Международных конкурсов
А. КОРНЕЕВ
(флейта)

В. ГЕРТОВИЧ
(скрипка)

Б. ШУЛЬГИН
(скрипка)

Л. МАРКИЗ
(скрипка)

Заслуженный артист Армянской ССР
Р. ДАВИДЯН
(скрипка)

В. РАБЕЙ
(скрипка)

Л. ПОЛЕЕС
(скрипка)

В. КОРНАЧЕВ
(скрипка)

Лауреат конкурса на Всемирном фестивале молодежи
Р. БАРШАЙ
(альт)

Заслуженный артист Армянской С
Г. ТАЛАЛЯ
(альт)

М. БОГУСЛАВСКИ
(альт)

А. ВАСИЛЬЕВ
(виолончель)

Б. ДОБРОХОТО
(виола да-гамба)

И. МОРОЗОВ
(виола да-гамба)

Л. АНДРЕЕ
(контрабас)

В программе:
БАХ — Сюита си минор для флейты с оркестром
Концерт ля мажор для чембало с оркестром

ВИВАЛЬДИ — Концерт для 4-х скрипок
ПЕРСЕЛЛ — Павана и чакона

— Может, просто, коротко: Московский камерный оркестр?
— Не возражаю. Меньше краски на афиши пойдет.

Второго такого дарования, как наш концертмейстер Евгений Смирнов, я больше не встретил никогда в целом мире.

Из архива ВМОМК имени М. И. Глинки

Вторая сюита Баха с солирующей флейтой. Великолепный Саша Корнеев играл.

К тому времени у меня появился второй сын, Вова, от счастливого брака
с Аней Мартинсон. Тогда счастливого.

Аня была дочкой великого мейерхольдовского артиста
Сергея Александровича Мартинсона

С Володей на даче у Шостаковича.

Володя с дедушкой Борисом.

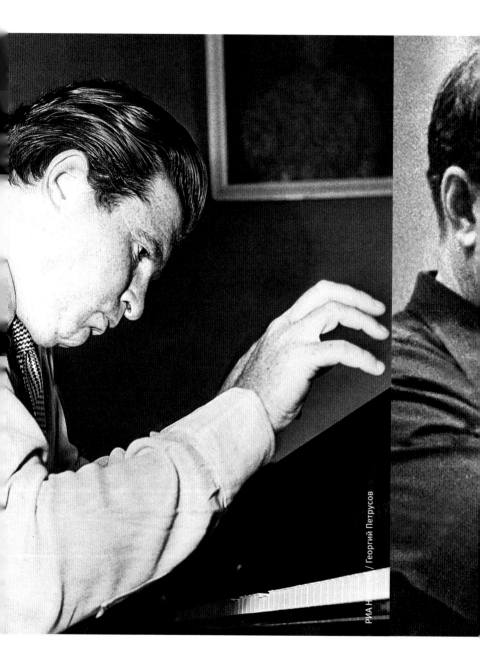

РИА Н... / Георгий Петрусов

РИА Новости / Олег Макаров

РИА Новости / Олег Макаров

Работа с Гилельсом, Ойстрахом, Рихтером позволила Камерному оркестру подняться на такую творческую высоту, на которую только огромная личность может поднять единомышленников.

Давид Федорович Ойстрах — лучший русский скрипач, за всю историю
мировой музыки таких единицы.

С Рихтером мы начали выступать, еще когда были студентами консерватории, я играл в квартете. Что он гений, было ясно всем и сразу.

Большой зал консерватории

(ул. Герцена, 13)

московский

КАМЕРНЫЙ ОРКЕСТР

Художественный руководитель и дирижер —

БАРШАЙ

Рудольф

Солист—Народный артист СССР, лауреат Ленинской премии

РИХТЕР

Святослав

Вторник, 9 апреля

МОЦАРТ

Дивертисмент № 17
Камерный концерт для фортепиано с
оркестром

Среда, 10 апреля

Абонемент № 11

И.-С. Бах — Соната № 2 си минор
Неоконченная фуга из „Искусства фуги"

Моцарт — Концерт № 17 соль мажор для

В шестьдесят втором году в Москву приехал Иегуди Менухин.

Менухины хотели обязательно прийти ко мне домой. Домой. Как
я рассказывал — коммуналка, девять комнат, теснота, — как я мог
пригласить их туда?

Думаю, он все-таки понимал, что происходит.

Мы решили на следующем концерте сыграть Симфонию Кончертанте тоже двумя оркестрами. Причем оба дирижера солировали — Менухин на скрипке, я на альте.

в вестибюле отеля. Первым пришел Питер Эндрю из *EMI*. Корректный, приветливый. "Уважаемые джентльмены, мы хотели бы выпустить Симфонию Кончертанте с Баршаем и Менухиным и Дивертисмент Бартока". Белоцерковский ему: "Сколько заплатишь?" Эндрю явно не ожидал такой скорости, запнулся, но ответил. Белоцерковский: "Сколько-сколько? Это ты так дешево ценишь Баршая?" Переводчик старался смягчать, как мог. "Нет, дорогой товарищ, и говорить с тобой больше не стану. Будь здоров".

Так он разговаривал с каждым, а приходили люди из крупнейших фирм — "Коламбия", "Декка", "Филлипс". И самое интересное — добился, чего хотел. Получил в пять раз больше того, что предлагалось поначалу. Потом Питер Эндрю попросил одну знакомую пианистку мне передать, что если я еще раз приеду с этим чудовищем, то потеряю все ангажементы.

Надо сказать, Московский камерный оркестр приносил в бюджет государства сотни тысяч долларов. Однажды в Кёльне ко мне подошел наш посол и говорит: "Мы готовим важный прием для металлургических магнатов Германии. Никак не получается установить с ними деловых отношений. Я подумал: может ваш оркестр сыграть что-нибудь такое, что бы на них произвело впечатление?" Я предложил вечер из трех симфоний Гайдна, включая "Прощальную". Она всегда сильно действует на публику, тем более что сначала я рассказываю историю ее создания и смысл финала, когда музыканты один за другим перестают играть и уходят со сцены.

Дали концерт, вернулись в Москву. Меня вызвала министр культуры Фурцева. "Вы сделали огромное дело. Под ваш концерт удалось заключить контракты, которых не могли добиться десять лет. Посол отбил телекс нам в министерство и в ЦК партии с просьбой чаще присылать вас. Рудольф Борисович, просите, чего хотите". — "Спасибо, Екатерина Алексеевна. Мне лично ничего не надо, мне всего хватает. А вот моим музыкантам достойную зарплату — это было бы поддержкой нашего дела". Фурцева тут же вызвала помощников и велела к следующему утру подготовить смету с такими же окладами, какие были в Большом театре.

Деньги, которые мы получали за границей, были ничтожными. Скажем, в Германии мне разрешалось от каждого концерта оставлять себе сто марок. Остальное сдавалось в посольство. Гонорар высчитывали по нашей ставке в Советском Союзе: просто переводили в валюту. Но все равно, все равно, для материального положения музыкантов заграничные поездки были очень существенны. Скажем прямо: музыканты привозили вещи на продажу. Это было очень опасно, можно было лишиться всего и пойти по уголовной статье "спекуляция", но люди не хотели жить на том уровне, который предлагался. Скажем, я как дирижер в лучшие годы получал зарплату двести рублей. Музыканты — чуть больше ста. Водитель троллейбуса — до четырехсот.

Чтобы не тратить лишнего из скудных валютных средств, советские оркестранты везли с собой на гастроли еду сухим пайком. Всяких историй о том, как, например, наши варили кашу в биде гостиницы, потому что кастрюль не было, так много, что я повторять их не стану. Они совсем меня не смешат. Я и сам варил гречку в номере. А как же. "Нью-Йорк таймс" однажды опубликовала фотографию: раскрытые на американской таможне чемоданы русских музыкантов из БСО, доверху набитые печеньем, макаронами, сухой колбасой и баночками икры по периметру. Чемодан-ресторан называлось.

Поэтому когда Сол Юрок, крупнейший американский импресарио, пригласил нас на гастроли в Америку, он стал по секрету подкармливать музыкантов. Об этом узнали в Министерстве культуры и сказали ему: ты лучше больше плати нам, мы сами их накормим. Юрок стал платить больше — но кормить музыкантов не перестал. Понимал, что к чему. Он ведь тоже был выходцем из Одессы.

В Штаты Митрофана Кузьмича не выпустили, и он решил отыграться на мне. Началось с того, что его не сумел вывезти своим "руководителем" Кирилл Кондрашин. Он действовал, как в свое время и я, дошел до Фурцевой, попросил послать с ними Белоцерковского, а она ответила: "Правильно ли я вас понимаю — вы не можете самостоятельно руководить оркестром в поездке?" Видимо, Америка в тех кругах тоже считалась высшим призом, и Белоцерковскому хотели напомнить, что он наказан за историю с машиной. После такого я решил и не пытаться, сказал Гринбергу, что если пойду к Фурцевой, то просто навлеку новый гнев на Митрофана Кузьмича, и все. Белоцерковский рассвирепел. Прямо накануне поездки вызвал оркестр на партбюро и устроил мне разнос перед всеми за, как это тогда называлось, "стиль руководства". Непосредственным поводом было то, что недавно я защищал гобоиста, которого Белоцерковский хотел уволить, чтобы посадить на его место своего знакомого. Я тогда уперся, дошел до райкома партии, меня поддержали. Белоцерковский разошелся не на шутку и в конце концов рявкнул, что я никудышный руководитель. На этом заседание окончилось. Я подумал-подумал и поехал в Министерство культуры, попросил срочной встречи с Фурцевой. Поскольку речь шла о гастролях в Америке, она меня немедленно приняла. Я рассказал про собрание и говорю: считаю, что после таких упреков не могу больше руководить оркестром и тем более выезжать за границу. Фурцева все поняла и рассердилась. Позвонила своему заму и сказала, что полностью одобряет тот факт, что Белоцерковский не едет с нами, возмущена тем, что Митрофан Кузьмич, очевидно, решил мне отомстить, и что она требует, чтобы нас помирили. "Прошу вас собираться в дорогу, Рудольф Борисович, все будет в порядке".

В половине девятого утра, когда я приехал в Шереметьево, меня ждал там Белоцерковский. Пожал руку как ни в чем не бывало, пожелал хороших гастролей. Потом вполголоса говорит: "Только зачем ты пошел к Фурцевой? Это непорядочно". Они были большие поборники порядочности. "А что бы сделали вы на моем месте, Митрофан Кузьмич? Как ехать с коллективом, когда вы, по существу, призываете музыкантов не доверять мне?" Он задумался. "Да, говорит, ты прав". Протянул мне руку опять, чтобы все видели: "Ладно. Дружба". И в самом деле был потом очень доброжелателен и ко мне, и к оркестру. Его впечатлила готовность дать отпор: в этом он признал равного.

36

В Америке нас встречали приветливо и доброжелательно — никакой "холодной войны" не чувствовалось. Менухин, который превосходно играл с нами концерт Моцарта, опекал меня и всех оркестрантов, возил повсюду, старался самое интересное показать. Дивный, теплый, душевно щедрый человек.

Повез в гости к Генри Темянке — скрипачу и основателю Калифорнийского камерного оркестра. С нами поехали Женя Смирнов, Леонид Полеес и Алла Васильева. А там тоже компания: Зубин Мета, знаменитый дирижер, и Григорий Пятигорский, выдающийся виолончелист, тогда номер один в мире, он когда-то играл в квартете с Цейтлиным, в двадцатые годы уехал на Запад. Мы познакомились, когда он приезжал как член жюри конкурса Чайковского. Ну, что делать такой компанией? Конечно, играть квартеты. Взяли инструменты, сели… Мендельсона и Гайдна мы играли до утра. Мы забыли о ночи, о сне, обо всем вокруг — мы летели. Когда небо посветлело и запели первые птицы, Мета отвез нас в гостиницу. Там в пустом вестибюле в кресле спал человек. Наш "сопровождающий".

Он услышал шаги, открыл глаза. Я говорю: "Что случилось, почему вы здесь, забыли ключ от номера?" А он отвечает: "Как я могу лечь, пока вы не вернулись?"

Вечером за мной зашел Менухин: "Пойдем ужинать". Пошли, сели за стол. Он говорит: "Случилась трагедия. Президента убили". Повторил по-английски: *"President was shot"*. — "Как убили? *Shot* — значит "стреляли". Может, только ранили?" — "Убили, он погиб". Убили Кеннеди. Какой ужас. Приходит сотрудник Юрока, менеджер по фамилии Фишер — из немцев, хорошо говорил по-немецки, и я мог легко с ним общаться. Пришел мрачнее тучи. "Знаете, господин Баршай, сейчас наступает очень неприятное для наших гастролей время. Люди говорят, что убийство Кеннеди устроили русские".

На следующем концерте я, прежде чем начать, повернулся к публике и сказал, что мы потрясены и возмущены убийством президента и просим почтить его память минутой молчания. Оркестранты встали, публика поднялась, и потом я на протяжении всех этих гастролей начинал так каждый концерт в Америке.

Менухин говорит: "Поедем к моим родителям, хочу тебя с ними познакомить. Они живут в маленьком городке". Так это было по-дружески, по-человечески — а я вспомнил, как не мог позвать его к себе в Москве... У него была машина с шофером, приехали мы в городочек. Встреча была очень трогательная, говорили по-русски, они ведь из России — папа из Гомеля, а мама из Крыма, оба эмигрировали в начале века и познакомились уже за границей. Попросили меня рассказать о моих родителях. Ну что же, я рассказал. Это было для меня сложное и важное переживание: видеть их жизнь с совершенно непривычного ракурса, как бы немножко глазами людей, которые могли оказаться на их месте. А мои родители — на месте этих стариков. Иегуди слушал наш разговор и млел. Потом схватил фотоаппарат: давай пофотографируемся.

Звонит Сол Юрок. "Мистер Баршай, я видел в вашем расписании — свободный вечер?" — "Да, правда". — "Сегодня состоится гала-концерт Стравинского, хотите пойти?" Я говорю: "Соломон Израилевич, что вы спрашиваете, Стравинский, да я не пойду?" — "Тогда сидите, пожалуйста, в гостинице, пришлю моего шофера". Сижу весь день в гостинице, жду, конечно, с нетерпением. Около шести приезжает "додж" размером с крейсер. Из него выходит черный человек, великан, сразу видно, что не только шофер, но и телохранитель. Заехали за Юроком и отправились в Принстон. По пути он говорит: сегодня первое исполнение "Реквиема", а после концерта прием, так что вы не торопитесь, будет интересно со Стравинским посидеть.

Стравинский незадолго до этого побывал в Москве, нас познакомили на приеме у Фурцевой, он показался мне милым и человечным, излучал остроумие, но настоящего разговора, конечно, там не вышло. Ему и с Шостаковичем не удалось поговорить — только начали, кто-то вмешался. Приезд его в СССР был сенсацией, Стравинский ведь уехал из России еще до Первой мировой и отнюдь не считался другом Советского Союза. Чтобы сыграть его потрясающий концерт "Дамбартон Окс", я много месяцев обивал пороги чиновничьих кабинетов, пока не разрешили.

Все подробности его визита передавались из уст в уста. В Большом театре спросил у рабочего сцены "как вас звать?" — тот ответил "Тихоном". А Стравинский: "То-то, смотрю, у вас много Тихонов, да совсем мало Игорей". Это, значит, был намек на Тихона Хренникова, руководителя Союза композиторов. Встретил одного музыковеда, которого называли "музыковед в штатском", он писал о Стравинском критические статьи, поносил его. "А, — говорит Игорь Федорович, — вы, кажется, что-то писали". Тот за словом в карман не полез, ответил, как ему казалось, находчиво: "Но и вы тоже писали". А Стравинский: "Да, но не про вас…"

Сели мы с Юроком в переполненном зале, ждем. Выходит Стравинский, идет, опираясь на палочку, бодренький такой, сухой. Что тут началось! Казалось, сейчас обвалится потолок. Я сразу вспомнил, когда единственный раз видел подобное: так аплодировали Сталину в Большом театре. Стравинскому не давали возможности взойти на дирижерский помост. Он пытается — а овации не смолкают, усиливаются, и он вынужден повернуться и кланяться. Не знаю, какой другой композитор имел при жизни такую популярность. Думаю, никакой. В Америке его не просто любили — ему поклонялись. И заслуженно. И вот стоит он, бедный, с палочкой, ждет, когда буря утихнет. В первом отделении он должен был дирижировать "Пульчинеллу", а во втором Роберт Крафт, его ближайший сподвижник, — "Реквием". Я видел в Москве, как Крафт готовил с оркестром "Весну священную", я сидел на репетициях. Какой это был тяжелейший труд! Он репетировал в майке, и майки менял все время, они сразу мокрые становились. Ведь у Стравинского невероятные ритмы. Об этом говорить банально, смешно: никто не обладал таким феноменальным ритмом. Таким слухом обладал Шостакович. А ритмом — только Стравинский. Это человек, у которого кости и сосуды состояли из ритма. Когда он дирижировал свою музыку сам, то проходило как-то легко, он шагал по этим невероятным ритмам совершенно естественно. Но когда брался другой дирижер…

И вот Крафт исполнил "Реквием". Блестяще исполнил. Успех, конечно, был грандиозный. Пошли на прием. Было впечатление, что в ресторан приглашен весь зрительный зал. А может, и вправду всех позвали, потому что Стравинский был широкий человек. Они сели с женой, рядом Крафт с женой, а мы с Юроком напротив. Пока делали заказ, Стравинский безучастно слушал. Только когда прозвучало слово *meat*, мясо, сказал: *Not for me*, не для меня. Наконец я стал Игоря Федоровича расспрашивать. Вот в "Дамбартон Окс" — сам Стравинский исполняет его с повтором одного колена в финале, а в партитуре повтора нет. Как правильно? Он говорит:

— Конечно, нужен повтор.

— По поводу штрихов можно задать вам вопрос?

— Давайте.

— Почему вы написали в партитуре "Аполлона Мусагета" "начало вниз смычком"?

— А потому что фразу видят неправильно. Музыканты во всем мире играют подобные вещи так: первую ноту как затакт, вторую — как сильную. Но это искажение музыкальной фразы. Не может первая нота быть слабее второй. Не может вторая нота в легато быть сильнее, чем первая. Первая должна быть ударной, тогда музыка приобретает, как вам сказать, скелет, это не просто такая кашица какая-то, воля появляется у нее.

Да, говорю, я всегда добиваюсь от оркестра именно этого.

— Миленький, следите, пожалуйста, когда будете играть мои сочинения, чтобы правильно фразировали. Потому что играют зачастую темные люди, понимаете, они не знают этого ничего, им никто никогда не рассказывал.

"Аполлон Мусагет" — какое это чудо, как я любил его дирижировать! Интересно, понимал ли он сам, что это гениальная музыка? Думаю, понимал, наверняка понимал.

Я спросил, почему он поручает именно Крафту премьеры своих сочинений. Стравинский говорит: "Да потому, что он единственный дирижер, который дирижирует то, что я написал. Он играет, что я написал, что я хотел, а все что-то придумывают". Слово в слово, как Шостакович, сказал.

Принесли еду. Стравинский заткнул салфетку за воротничок, на итальянский манер. Он ведь подолгу жил в Венеции, любил ее, завещал похоронить себя в Венеции.

Едим. Вдруг он меня спрашивает: "Скажите, почему мне не платят отчисления за исполнение в СССР?" А Юрок подначивает: "Да-да, Игорь Федорович, поговорите с ним, поговорите. Он там влиятельный человек". Игорь Федорович снимает свою салфетку, откладывает вилку и нож: "Ну в самом деле. Вы же бываете наверху. Скажите им. Ну как можно не платить авторские, это ведь бесстыдно просто. Как можно грабить композитора? Не хотят платить — пусть не играют, что ли..."

Молчим. Положение мое хуже некуда. Я ведь советский дирижер пока что. И вдруг осенило. Просто Бог помог. "Игорь Федорович, — говорю, — как же можно в России не играть вашей музыки?"

Не могу вам передать, какое удовольствие разлилось по его лицу. Как он сделался доволен. Поднял бокал и чокнулся со мной. Выпили, Стравинский снова заткнул салфетку, взял вилку с ножом и стал есть. С большим аппетитом.

Не знаю, у кого более русская музыка, чем у него. Ни у кого. Ни у кого. Никакой Чайковский со своей "Во поле березонька стояла" не идет с ним в сравнение. Стравинский не только великий композитор: великий патриот.

37

В Нью-Йорке Пятигорский давал концерт с Яшей Хейфецом — они должны были играть двойной Брамса для скрипки и виолончели с оркестром. Пятигорский говорит: приходите на репетицию. Я пришел и поднялся в артистическую знакомиться. Хейфец стоит, чистит смычок от канифоли, а Пятигорский что-то ему на ухо нашептывает. Вхожу, Пятигорский показывает на меня, Хейфец опускает скрипку в футляр, подходит и говорит по-русски: "Скажите, пожалуйста, это правда, что вы ученик Левушки Цейтлина?" — "Да, — говорю, — правда". Он кладет руки мне на плечи, не обнимает, просто кладет, и глаза его становятся влажными. Цейтлин был в юности его самый лучший друг. Он говорит, уже по-английски: *My dear, what can I do for you?* (что я могу для вас сделать, мой дорогой?). Хейфец мне говорит! Понимаете ли, что это такое? Я мог что угодно попросить тогда, в такую минуту. Чтобы он сыграл со мной...

Я попросил разрешения его скрипку подержать. Он подошел к футляру, взял скрипку, протянул: "Пожалуйста". И я был совершенно поражен тем, что все струны на скрипке жильные. Даже без обмотки, натуральные жильные струны. Тогда уже никто так не играл, у всех были металлические. Живая струна — совсем другое звучание. Скажем, старинные итальянские скрипки, чем лучше качеством, тем больше реагируют на натяжение струн, особенно дужка так называемая, полураспорка между деками, — она не подвергается такому напряжению, если на подставке натянуты жильные, а не металлические струны. И когда Хейфец взял скрипку, натянул смычок и заиграл... Это было звучание не скрипки, не инструмента музыкального — было звучание вокальное, как будто великая певица стоит и поет. Я никогда до того не слышал игры Хейфеца. Потрясло меня — и потом на концерте всех наших музыкантов это поразило — вот что: мы ждали, что он будет изумлять виртуозностью. Ну как же — величайший скрипач. Но ничего этого не было. Хейфец, кроме двойного Брамса, играл концерт Конюса. Это, в общем, простое сочинение для отличников музыкальной школы. Он сыграл его так, что нам открылась красота этой музыки. Не виртуозность, а содержательность исполнения до глубины души взволновала нас.

38

Каждый развод, всякий развод — большая трагедия. Это всегда вызывает у меня ужасно большое сожаление — за всех людей, не только за себя. Мы прожили с Аней, в этой нашей коммуналке, десять лет. Она ездила в съемочные экспедиции, я на гастроли... Что говорить о том, как было больно, когда мы развелись. Аня встретила другого человека, кинорежиссера, полюбила его. Вовке было восемь лет. Его отдали в интернат, на пятидневку. Когда я забирал его оттуда, он говорил: "Папа, забери меня отсюда совсем, меня бьют здесь, тут такие сволочные мальчишки!" У меня разрывалось сердце, но я думал: надо немножко подождать, он, может, приладится, научится постоять за себя.

Когда мы прилетели из Америки, наш "сопровождающий" предложил меня подвезти — его встречала служебная "Волга" с шофером. Я говорю: "Хочу заехать взять сынишку из школы-интерната". — "Ну садитесь, заедем". Я назвал шоферу адрес, это в районе "Сокола", там много маленьких улиц. Подъезжаем к школе, и мой сопровождающий говорит: "О, так это же наша епархия". И тут я по-новому оценил Вовкины рассказы о том, что с первого класса там учат немецкий, а с четвертого запрещено разговаривать по-русски, только по-немецки, и все предметы надо учить по-немецки, и экзамены сдавать, и с учителями разговаривать только по-немецки.

Я забрал его, и больше Володя в эту школу не ходил. Им занялись мой папа и Анина мама, и я всегда буду им это помнить с великой благодарностью.

39

Однажды Шостакович сказал мне: вопрос заключается в том, пойти ли на компромисс, как пошел Галилей, или на костер, как Джордано Бруно.

Можно было какое-то время делать вид, что вопрос так не стоит или что ты выше этого. Но недолго.

Мне стали предлагать подписать разные недостойные письма. Что я делать ни за что не хотел. Помню, как стоял перед неприятным искушением, если не ошибаюсь, на гастролях в Мексике. Требовали подписать письмо против Израиля. Я отказался. Начали давить, пристали с ножом к горлу, вызвали в наше посольство, и сам посол... Я сказал: "Поймите, я это не могу сделать. Это войдет в противоречие с моим представлением о жизни, с моим представлением о совести. С моим искусством, в конце концов". Он говорит: "Надо быть патриотом". Я ответил: "Ну хорошо, ну, представьте себе, что я подпишу такое письмо. И вы думаете, после этого я смогу вернуться домой? Не представляйте себе этого, я не смогу вернуться". Тогда от меня отстали. Но категорически отстали, навсегда. Больше никогда не предлагали мне подписывать писем.

Зато однажды, в Москве, на репетицию пришли представители партийного комитета филармонии. Пришли меня поздравлять.

— С чем вы меня поздравляете?

— Ну как же, вас принимают!

— Куда меня принимают?

— В партию.

Я говорю:

— Я такого заявления никогда еще не писал.

— Ну, напишите, не поздно. Это не поздно, мы все устроим.

Я говорю:

— Знаете, этого шага я пока что остерегаюсь, потому что не готов к этому. Я не готов к этому весь, так сказать, — по своему образованию и по своему воспитанию. Я даже не был в комсомоле. У меня нет настоящего знания марксизма-ленинизма.

— Мы вам дадим педагогов.

— Нет, этому научить никто не может, если человек сам не постигнет, нет.

Торговался-торговался, и как-то сошло. Как-то сошло. Спустили на тормозах.

Прекрасно я понимал, какие открываются возможности, если подпишу, если вступлю в партию. Мне не позволяли мои, как вам сказать, нравственные ощущения. Чувство, что это организация, которая может меня не исправить, а испортить. Я боялся этого, очень боялся.

У каждого человека свои обстоятельства, своя способность к сопротивлению. Бывало, более умные люди подписывали. Шостакович, например, решил подписывать все без разбора, в надежде обессмыслить этот поступок, сделать так, чтобы его подпись абсолютно ничего не стоила, не значила. Он подписывал сотни писем, сотни всяких характеристик, отзывов. Однажды, говорит, пришел к нему пианист и попросил написать записку, что Шостакович считает его лучшим исполнителем своих произведений. "Я, Рудольф Борисович, даже обрадовался — и подписал. Потому что кто же сочтет серьезной такую подпись?"

Помню, мы разговаривали о Караяне. Кто-то рассказал, что он стал членом нацистской партии дважды. В первый раз, когда Гитлер пришел к власти. А во второй — когда Караяну предложили пост главного дирижера Венской оперы, и он как бы из благодарности вступил в партию еще раз. Мог этого не делать. Шостакович был шокирован. Не помню точно его слов, но реакцию помню. И помню, что с таким же отвращением он реагировал, когда узнал, что один режиссер ради эффектного кадра поджег живую лошадь. Правда, позже выяснилось, что эти слухи о режиссере распространяли нарочно, чтобы его опорочить. Но тогда Шостакович ругался последними словами и говорил "какой позор, какой позор". Он ни на секунду не допускал мысли, что гений и злодейство совместимы. Но где проходит граница между злодейством и компромиссом — вот в чем вопрос.

Когда Шостакович говорил про Галилея и Бруно, он хотел этим сказать, что не пошел на костер, а остался, чтобы творить дальше. Но он не до конца "остался", он все-таки в партию пытался не вступать как можно дольше, как можно дольше сопротивляться этому. Всякими способами, вплоть до того, что, когда ему объявили, что его принимают, и стали поздравлять, он убежал в Ленинград к сестре, скрывался там. Но свет не без добрых людей — его и там нашли. И заставили. После этого он написал квартет памяти самого себя.

Мы, конечно, были поражены, когда Шостакович вступил. Близкие к нему люди знали, как он все это ненавидел. Так почему же все-таки? Я не исключаю прямой шантаж. Уверен, наверху было известно, что Шостакович написал "Антиформалистический раек", убийственный гротеск, в котором Сталин поет на мотив "Сулико" и действуют музыкальные чиновники под чуть-чуть измененными фамилиями. Конечно, он писал в стол, считаные люди знали о существовании "Райка", — но ведь наша жизнь была переполнена стукачами и пронизана рентгеновскими лучами власти. Шостаковичу могли просто пригрозить, что посадят за антигосударственную деятельность, если не вступит в партию. А в партию его заталкивали, чтобы сделать председателем Союза российских композиторов и при этом иметь возможность управлять им.

Затолкали. Сделали председателем. А Шостакович создал Тринадцатую симфонию, что требовало, может быть, большего мужества, чем не вступить в партию. Она выросла из оратории "Бабий Яр", которую Шостакович написал на стихи Евтушенко. Уже публикация-то этого стихотворения вызвала огромный скандал. Евтушенко обвиняли в непатриотизме, в том, что он забыл свой народ, а выпячивает трагедию евреев, Хрущев назвал его политически незрелым и уволил главного редактора, который напечатал стихи. Шостакович знал про Бабий Яр до всяких стихов. Но когда Гликман принес ему почитать поэму, Д. Д. в тот же день начал сочинять музыку. Потом он взял еще другие стихи Евтушенко, в частности "Страхи" ("Умирают в России страхи, словно призраки прежних лет"), и написал симфонию, подводящую страшный итог всей сталинской поре.

Д. Д. устроил прослушивание для друзей у себя дома: сам играл и сам пел. Там были Волик Бунин, Вайнберг и Хачатурян. Они плакали. Хачатурян обнял Шостаковича и сказал: "Митя, спасибо тебе. Ты написал гениальное сочинение". Потом он напечатал статью в газете — вот об этом домашнем исполнении, Хачатурян не мог носить такое в себе, он написал, что это великое творение великого автора и великого гражданина.

Вначале все шло, казалось, неплохо. Мравинский взялся читать партитуру, он должен был готовить премьеру. Правда, певец Ведерников петь отказался, а знаменитый Гмыря, лучший тогда бас, колебался, но Шостакович заверил его, что если симфонию будут критиковать, то только автора, а не исполнителей. Потом возникло некоторое затишье. Затем Гмыря прислал Дмитрию Дмитриевичу письмо: он сходил в ЦК украинской компартии "посоветоваться", и ему сказали, что категорически возражают против исполнения "Бабьего Яра", так что петь он не будет.

Затем отказался Мравинский. Он вернул партитуру по почте. Формальное объяснение — не хочет работать с вокалистами. Вообще, Мравинский всегда вел себя благородно по отношению к Шостаковичу. В сорок восьмом публично выступал в его защиту, говорил, что бороться надо не с усложнением, а с упрощением музыки. Тогда же на одном своем концерте исполнил Пятую симфонию, а когда публика стала аплодировать, поднял над головой партитуру, и тут пошли овации. Это был очень смелый поступок. Он мог дорого поплатиться — донос состряпали мгновенно, была возмущенная статья в газете… Но "Бабий Яр" он Шостаковичу вернул. Мравинский не был антисемитом. Я знаю, что в годы "космополитизма" он не позволил уволить евреев из своего оркестра. Но тут было другое. Думаю, он испугался темы, испугался этих слов "Мне кажется, сейчас я иудей...”. Думаю, что он, в конце концов, боялся антисемитов.

Только благодаря смелости Кирилла Кондрашина Тринадцатая симфония увидела свет. Солисты отказывались один за другим — он находил новых. Премьеру пытались сорвать до последнего дня, певцу внезапно назначили спектакль в Большом на день концерта, Кондрашин заменил его дублером. Посреди генеральной репетиции Шостаковича срочно вызвали в ЦК, видимо, пытались его отговорить, чтобы было как с Четвертой, — это мое предположение. Но ничего у них не вышло, и премьера Тринадцатой симфонии прошла при величайшем стечении народа, милиции, с огромным успехом. Обычно такие концерты транслировали, записывали — но тут не было ни одного микрофона, ни одной камеры. Овации длились около часа. Это был не просто успех: историческое событие.

Статейки в газетах были скупые и неприязненные. Говорилось, что Шостакович роется в мусорных баках нашей истории, обобщает нетипичные явления и очерняет нашу прекрасную жизнь. Потом Евтушенко заставили изменить стихи. Это был страшный удар, но вопрос поставили так: либо симфония больше не исполняется, либо он правит текст. В партитуре Шостакович текст не изменил, но на следующий раз Тринадцатая звучала с некоторыми другими куплетами в части “Бабий Яр”. У меня есть оригинал и исправленный текст. Было так:

Мне кажется, сейчас —

я иудей.

Вот я бреду по Древнему Египту.

А вот я, на кресте распятый, гибну,

и до сих пор на мне — следы гвоздей.

Стало так:

> Я тут стою, как будто у криницы,
> дающей веру в наше братство мне.
> Здесь русские лежат и украинцы,
> с евреями лежат в одной земле.

В другом месте было:

> И сам я,
>   как сплошной беззвучный крик,
> над тысячами тысяч погребенных.
> Я — каждый здесь расстрелянный старик.
> Я — каждый здесь расстрелянный ребенок.

Стало:

> Я думаю о подвиге России,
> фашизму преградившей путь собой,
> до самой наикрохотной росинки
> мне близкой всею сутью и судьбой.

Но все равно: это могло обмануть только цензоров и начальников, не публику. Сила симфонии была такова, что через год ее все-таки запретили, негласно, просто перестали исполнять. Но потом снова пришлось допустить: весь мир о ней знал, просто так замолчать не получалось.

Когда в конце семидесятых, через несколько лет после смерти Шостаковича, на Западе вышли его воспоминания, записанные Соломоном Волковым, какой вой подняла большевистская пропаганда! "Это фальшивка, это все выдумал Волков для саморекламы..." Я убежден, что воспоминания настоящие. Я слышу голос Шостаковича в каждой фразе. Волков только добросовестно и честно все записал. Очень многое из опубликованного в книге, что вызвало такой гнев, я сам слышал от Шостаковича. Какими страшными, какими горькими словами она заканчивается. "Это все сделало мою жизнь серой". Что все? Наша советская действительность, наш этот социалистический реализм, наше пренебрежение душой человеческой.

40

Играть иначе меня не мог бы заставить никто. Если требовали, чтобы я играл то, чего не хочу играть, я отказывался. Не буду, и все. Но против запрета исполнять то или иное произведение поделать я ничего не мог. Бывало, ослушивался, но это — исключительные случаи. Замечательную сонату Хиндемита для альта соло я играл не в открытых концертах, а по друзьям, знакомым. Про Хиндемита мне рассказал превосходный пианист, друг Рихтера, Анатолий Ведерников. Я был влюблен в это сочинение, мне казалось, российская публика обязательно должна его услышать. Но чиновники отвечали: нет, Хиндемита исполнять не разрешено. Пошел к Кабалевскому, одному из секретарей Союза композиторов. Все начальники при коммунизме назывались "секретарями" — ну как это Кафка предвидел? Говорю: мне не дают исполнять эту музыку, я хотел бы вам ее сыграть. "Ну сыграйте". Сыграл. Было видно, как музыка его взволновала. Но он человек был в политическом смысле… обтекаемый. Сказал, что со времен борьбы с "формализмом" существует список нежелательных и, наоборот, рекомендуемых к исполнению композиторов, никто его не отменял. Потом то ли пообещал где-то "поговорить", то ли даже не обещал — помню только, что поход к нему был напрасным.

Произведения, которые могли быть хотя бы только сочтены религиозными, запрещалось исполнять категорически. Какие битвы приходилось устраивать! Я объяснял: это же музыка, она принадлежит всему человечеству, как можно отнимать у нашей публики... Иногда все-таки удавалось сторговаться, но при одном условии: не петь по-русски и не давать перевода. Так мы исполнили *Stabat Mater* — гениальное сочинение фантастического композитора Перголези, который создал его незадолго до смерти, а умер он в двадцать шесть лет. Речь там о матери, скорбящей у креста о распятом сыне. Отклик слушателей был колоссальным. Знакомство нашей публики с этой музыкой стало таким событием, что, когда произошло другое, не менее крупное — Гагарин полетел в космос, — Андрей Волконский, талантливый музыкант и мой друг, пошутил: советская власть сыграла *Stabat Mater*.

Не давали мне сыграть с моим оркестром *Verklärte Nacht* Шёнберга — "Просветленную ночь", замечательное произведение. Только после того, как приехал на гастроли иностранный оркестр и сыграл, разрешили и нам. Она написана в романтическом стиле, когда Шёнберг еще не изобрел своей додекафонной системы. Ни додекафонии, ни новой венской школы, ни новой французской — ничего этого для нашей публики не существовало. Так же, как привозили тайком, с огромным риском, книги Оруэлла и Набокова, так просачивались к музыкантам знания о новой музыке, партитуры, записи передавались из рук в руки, на одну ночь. А ведь "новая музыка", когда она настоящая, не шарлатанская, — это естественное развитие, поиск, расширение восприятия человеческого. Это смелость, свобода и вызов, а никакой не "упадок", как пытались нам вдолбить. Я согласен с Антоном Веберном, который считает, что додекафонную систему Шёнберг не выдумал, а только оформил. А нашел ее еще Малер. В самом деле, у Малера уже есть додекафонные аккорды — скажем, в Десятой симфонии этот грандиозный страшный аккорд. Малер не пошел в эту сторону, но как он мудро сказал о Шёнберге: "Я не понимаю его музыки, но он молод, может быть, он прав..." Мне придется рискнуть и в двух словах хотя бы обрисовать вам, что такое додекафонная система, чтобы вы поняли, почему это важно. Когда Шёнберг ее обнародовал, он говорил: было время, когда терция и секста считались диссонансами. То есть если одновременно звучали две ноты с таким интервалом по высоте, это резало ухо. Сегодня уже нет. Люди привыкли. А для меня, говорил Шёнберг, больше не являются диссонансами септима и секунда. Мой слух настолько развился, что такие созвучия для меня не звучат как диссонанс. Додекафонная система разрешает к использованию то, что раньше считалось диссонансом. Додекафония — вид серийности. Композитор создает определенный звуковой ряд из двенадцати тонов ("додекафония" — по-гречески "двенадцатизвучие"), и пока не использует все ноты этого ряда, не имеет право их трогать повторно. Я должен сказать, что это делал уже и Малер — и Бах делал. Его нотная подпись *B-A-C-H*, где каждая буква является одновременно обозначением ноты на латыни, — вот вам серия. Ни одна из этих нот не может повториться, пока не прозвучат остальные. Так что вот такие трудности создает себе композитор — и должен их преодолеть, чтобы музыка была и значительная, и хорошая, и красивая — и притом были соблюдены формальные условия. Это очень непросто. Шостакович был от додекафонии далек, но сказал мне как-то, что относится к ней с уважением, поскольку столько серьезных людей этим занимается. Первый на моей памяти, кто посмел в Советском Союзе написать музыку в додекафонной технике, — Андрей Волконский. Он вырос за границей, его отец — князь из древнего рода, мать — дворянка, после войны они, как многие русские патриоты, на волне победы вернулись в СССР — и довольно быстро ощутили на себе, что тут происходит. Князя устроили ночным сторожем в его бывшее имение. Выдали ружье. Он говорит: "Да я и стрелять не умею", а ему: "Ничего, стрелять тебе не придется". Андрей до того учился музыке в Швейцарии, а тут поступил в Московскую консерваторию и первым делом организовал кружок современной музыки. Об этом, конечно, узнали, его вызвал ректор консерватории и сказал: "Вы, господин Волконский, приехали с Запада, чтобы формализм у нас насаждать?" Андрей ответил: "Вообще-то на Западе нас учили на Рамо, Моцарте и Бахе, а про формалистов, как вы выражаетесь, я узнал только в Москве. Но, честно говоря, они мне очень нравятся". Андрей играл в нашем оркестре орган и клавесин, потрясающе импровизировал (да так, что Ойстрах однажды рассердился: "Не понимаю, у кого тут сольная партия — у скрипки или у органа?"), а потом именно он основал первый ансамбль старинной музыки, что говорит не только о широте его интересов, но и о понимании единства музыкального процесса, который нельзя прервать насильственно. В начале семидесятых Андрей вернулся на Запад и стал известным композитором. У него есть сочинение, посвященное мне, альтовая соната, с забавной историей: мы на гастролях жили в одном номере, Андрей поздно ложился и спал до полудня, а я с раннего утра репетировал, и, чтобы его не будить, играл медленно смычком на пустых струнах. Вот именно так и начинается эта соната.

Другой случай с додекафонией в СССР теперь кажется смешным. Был у Шостаковича ученик — веселый парень, мотоциклист, душа застолья — Кара Караев. Его прочили на должность главного национального азербайджанского композитора. У армян есть Хачатурян, а у азербайджанцев будет Кара Караев. Прочили его, прочили, а он взял азербайджанскую мелодику да и написал симфонию методом додекафонии. И попросил Московский камерный оркестр ее сыграть. К тому времени мы уже хорошо работали с другими учениками Шостаковича, в частности с Револем Буниным. Собственно, с легкой руки Шостаковича, который очень поддерживал нас, современные советские композиторы и начали писать для Камерного оркестра. Вот написал и Кара Караев. Для исполнения симфонии мы прилетели в Баку. Телефон в моем прекрасном гостиничном номере разрывался: все азербайджанские газеты хотели взять интервью о додекафонической симфонии Кара Караева — и центральные, и местные, и даже "Бакинский рабочий" и "Пионер Азербайджана".

Зал был переполнен. Хорошо одетая публика, цвет интеллигенции, серьезные слушатели, все гордились тем, что Кара Караев написал додекафоническую симфонию.

В конце концов его выдвинули на Ленинскую премию. Как полагается, комитет по премиям в полном составе, включая Фурцеву, пришел на прослушивание. У нас был испытанный прием: если надо преподнести новое сочинение, мы сначала играли симфонию "Ля Пассионе" Гайдна. Так и на этот раз: Гайдн, потом — первая азербайджанская додекафония. После исполнения наступила гробовая тишина. Через некоторое время Фурцева сказала самым нежным из своих голосов — а она была отличная актриса: "Кара Абульфазович, дорогой мой друг, пожалуйста, вернитесь к нам. Вы писали прежде такие прекрасные вещи. Зачем так далеко ушли? Зачем погрузились в эту проклятую западную додекафонию? Не оставляйте нас, дорогой". Кара Караев был смущен, все растеряны, молча разошлись. Не дать ему Ленинскую премию было нельзя, наверху строго следили, чтобы премия по-братски делилась между братскими народами. И Кара Караеву вручили Ленинскую премию за балет, написанный десять лет тому назад.

Но сполна унизительность цензуры мы ощутили, когда с Московским камерным оркестром начал работать композитор Александр Лазаревич Локшин.

41

Я не люблю говорить о своем отъезде. Это очень болезненный вопрос для меня. Это незажившая рана до сих пор. Но могу сказать определенно: даже если бы я уехал только для того, чтобы исполнять Локшина, это уже было бы для меня, для моей совести оправданно.

Сегодня мало кто в России знает это имя. За границей — больше, но тоже совершенно недостаточно. Я уверен, что время Локшина придет. Говоря так, я точно повторяю слова, сказанные когда-то Малером о своей музыке. Современники не очень-то ценили собственные сочинения Малера — он был знаменит исключительно как дирижер. Когда он на гастролях в России сыграл свою музыку, русская газета напечатала рецензию, где говорилось, что симфония Малера очень плоха, в ней нет ничего гениального. Речь шла о Пятой. Знаете, кто это написал? Римский-Корсаков. К сожалению. Вторую Малера он называл импровизациями на бумаге: автор, мол, не знает, что у него будет в следующем такте, и вообще обидно за него как за музыканта. А крупнейший дирижер того времени фон Бюлов, друг Вагнера, говорил, что если сочинения

Малера — музыка, то, значит, я ничего не понимаю в музыке. И так далее. Бывает.

Когда я впервые сыграл симфонию Локшина "Сонеты Шекспира" в Англии, в Лондоне, с оркестром Би-би-си и замечательным баритоном из Ковент-Гардена сэром Томасом Аленом, на следующий день в "Дейли телеграф" вышла восторженная статья под заголовком "Где этот композитор и что у него есть еще".

Что у него есть еще? Локшин написал одиннадцать симфоний, кантату на "Реквием" Ахматовой и на тексты из православной заупокойной службы, оперу "Три сцены из "Фауста", множество произведений.

Он был совершенно уникальный и композитор, и человек, и что еще очень важно — великий педагог. Я с полным правом могу назвать его своим учителем. Он, как и Шостакович, был моим учителем по композиции. Более того: всем, что я в музыке умею или только знаю, даже только понаслышке, — всем этим я обязан Локшину. Он очень многое мне объяснил в музыке. Он был необыкновенно эрудирован. Не было такой области человеческого знания или такой книги, которую он бы не читал и которую не мог досконально пересказать и объяснить. Как он говорил, "я прочитал полные собрания сочинений Толстого, Достоевского, Диккенса и Бальзака, но ответов на некоторые вопросы не нашел, так что приходится искать самому".

Жизнь Локшина была трудной, трагической и мужественной. Родители его с началом Первой мировой войны переселились из Прибалтики в Сибирь совершенно нищими. В Бийск они приехали. Отец, кажется, занялся мелкой коммерцией, но особо не преуспел, хотя дом и лошадка у них через несколько лет появились. Мама была акушеркой и после революции стала единственной кормилицей в семье:

Локшиных "раскулачили", лошадку отняли, отца лишили гражданских прав, и Шура каждое утро ходил в школу мимо длинного списка "лишенцев", который вывесили на стенде, и там была фамилия его отца. А потом дом их то ли подожгли, то ли он сам сгорел, сестру выгнали из медицинского училища за анекдот, и Локшины переехали в Новосибирск: там требовались акушерки. Шура всегда с любовью вспоминал своих школьных учителей, особенно двух. У них вел математику какой-то исключительный педагог, ученики его очень любили. Однажды он прочитал им на уроке поэму "Двенадцать". А Блок тогда был запрещен. На следующий день этот учитель в школу не пришел. Математику стал вести физик. День, другой, — потом кто-то из ребят спросил, почему нет их любимого учителя, что с ним случилось. Физик ответил: "Лес рубят — щепки летят". С того дня они его тоже никогда не видели — он был арестован.

Шурины родители, насколько я знаю, были не очень образованными людьми, но мама любила музыку, знала оперу, и сына определили в музыкальную школу.

Я не раз думал, почему в музыке так много евреев. Ну, во-первых, они очень музыкальны и были очень музыкальны еще в древности. Назову вам только одно имя: царь Давид — и дальше не надо продолжать, все понятно. Какие неподражаемые певцы сохранились до наших дней в синагогах, какие канторы! Тосканини услышал такого в нью-йоркской синагоге и сказал: "Всё, своего тенора я нашел". Итальянская душа тоже очень музыкальна — но тут второе обстоятельство: мало какие пути были открыты евреям. Музыка — один из немногих. И все равно, все равно — вспомните судьбу Малера. Он искренне любил церковную музыку, но стать католиком был вынужден не из-за этой любви, а по необходимости. Хотя в конечном счете ради музыки.

Учился Шура у бывшего профессора Петербургской консерватории, пианиста Алексея Федоровича Штейна, которого выслали в Сибирь в тридцатые годы. В Сибири с царских времен собирались исключительные таланты.

Штейн отправил Шуру к своему другу Нейгаузу, в Москву, и тот был поражен и способностями, и познаниями Локшина. Локшин стал учиться у Мясковского. Жил в общежитии, у них с соседом были одни приличные брюки на двоих, так что если один должен был выйти, второй сидел дома. Уже в те годы Локшин глубочайшим образом изучал новую западную музыку. Именно тогда Малер стал его богом. Два солнца были у Шуры: Бах и Малер. Но Бах в защите не нуждался, а Малер, как я рассказывал, в те годы был запрещен. Однажды Локшин сыграл Мясковскому Четвертую симфонию Малера на фортепиано, целиком, все части, и говорит: "Ну неужели, Николай Яковлевич, вам не нравится?" А Мясковский, который Шуру очень любил и ценил, ему ответил: "Нравится, но только потому, что вы так играете".

Локшина приняли в Союз композиторов, еще когда он был студентом. А потом он написал дипломную работу: три пьесы для сопрано и симфонического оркестра на стихи Бодлера "Цветы зла". Написать в те годы на текст Бодлера... Сегодня трудно понять, что это был за безоглядный шаг. Локшина немедленно лишили диплома консерватории и не допустили до государственных экзаменов. Что сделал Мясковский, светлая ему память: он собственноручно написал Локшину справку, где очень хорошо о нем отзывался, и поставил консерваторскую печать, хотя не имел на это никакого права и очень рисковал.

Тут началась война. Шура немедленно записался в ополчение, он старше меня на четыре года. Тогда многие студенты консерватории ушли добровольцами, и почти все они погибли в битве за Москву. Но у Локшина открылась страшная язва желудка, и его комиссовали. Шура стал дежурить на крыше консерватории, сбрасывать "зажигалки", а потом поехал к семье в Новосибирск. А там сестра болеет туберкулезом, отец умирает от истощения, мама работает круглые сутки. Шура записался в концертную бригаду при самолетном заводе, стал выступать в госпиталях. И там, в Новосибирске, сочинил симфоническую поэму "Жди меня" на стихи Симонова. А в Новосибирске в эвакуации находился оркестр Мравинского. И он исполнил эту поэму. Перед концертом выступил со вступительным словом Иван Иванович Соллертинский, гениальный музыковед, просветитель, один из светочей того времени, — через год там же, в Новосибирске, он умер совсем молодым человеком. Соллертинский был крупнейшим знатоком Малера и Шёнберга и самым близким другом Шостаковича. Именно через Ивана Ивановича Шостакович как бы принял эстафету от Малера, и вообще Соллертинский очень многое определил в музыкальном становлении Д. Д., и память о нем была всегда для Шостаковича священна. Так вот, перед исполнением "Жди меня" Иван Иванович сказал публике: "Я не буду особенно распространяться о произведении начинающего композитора Локшина. Скажу просто: этот день войдет в историю русской музыки".

После этого жизнь Локшина снова переменилась. Наверху вняли настойчивым просьбам Мясковского, разрешили Шуре сдать госэкзамены и в качестве дипломной работы приняли "Жди меня". Более того, благодаря Мясковскому после войны Локшин стал преподавать в консерватории оркестровку.

Правда, это одна сторона дела. Другая состоит в том, что после слов Соллертинского Локшин в течение десяти лет не мог написать ни одной ноты, он был как бы парализован творчески. Вот как, бывает, надо осторожно хвалить начинающих.

В сорок восьмом году Александра Лазаревича вышвырнули из консерватории за пропаганду среди студентов музыки Малера, Стравинского, Альбана Берга и, само собой, Шостаковича, и после этого никогда — подчеркиваю: никогда — не разрешали преподавать. Ни после смерти Сталина, ни в шестидесятые годы — никогда. Что только не делал Мясковский, другие люди, Елена Фабиановна Гнесина, Мария Вениаминовна Юдина — легендарная пианистка, о которой я еще расскажу, — чтобы помочь Локшину. Тщетно. С сорок восьмого года Локшина никогда никуда не брали на работу. Зарабатывал он тем, что время от времени писал для кино — которое вообще-то не любил, не считал искусством — за исключением Чаплина.

А вскоре произошла трагедия, страшная, чудовищная и очень выражающая эпоху, в которую мы жили. Локшин вычислил в своем окружении стукача, доносчика. И дал тому человеку понять, что знает. После этого, сразу, были арестованы несколько Шуриных знакомых. Локшина, которому только что сделали тяжелую операцию на желудке, прямо из больницы привезли в НКВД, или как он тогда назывался, и потребовали, чтобы он дал на этих людей показания. Он отказался. Тогда НКВД поступил, как часто поступал в подобных случаях: Локшина оговорили перед арестованными людьми, уверили в том, что он донес на них. Эти люди поверили. Когда они в хрущевские времена вышли на свободу, то обвинили Локшина. Я убежден, что среди тех, кто особенно активно распространял этот слух, были не только люди, не понимавшие тогда всего коварства чекистов, но прежде всего завистники, бездари, знавшие, что никогда не смогут создать в музыке ничего равного Локшину. Близкие люди, знавшие его, конечно, ни на секунду не поверили. Локшин был человек несоветской совести. Его сын, математик, уже в горбачевские годы провел целое большое расследование, чтобы собрать документы и свидетельства, которые подтвердили бы невиновность его отца, выпустил книгу. Но к тому времени его отца уже не было в живых.

Локшин сидел дома и писал. Он почти не выходил. В пятьдесят седьмом году он написал свою первую симфонию: "Реквием" на канонический латинский текст. Я хочу прочитать вам отзыв Марии Вениаминовны Юдиной из ее письма другу, оно теперь опубликовано.

…Должна Вам сообщить нечто величественное, трагическое, радостное и до известной степени тайное. Слушайте: я написала письмецо — "профессионально-деловое" по одному вопросу в связи с Малером Шуре Л., который его знает, как никто. В ответ он написал мне, что очень просит меня повидаться с ним. Я согласилась. Вчера он сыграл мне свой "Реквием", который он писал много лет, вернее, "подступал к нему" и бросал и наконец "одним духом" написал его два с половиной года тому назад. На полный текст такового, полнее Моцарта. Что я сказала ему, когда он кончил играть? — "Я всегда знала, что Вы гений". <…> Да, это так, и это сильнее многих, из-за кого я "ломаю копья", и равно теперь только Ш. [Шостаковичу] (не последнему…) и Стр. [Стравинскому]. Сыграно это сочинение быть не может ни у нас, ни не у нас, что понятно… Это — как Бах, Моцарт, Малер и эти двое. Он совершенно спокоен, зная, что это так и что оно не будет исполнено. Ш. теперь просто боготворит его. Знают об этом немногие. <...> Может быть, и никому не надо говорить. — Я рада, что человек осуществил свою задачу, не зря живет на свете, что я не ошиблась, веря в него, и не ошиблась, помогая ему в обычной жизни, и была ему другом в тяжелые дни и часы.

Один секретарь Союза советских композиторов дал Локшину совет: "Ты ведь знаешь, Шура, мы с Боженькой на "вы". Измени текст, и все будет в порядке, "Реквием" исполнят". Александр Лазаревич встретился с Шостаковичем. Тот ему сказал: "Не сдавайтесь. Ни в коем случае не сдавайтесь. Надо ждать. Ждать, ждать — десять лет, двадцать, тридцать — ждать". И слова его оказались пророческими. Я впервые смог продирижировать "Реквием" именно через тридцать лет, в Англии. Успех музыки был такой грандиозный, что оркестр не отпускали, — я пять раз выходил, десять раз. Взял партитуру, поднял над головой и показал публике. И тогда весь зал встал. В России я впервые исполнил "Реквием" Локшина только в двадцать первом веке, по случаю международной конференции памяти жертв советских и фашистских концлагерей.

У Александра Лазаревича всегда была с собой записная книжка с любимыми стихами. Мало кто так знал и чувствовал поэзию, как он. Его главные произведения написаны на стихи, и когда слушаешь, возникает чувство, что стихи и музыку сочинил один автор. Такое невероятное слияние. Но именно эта связь музыки с поэзией привела к запрету большинства его сочинений.

Третью симфонию запретили за стихи Киплинга. Я был на прослушивании, состоявшемся дома у Локшина, в его маленькой комнатке. Он сыграл на пианино симфонию, и важный начальник сказал: "Музыка великолепная, безусловно. Но Киплинг — агент империализма, исполнять это у нас никак нельзя". А симфония написана на оригинальный, английский текст Киплинга. Какая там есть пронзительная часть — солдат пишет матери: "Если меня убьют — кто будет надо мной плакать? Только ты, *mother…*" — невозможно слушать без слез. Как вы понимаете, речь у Киплинга идет о войне в Индии.

Локшин говорит: "Но Киплинг не запрещен. Его можно купить в любом книжном". — "Можно, да. Но одно дело купить и прочитать, а другое дело — исполнять со сцены хором. Это уже пропаганда". Подумал-подумал: "Вот что. Давайте перепишем текст. Выберите любого поэта, мы заплатим кому хотим. И пусть вместо Индии будет Вьетнам, вместо английских солдат — американские, и я вам гарантирую Ленинскую премию".

Никогда не забуду, какое лицо было у Локшина. Он встал и сказал: "Я так и знал, что вы найдете непреодолимое препятствие". И замолчал, стоял, молчал, ждал, чтобы тот ушел.

Поразительно: Третью симфонию Геннадий Рождественский исполнил в конце семидесятых годов в Лондоне — а в СССР ее все равно играть было нельзя. Говорили: в Лондоне публика упадническая, а нашей это ни к чему.

Единственная симфония Локшина, не знавшая трудностей, — Четвертая: в ней нет слов. Ее мы играли в Москве и в Ленинграде с наслаждением и успехом. Гениальная Пятая, те самые "Сонеты Шекспира", тоже была допущена к исполнению, но не сразу. Цензор вызвал Локшина по поводу 66-го сонета в переводе Пастернака.

— Вот тут у вас написано "измучась всем, я умереть хочу". Чем это измучась, Александр Лазаревич?

— Дело в том, что это было в очень давние времена, триста лет назад. А кроме того, в Англии.

— В Англии... Ну, если в Англии, то можно.

И допустил.

Шестую симфонию Локшин написал на стихи Блока. Боже, как я влюбился в это сочинение... Там есть одна фантастическая цыганская песня, когда поет хор, а оркестр как бы изображает гигантскую гитару. Так это оркестровано. Локшин был величайшим мастером оркестровки, непревзойденным.

Мы репетируем с оркестром, а Виктор Попов, мой друг и лучший хормейстер в мире, — с молодежным хором. Однажды он вдруг мне звонит: "Я должен срочно вас увидеть". Приезжает взволнованный, потрясенный. "Что случилось?" — "Меня только что вызвал секретарь райкома и стал на меня кричать и топать ногами: "Как ты смеешь таким словам обучать молодежь? Ты у меня из Москвы в два счета вылетишь! Ты у меня из партии вылетишь! Ты что творишь?"

Я побежал в филармонию. Даже не созвонился — побежал. Благо там мой бывший соученик был важным человеком. Положил перед ним партитуру. Он разбирался в музыке, он сразу понял, что это что-то необыкновенно сильное. Я говорю: "Сам видишь, какое дело, как же это можно не играть?" Он отвечает: "Да-да, надо сыграть, конечно..." Пошел куда-то. Вернулся. "Нет, старик, невозможно. Мы не можем петь со сцены упаднические стихи. "Похоронят, зароют глубоко...", "Сквозь серый дым от краю и до краю..." — ну что это?

— Блок.

— "О, если б знали вы, друзья, холод и мрак грядущих дней…", "…что нет мне исхода всю ночь напролет, что больше свобода за мной не пойдет…" Исключено.

А уже объявлен концерт в Большом зале. И мне предложили сыграть вместо Шестой Локшина… Первую симфонию Малера. Я пошел к Шуре, сказал: я откажусь. Он был разгневан: "Нельзя отказываться. Возьмется кто-нибудь другой. Ни в коем случае". Так я впервые продирижировал Малера. Так была похоронена Шестая Локшина, которая не прозвучала до сих пор никогда.

Своей гениальной интенсивностью, своим лаконизмом и точностью музыка Локшина напоминает старинную японскую поэзию. Он умеет выразить глубокое переживание одной музыкальной фразой. Седьмую симфонию он сочинил на стихи японских поэтов седьмого — двенадцатого веков. Как Малер написал свою "Песнь о земле" на стихи древних китайских поэтов. Великие симфонисты обращаются к слову не потому, что музыкальных средств им недостаточно. Нет, они само слово включают в область музыки: не как звук просто, а как явление. Малер сказал: "Представьте, что вселенная начинает звучать, и не только людские голоса, но солнце и звезды". Вот слово как величайшее явление в ряду других явлений вселенной, как одна из форм музыки.

Локшин и Шостакович были настоящими апостолами Малера. Но они не подражали: продолжали. В первую очередь развивали то малеровское направление в симфонии, когда музыка глубоко исповедальна, интимна, и через ее лирического героя раскрывается всякий раз весь мир, все мироздание.

Пианистка Вассо Девецци, приехавшая играть с нашим оркестром, привезла в Москву подругу — Марию Каллас.

Величайшая певица, между ней и всеми прочими — пропасть, никого и близко нельзя поставить рядом. У Марии в то время были неприятности в личной жизни, и Вассо пригласила ее вместе прокатиться. Познакомила нас. Была замечательная встреча, и я показал Марии "Песенки Маргариты", сочинение Локшина по "Фаусту" в переводе Пастернака. Каллас загорелась, сказала: я хочу выучить это и спеть. Спела бы, никаких сомнений, но, увы, вскоре ее не стало. Случилось так, что я побывал на ее последнем выступлении в опере, она меня пригласила. Каллас пела "Норму" в Париже. Напротив меня в ложе сидел Чарли Чаплин с дочерью, совсем седой. Каллас пела поразительно, длинными-длинными фразами, с невероятной музыкальностью и теплотой, я был потрясен. Но ей дважды изменил голос, и кто-то зашикал, кто-то свистнул. А когда она вышла на поклоны, то публика стала кричать "Корелли! Корелли!", вызывая вместо нее ее партнера. Я смотрел на Чаплина и не сомневался, что он испытывает то же страдание от этой жестокости, что и я.

Локшин был человеком и веселым, и умевшим радоваться, но я знаю, из каких страданий выросла каждая его нота и каким подвигом он создал эту удивительную красоту. Скромнейший, непритязательнейший, заботливый. Работал всегда, я не помню его неработающим. Одинединственный раз его чудесная жена Таня уговорила его поехать в Железноводск, подлечиться, он же страшно болел. Купила билет, проводила на вокзал, посадила на поезд. Пошла на работу в университет. А когда вернулась домой — Шура сидел за столом и писал. Он в последний момент сошел с поезда, никуда не поехал.

42

Однажды Локшин позвонил мне: "Рудик, что вы сейчас делаете?" Я говорю: "Работаю, занимаюсь…" — "Все бросайте и приезжайте ко мне".

Я без лишних вопросов поспешил к нему. Локшин встречает взволнованный, с горящими глазами.

— Дело в том, — говорит, — что приехал из-за границы Арвид Янсонс (сын которого станет потом большим дирижером) и привез мне в подарок запись Десятой симфонии Малера.

— Как Десятой?

— Какой-то англичанин сделал редакцию по малеровским наброскам. И Орманди с Филадельфийским оркестром исполнил это. Я сел слушать и понял, что не могу слушать такое один. Пошли, пошли скорее.

Мы сели в его комнате и включили пластинку.

Над Десятой симфонией Малер начал работать в последнее лето своей жизни. Он был уже фактически приговорен врачами. Врачи уже сказали ему, что у него такая болезнь сердца, с которой он больше двух или трех месяцев не проживет. Ну, может, не прямо так выразились, но достаточно ясно. И он бросился скорее записывать, скорее заканчивать. Но не успел, умер. Осталась рукопись. Первая часть была даже инструментована. А другие части были в набросках. Идут четыре строчки, потом указано: "труба", или "валторна", "тромбон", "виолончели", *alle geige, alle violinen*. Указание просто, указание к действию тому, кто будет писать партитуру.

О существовании рукописи впервые стало известно от Шёнберга. Он написал тогда (сегодня не только музыканты знают эти поразительные слова): "О том, что должна была сказать его Десятая симфония (мы располагаем лишь набросками к ней, так же как и к бетховенской Десятой), мы узнаем так же мало, как в случаях с Бетховеном и Брукнером. Как видно, Девятая — это некий рубеж. Кто хочет перешагнуть его, должен уйти. Наверное, Десятая возвестила бы нам нечто такое, чего нам не дано знать, для чего мы еще не созрели. Создавшие Девятую подходят слишком близко к потустороннему. Быть может, загадки этого мира были бы разгаданы, если бы один из тех, кому ведом ответ, написал бы Десятую. А так не должно быть. Сущность гения в том и состоит, что он — будущее… Гений светит нам впереди, а мы силимся идти за ним. Но достаточны ли, на самом деле, наши усилия? Не слишком ли мы привязаны к сегодняшнему дню? Мы будем идти следом, потому что это наш долг. Хотим мы этого или нет. Ибо нас тянет туда. Лишь настолько Малер имел право выдать нам тайну будущего; когда он захотел сказать больше, его отозвали прочь… Но мы — мы должны еще бороться, ибо Десятая и поныне не возвещена нам".

Говорили, что вдова Малера Альма будто бы просила Шостаковича посмотреть черновики Десятой и, если удастся, что-то оркестровать. Уверен, что это легенда — иначе Шостакович наверняка бы мне рассказал.

Когда готовились отмечать столетие Малера, в шестидесятом году, британский музыковед Деррик Кук, работавший на Би-би-си, стал изучать манускрипт Десятой и пришел к выводу, что Малер осуществил свой замысел почти до конца, черновик представляет собой почти законченную симфонию.

И Кук взялся за колоссальную работу. Он нота за нотой расшифровал практически нечитаемые места в рукописи. И тогда же, к столетию Малера, несколько частей из Десятой впервые прозвучали по радио.

Вдова Малера, Альма, этой передачи не слышала. Но дальнейшие исполнения она категорически запретила. Говорят, на нее повлиял Бруно Вальтер — он был возмущен самой идеей домысливать за Малера.

Вскоре Вальтера не стало, и Альму все-таки убедили послушать ту запись. Я, признаться, не думаю, судя по многим обстоятельствам, что Альма понимала, кто такой ее муж. Но когда она услышала запись, то была потрясена. И дала разрешение на исполнение версии Кука. Именно так и написано на партитуре: "Оркестровая версия Деррика Кука", ничто иное.

Вот эту версию мы с Локшиным и слушали.

Впечатление было огромным. Я лично был просто ошеломлен. Что это за музыка… В первой же части есть места, когда тебя как будто за волосы тащат кверху, с такой колоссальной силой, что невозможно слушать сидя, — и потом звучит невероятный аккорд, который при анализе оказался аккордом двенадцатитонной системы: в нем все ноты есть. Шура считал, что это звучит небесный орган. Орган с неба, небесных сил орган. Этот страшный аккорд охватывает душу. Перед концом первой части он повторяется, но уже несколько иначе, а потом голоса по очереди сходят, сходят, сходят на нет и растаивают. Начинается вторая часть — "Пургаторий". Чистилище. Монотонно работает налаженный механизм, чиновник передает чиновнику формуляры: вот прибыл такой-то, вот его грехи, вот заслуги, — этого в рай. А вот другой: заслуги, грехи — в преисподнюю. Идет работа, техническая работа: определяют, кому куда. Суд идет, Страшный суд. И вдруг снова полный боли и ужаса аккорд. Спустя годы в рукописи я прочитал над ним надписанные Малером слова: "Отче, для чего Ты Меня оставил?" Последние слова Христа. Нужно было найти для этого аккорда особое звучание. Это душа кричит от страшной боли, сам Спаситель кричит.

Третья часть — дьявольское скерцо. Дьявольское не только по характеру, но и по трудности, потому что оно все — аритмичное. Малер в рукописи дает указание, как его дирижировать: квадратные такты — на два, а тройные такты — на раз. Это так трудно! Это настолько трудно, что не каждый сумеет. Представляю, как Малер беспокоился, что исполнят неверно, не поймут.

В последней части "Песни о Земле" тоже есть такая проблема: музыка на шесть идет, а по музыкальным соображениям ее приходилось дирижировать на три. И сам Малер спрашивал у Бруно Вальтера: как, по-вашему, все-таки это дирижировать? Величайший дирижер всех народов и времен сомневался. Не люблю людей несомневающихся, людей, которые во всем уверены, не люблю. Они мне всегда подозрительны. Моцарт был очень сомневающимся, Бетховен был каким сомневающимся! Дирижер, конечно, не имеет право показывать оркестру свои сомнения, боже упаси, это была бы громадная ошибка. Но не спать ночами в поисках решения… обычное дело.

Так вот, дьявольское скерцо. Тебя как будто расчленяют на каком-то краю. Феноменальной силы музыка. И потом наступает финал. Большой, очень развернутый, длинный финал. Вступление к нему содержит такие загадки, которые потом потребовали от меня нескольких десятилетий жизни. Там есть аккорд, который, по существу, оказывается ключом ко всей симфонии. Потому что Десятая симфония — о жизни после смерти. До этого аккорда все шло к смерти — с него начинает возвращаться жизнь. Малер, может быть, заглянул туда, куда сам собирался скоро и куда человеку смертному заглядывать не разрешалось. Может быть, ему разрешили. Может быть. Видите ли, Малер — явление такое великое… Каждый человек на земле должен это знать, должен это слышать и любить и знать, иначе мы не выполним — во всяком случае, я иначе не выполню своей миссии.

С тех пор как благодаря Александру Лазаревичу Локшину я услышал Десятую Малера, мной овладело одно желание: исполнить ее самому. Но сделать это в СССР было тогда совершенно невозможно.

43

Перед поездкой в Японию нас проинструктировали: чаще меняйте носки, там принято дома ходить без обуви.

Нам предстояло не только дать концерты, но и сниматься в кино. Режиссер Эдуард Бочаров делал совместный советско-японский фильм "Маленький беглец". Юрий Никулин играет циркового артиста, который помогает японскому мальчику искать отца, потерявшегося на войне. Едут через всю Сибирь, разные приключения, попадают в Москву и узнают, что отец умер в больнице. Тогда японский посол оставляет мальчика в Москве, он поступает в консерваторию и учится игре на скрипке. У меня. А потом мы все вместе приезжаем в Японию, и в качестве солиста мальчик играет с Московским камерным оркестром концерт Чайковского. Правда, Чайковский написал его для симфонического оркестра, поэтому наш состав расширили с помощью японских музыкантов.

Съемки шли хорошо, и гастроли тоже, но...

Мне не хочется об этом говорить. Это очень тяжелый эпизод в моей жизни. Как и отъезд из России, это глубокая рана в моей душе.

Она была переводчицей нашей. Вернее, моей личной переводчицей. Русский она знала превосходно, и не только русский, другие языки, очень образованная была женщина. Теруко. Ну вот. Я влюбился очень сильно.

Когда мы с оркестром вернулись в СССР, за нами опустилась бетонная стена. Все гастроли отменили. Меня стали вызывать для дачи объяснений. Я просил, потом требовал, чтобы Теруко пустили ко мне. Я хотел, чтобы Теруко стала моей женой. Они пытались найти какую-нибудь зацепку, что она шпионка. Я говорил: "Этого никак не может быть. Она не годится для этой деятельности, она совсем не такая". — "Нам виднее. Откуда вы можете знать?"

Секретарь одного райкома партии посмотрел на меня и говорит: "Полюбили так сильно, да?" — "Да". — "Мне, — говорит, — не пришлось никогда".

Потом я узнал, что Теруко беременна.

Был у меня знакомый, заместитель Громыко, он любил музыку, наш оркестр, приходил на все концерты. Он очень мне сочувствовал — может, еще потому, что у него самого была романтическая история, любовь со студенткой института, в котором он преподавал. Я бросился к нему. Он сказал: "Плохо дело, Рудольф Борисович, плохо дело. А хуже всего вот что. Если ваш вопрос решится положительно, вам придется до конца дней иметь дело с людьми, для которых человеческие чувства равны нулю".

Там, на самом верху, были и такие, которые все понимали. Но они ничего не определяли, они были покорны этой камарилье воров и убийц, изуродовавшей душу народа. Не просто изуродовавшей — изменившей ее. Этого я никогда не прощу так называемым "большевикам". Страна, в которой главарь бандитской шайки становится министром культуры, обречена на гибель. А у нас был именно такой министр — бывший главарь шайки из Марьиной Рощи. До Фурцевой он министром был. Видимо, втерся в доверие к тюремному начальству, то есть стал продавать своих, вышел на волю связным между государством и бандитами, и потом его сделали министром культуры. У меня хорошая знакомая стала женой такого же солидного человека, не зная, что он вор в законе. Когда узнала, хотела покончить с собой, мы чудом ее спасли, удержали.

Теруко не понимала, что происходит. Не по глупости — просто не понимала. Через несколько месяцев прислала мне вдруг такое письмо: "Ну, раз никак не удается, попробую сначала поехать как туристка. Уже купила билет на самолет…" Я думаю: что ж ты, дурочка, делаешь? Конечно, это прочитали, где надо. Когда пришел день прилета, который она указала в письме, я, хотя и понимал, что ее не пустят, все равно собрался в аэропорт. На всякий случай. Но, выходя из дому, получаю телеграмму: "Не пустили в самолет. Узнай, почему так жестоко".

Через пару недель в Токио у нас родился мальчик.

Шостакович очень хотел помочь. Он записался на прием к Косыгину. А накануне мне звонит Ирина Антоновна, жена Шостаковича: Д. Д. на прогулке упал и сломал ногу, его кладут в больницу.

Случилось так, что в этот же день я закончил оркестровать его Восьмой квартет. Тот самый, "памяти автора". Я мечтал играть эту музыку с нашим оркестром, видел в ней огромные симфонические возможности и с одобрения Шостаковича сделал оркестровую версию. Позвонил Дмитрию Дмитриевичу — у него в палате был телефон, он лежал в Кремлевке. Позвонил посочувствовать, пожелать выздоровления. А он попросил, чтобы я с Ириной Антоновной прислал партитуру. Я послал — и провел бессонную ночь. На другой день снова встретился с Ириной Антоновной, в консерватории. "Ему очень понравилось. Знаете, что сказал? Сказал, что звучит даже лучше, чем сам квартет. И еще он написал письмо Андропову о вашей истории и попросил Хачатуряна передать лично в руки". А Хачатурян с Андроповым был хорошо знаком.

Позже я переложил для оркестра еще четыре квартета Шостаковича и должен сказать, симфонические версии этой великой музыки исполняются в мире не реже, чем сами квартеты. Называют их "Камерные симфонии Шостаковича".

Мы с оркестром полетели в Ереван. И туда мне приходит телеграмма от папы: ему позвонил Арам Ильич и сказал, что на письмо Шостаковича дан положительный ответ. Меня вызвала Фурцева. Спросила: почему же вы сразу не обратились ко мне? Протянула мне руку через стол, пожала: "Если это настоящее чувство — мы вам поможем".

К тому времени, когда Теруко впустили в СССР, Саше было больше года.

Это был удивительный мальчик. Такой изумительный, такой редкий. Мои ребята, Лева и Володя, очень его полюбили. Он рано научился писать по-русски, а когда пошел в школу, то сразу стал лучшим учеником. Совсем маленький — казалось бы, ну что он понимал? — а вместе с тем бывали эпизоды, которые теперь страшно вспомнить. Едем в какой-то праздник на троллейбусе, проезжаем площадь Маяковского. Там всегда особенно много плакатов по праздникам: "Слава КПСС!", "Слава ВЛКСМ!", слава тому, слава сему… А мы с ним незадолго до этого читали книгу Корнея Чуковского. Он запомнил, как в одной сказке, "Тараканище", прилетел воробей, клюнул таракана, которого все боялись, — и нету таракана. И когда он увидел "Слава, слава КПСС!", то вдруг на весь троллейбус громко закричал: "Слава, слава воробью-победителю!" Ой... На следующей остановке весь троллейбус вышел. Весь. На всякий случай. И мы остались втроем.

Жили мы в двухкомнатной квартире на Кастанаевской. Наверное, я мог бы получить большую, но надо было заниматься придворными играми, интриговать... Я не хотел.

Теруко была совершенно несовместима с этой жизнью. Однажды сама пошла в магазин. И нет ее и нет. Я выскочил на улицу. Нашел ее стоящей посреди гастронома "Стрела", растерянную, не понимающую, где тут искать рыбу. Я подвел ее к прилавку. Никогда не забуду, как она смотрела на пучеглазого мороженого толстолобика в витрине.

Ей не то что не нравилось — она никак не могла понять. Например, говорит: "Не понимаю, почему у вас в магазинах продавцы не хотят продать? Почему они себя ведут так, как будто не хотят продать?"

Поехали с концертами в Ленинград, Теруко со мной, остановились в гостинице. Утром я ушел на репетицию в филармонию. Вдруг она прибегает, вся в слезах, плачет, рыдает. "Теруко, Теруко, что случилось?" — "Меня выгнали из гостиницы. Сказали, иностранцам здесь нельзя жить. Сказали "немедленно уходите, немедленно!", даже не дали собраться".

Я прервал репетицию. Поехал в гостиницу, забрал вещи. Ничего не стал выяснять. Мы переселились в "Октябрьскую" у Московского вокзала.

Летом отдыхать никуда поехать не можем: сюда нельзя, туда нельзя. Ладно, нашли дачу, хотим поехать на дачу. Надо было пойти в ОВИР, получить от чиновника разрешение, чтобы там ей жить. Он посмотрел, куда мы собрались, адрес посмотрел, пошел в другую комнату, дверь оставил открытой почему-то, а там висит подробная карта Подмосковья. Он вернулся, говорит: "Сюда нельзя". Я сказал: "Ну, скажите, куда же можно?" — "А вы сначала найдите, куда вам хотелось бы поехать, а потом приходите, и я скажу, можно или нет". Так было каждый раз. Издевательство, настоящее издевательство. Мой отец ехал с Сашей на юг, в Ялту, но Теруко туда было нельзя.

Я стал невыездным. А невыездной дирижер — катастрофа для оркестра, потому что невыездным становится и оркестр. Правда, оставались некоторые международные обязательства, которые не удавалось отменить. Чиновники Министерства культуры приняли решение послать оркестр на гастроли в ГДР без меня. Белоцерковский узнал об этом, выскочил из своего кабинета, натягивая шубу на ходу, — это мне описала потом его секретарша, сел в машину, приехал к Фурцевой — и выпалил (а это мне рассказывала уже помощница Фурцевой): "Оркестр Баршая́ поедет без Баршая́ только через мой труп!" Под личную ответственность Белоцерковского меня выпустили в ГДР, а он, само собой, поехал руководителем группы. На время моей поездки у Теруко отобрали паспорт. Ее оставили в заложницах.

44

Однажды я стоял возле памятника Чайковскому, разговаривал с Максимом Шостаковичем и Воликом Буниным. Открывается дверь консерватории, и выходит Юдина.

С Марией Вениаминовной мы не раз выступали вместе, еще когда я был в квартете. Как она играла квинтет "Форель" Шуберта! Никаких прикрас, надуманных нюансов, замедлений или *rubato* — она играла очень просто и очень мудро. Да, правильное слово: мудро. Это был настоящий Шуберт. Ее по праву считали лучшей исполнительницей Моцарта. Когда мы сыграли с Гилельсом Двадцать первый концерт, Мария Вениаминовна меня на другой день упрекала: "Как вы могли играть Моцарта без меня?" Совершенно всерьез. Она считала, что должна быть там, где исполняют музыку Моцарта.

Юдина была человеком не совсем, так сказать, обыкновенным: она была очень верующая, очень. И даже ходила в аббатской сутане с большим крестом. Бессребреница, всем помогала, ничего не хотела для себя — кроме разве права играть то, что любит, — а это требовало настоящей отваги. Смелости ей было не занимать. Однажды на бис она прочитала со сцены стихотворение Пастернака. Аплодисменты, просят еще бис. Она — еще одно стихотворение Пастернака. Прибежал директор Большого зала, за кулисами на коленях умолял ее не выходить на третий бис с Пастернаком, а что-нибудь сыграть.

Стоим мы во дворе консерватории, и Юдина медленно приближается, опираясь на большую палку. Все почтительно расступились. Она подошла, подняла свою палку и ткнула ею меня в грудь: "Рудик, знаете, что вы должны сделать? Вы должны инструментовать "Искусство фуги". Все, до свидания". И ушла.

Ну... Это на меня очень подействовало. Было в Юдиной что-то сверхъестественное. Она была как пророк. Я ощутил ее слова как указание свыше.

"Искусство фуги" я, конечно, знал. Бах и Бетховен с юности составляли круг моих мечтаний и даже сновидений. Но у меня имелось обычное типографское издание, а теперь я решил добыть факсимиле.

"Искусство фуги" — прощальный шедевр Баха, в прямом средневековом значении слова. Шедевром называли лучший образец мастерства, который работник делал на собственные средства и предъявлял гильдии. Только после этого его принимали в цех и он получал право открыть собственную мастерскую. В "Искусстве фуги" Бах применил все свои знания, все композиторское мастерство. Это величайшее достижение в музыке и его личный итог, который он предъявил на пороге смерти. Это цикл, в который входят фуги простые и фуги двойные и тройные, фуги с противодвижением и фуги зеркальные, причем все они написаны на одну и ту же тему. Всего пятнадцать фуг и четыре канона. В каком-то месте музыка у Баха обрывается, и рукой его сына написано: "В этом месте фуги, где тема *B-A-C-H* вступает в контрсубъект, композитор скончался".

Бах работал над последней фугой, будучи почти совсем слепым. У него было слабое от природы зрение. Он никогда его не берег, писал при свете свечи, при свете луны. И когда стал уже едва видеть, решился на операцию. Делал ее какой-то заезжий хирург, сделал плохо, потом сделал повторно, в результате Бах полностью ослеп. Последнюю прелюдию — "Припадаю к трону твоему" — он диктовал.

После его смерти издали "Искусство фуги" на четырех строчках. Без намека на инструментовку. В сущности, мы не знаем, писал ли Бах "Искусство" для оркестра или для органа или клавесина. Это первый вопрос, который ставит перед нами рукопись. Я сумел добыть ее в типографском воспроизведении.

Начал оркестровать. Консультировался с Шостаковичем, советовался с Локшиным, который мог ответить на любые вопросы по контрапункту и по гармонии. Он был щедрый, но и строгий советчик, часто говорил: "Вот так не годится, поищите другое решение", — и я искал, искал, опять приходил к нему. Помню, Локшин предложил одну связку из трех нот, коротенький мотив, и сказал: "Это, правда, будет немножко отдавать Моцартом, но у Баха вы всё найдете, даже Шуберта". Так и есть.

Наконец я закончил, все соркестровал. Пришел Шостаковичу показать. Он посмотрел, потом говорит: "Ну, тут, в общем, все в порядке, в смысле инструментовки, все в порядке. Но только не вздумайте вот так вот играть без окончания". Я говорю: "А как же?" — "Вы ведь знаете, что Бах был человек очень суровый, свирепый, строгий. Я себе хорошо представляю, как он был бы возмущен, что вы играете его произведение без окончания. И как он мог бы сказать: не умеете закончить — не играйте".

До меня всегда играли без окончания. Доходили до последней ноты, написанной Бахом, и останавливались. Вова, мой сын, после одной репетиции, на которой он был, говорит: "Папа, я думал, у вас гобой сломался, поэтому вы перестали играть".

— То есть, Дмитрий Дмитриевич, если я правильно вас понял, я должен сейчас пойти домой, засучить рукава и сочинить окончание?

Он сказал: "Вот именно".

Я приехал домой и в тот же вечер принялся за работу.

Что значит "закончить фугу"? К моменту, когда у Баха она обрывается, музыка идет уже минут пятнадцать, даже больше. И по логике развития фуги я чувствую, что должно быть дальше. Это вопрос знания, интуиции и вкуса.

Года два прошло, пока я это окончание сочинил.

Позвонил Шостаковичу. "Дмитрий Дмитриевич, вы знаете, мы на репетиции записали последнюю фугу, и я хотел бы вам ее показать. Когда вам будет удобно, скажите..." — "А вы где сейчас? — так торопливо: — Вы где сейчас?" Я говорю: "В центре Москвы". — "Вы моторизированы?" — "Да, я на машине". — "Немедленно садитесь в машину и приезжайте ко мне в Жуковку, немедленно". Я взял пленку, партитуру свою и приехал. Он встретил меня взволнованный: "Ну что, значит — закончена работа?" — "Да вот, закончена". — "Ну, пойдемте, пойдемте слушать".

В последнем контрапункте "Искусства фуги" — три темы. Первая — это чуть-чуть измененный хорал "Из бездны бед к Тебе взываю". Вторая звучит также в хорале "Все люди смертны". А третья — нотная подпись автора, *B-A-C-H*, которой мне хотелось непременно закончить.

И в моем продолжении возникала такая ситуация: последняя нота *B-A-C-H* (то есть "си") звучала одновременно с нотой "до" во второй теме, проходящей контрапунктом. Получался ужасный диссонанс. Совершенно такой же, как пытался убрать библиотекарь из симфонии Шостаковича. Но логика развития музыки не позволяла мне этот диссонанс устранить.

Дошли до этого места, прошли его, — Шостакович вдруг говорит: "А можно вернуть обратно пленку?" — "Можно".

Я вернул обратно. Он послушал, остановил. Потом посидел-посидел: "Подождите", — говорит. А я уже приготовил бумагу, карандаш. "Подождите". Потом как-то решительно вдруг сказал: "Нет, оставьте так, как есть. Не меняйте ничего. Потому что вот так хорошо. Потому что этот страшный на первый взгляд диссонанс оправдывает себя в следующем такте. Потому что там, после этого страшного диссонанса, который создает невероятное напряжение, разрешается все в шестую ступень си-бемоль мажора. А это очень красиво, очень. Никогда не меняйте. И кто бы вам ни советовал, а недостатка в советчиках у вас не будет, никого не слушайте никогда. Потому что так хорошо". Он повторил это раз десять — "потому что так хорошо" — и был страшно доволен[1]. "Ирина, — говорит, — у нас там в холодильнике есть четвертиночка. Соによруди нам, пожалуйста, яишенку, что-нибудь на закуску, потому что этого так оставлять нельзя, это мы обязательно должны отметить, обмыть должны обязательно".

---

[1] Шостакович написал на партитуре: "Я познакомился с работой Р. Б. Баршая, которую он проделал, сочинив продолжение "Искусства фуги" И.-С. Баха. Считаю эту работу великолепной, достойно завершающей это великое баховское произведение".

Сели, выпиваем, за окном хлещет дождь и светит солнце. Грибной дождь. И Д. Д. говорит: "Вообще-то вы создали прецедент. Потому что до сих пор считалось, что нельзя заканчивать произведения великих мастеров, за них сочинять нельзя. Оказывается, можно. А знаете, есть еще одно сочинение, которое ждет окончания. Десятая Малера".

Когда мы сыграли "Искусство фуги" в Большом зале консерватории при большом стечении публики, то Шостакович... мне очень неловко об этом рассказывать, это нескромно, но это один из счастливых моментов моей жизни, так что, пожалуйста, простите мне, что я все-таки расскажу — Шостакович после исполнения вбежал в артистическую, схватил меня за руку и стал трясти. Тряс, тряс, потом сказал: "А я убежден, что вы даже не понимаете, что вы сделали".

Мы много раз играли "Искусство фуги", и другие исполнители играли, и на диски записывали. Но правда заключалась в том, что меня не все устраивало в этой редакции. Не все получилось таким, как я слышал в голове, когда сочинял. И я решил, что должен работать дальше.

Вот, например, такое место. По течению голосов кажется, что должны играть вторые скрипки. Но в какой-то момент тема спускается до ноты "фа". Такое низкое "фа" скрипка сыграть не может, это ниже ее голоса на целый тон. Поэтому я ловчил, чуть раньше подключал альты, и "фа" играли они. Но это полумера. Это нехорошо. Так оставлять мне не хочется. И я решил, что вместо вторых скрипок должен играть старинный инструмент виола д'амур. У нее есть не только "фа", а даже еще более низкое "ре". Но. У виолы д'амур звук божественной красоты — только очень тихий. И когда в свою очередь вступят другие инструменты, ее голоса не будет слышно. Что же делать? Я придумал, что вступать будут первые скрипки под сурдинами. С этим звучанием скрипок, тоже очень нежным и тихим, виола д'амур прекрасно справляется. Но тут возникла следующая проблема. Как гласит мудрая индийская пословица, прежде чем войти, подумай, как ты выйдешь. Я не подумал. И дошел до места, когда скрипки уже не могут играть под сурдинку. Надо дать музыкантам возможность сурдины снять. Для этого нужен такт паузы, чтобы освободить руки. Но где его взять? Довольно долго я не мог выбраться из тупика. Потом придумал. Незадолго до этого места первая скрипка умолкает, и в течение такта с четвертью концертмейстер имеет время снять сурдину, пока остальные скрипки продолжают. Потом вступает первая скрипка соло, и тогда остальные могут тоже освободиться от сурдин.

Так что работа над "Искусством фуги" растянулась на сорок с лишним лет.

45

Телефона у нас дома не было. Я через филармонию обращался с просьбой в райсовет, в исполком, но пришел ответ: считаем установку телефона у гражданина Баршая нецелесообразной. Поэтому если Шостакович хотел со мной поговорить, он присылал телеграмму. Иногда они приходили по несколько раз в день. "Дорогой Рудольф Борисович зпт позвоните зпт если можете". Или: "Позвоните срочно тчк Шостакович". "Забыл сказать одну вещь зпт простите зпт перезвоните тчк Шостакович". Теперь эти телеграммы я храню в ячейке швейцарского банка.

В прихожей всегда стояло блюдце с монетками, я хватал монетку и шел на улицу в телефон-автомат звонить Дмитрию Дмитриевичу. Д-8-66-40.

Когда он однажды, как бы между делом, попросил меня продиктовать точный состав нашего оркестра, я понял: что-то готовится. А когда спросил: "Можно ли, чтобы два контрабаса в вашем оркестре имели пятую струну?" — я почувствовал, что сбудется моя мечта. Я ведь ему как-то раз сказал прямо: "Жить с вами в одно время и не играть вашей музыки — обидно". Наконец он прислал телеграмму с просьбой перезвонить и говорит: "Может, вы приедете, я хочу вам сыграть кое-что. Сочинил в больнице. Если понравится, был бы рад поручить вам первое исполнение". Я помчался к нему.

Это была Четырнадцатая симфония. Великая симфония о смерти на стихи Аполлинера, Лорки, Кюхельбекера и Рильке.

Всевластна смерть.
Она на страже
и в счастья час.
В миг высшей жизни
она в нас страждет,
живет и жаждет —
и плачет в нас[1].

Шостакович рассказал мне, что перед тем, как лечь в больницу, слушал "Песни и пляски смерти" Мусоргского (он их сам за несколько лет до этого оркестровал) и подумал: пора бы и мне заняться смертью.

Надо сказать, мучительная болезнь уже начала отнимать у него физические силы, у него немели ноги и правая рука. Врачи не понимали, что это, кто говорил, полиомиелит, кто считал — последствие нервных потрясений. Д. Д. месяцами лежал в больницах, ездил в Курган к знаменитому доктору Илизарову — ничего не помогало. С каким же великим достоинством и мужеством Шостакович проходил через эти страдания. Ни одной жалобы, никогда. Ну, может, иногда, с юмором. Он мне сказал: "Я предупредил Вайнберга, что если по каким-либо причинам не сумею за-

---

1   Стихи Р.-М. Рильке в переводе Т. Сильман, последняя часть симфонии.

кончить симфонию сам, чтобы он связался с вами и вы бы вдвоем закончили — у вас, в этом смысле, хороший опыт".

Он приходил на все репетиции Четырнадцатой. Даже самые первые, когда певцы учили партии с концертмейстером. А когда пошла работа с оркестром... Ребята всегда играли превосходно, но тут они превзошли самих себя. Д. Д. никогда не вмешивался — само его присутствие влияло. Он реагировал, как ребенок. Есть там вторая часть на стихи Лорки, "Малагенья". Быстрая, с сумасшединкой, и Шостакович придумал потрясающее звучание. Скрипки играют очень высоко, а басы — контрабас с виолончелью — очень низко. И это расстояние дает фантастически красивый эффект. Репетируем, добиваемся правильного баланса. Вдруг чувствую — кто-то сильно ударяет меня ладонью по спине, чуть пониже плеча. Шостакович сидел позади, но тут я увлекся, на мгновенье забыл, что он там. Оборачиваюсь от неожиданности, а он наклоняется к моему уху и говорит: "Черт побери, я не знал, что это будет так потрясающе звучать! Продолжайте! Продолжайте!" Потер руки от радости. Как Пушкин, когда перечел "Бориса Годунова" — "Ай да Пушкин, ай да сукин сын".

Почти всегда мы совпадали. Очень редко он просил что-нибудь играть побыстрее или помедленнее, но в репетиции не вмешивался, только в антракте, с глазу на глаз. А чаще было — я спускаюсь к нему со сцены в зал, а он говорит: "Слушайте, удивительное явление. Только я подумаю "вот тут бы остановиться, исправить" — как вы останавливаете оркестр и это же самое говорите". Столько в нем было доброты, доброжелательности. Вообще ведь от исполнителей он много страдал, не раз мне рассказывал о невежестве лабухов, с которыми сталкивался. Ненавидел лабухов, именно так их называл. Однажды играли его квинтет, и он сам выступал как пианист с квартетом. Возвращаются в поезде, выпивают, и Шостакович слушает их разговор. "А помните, как я не вступил в начале?" — второй скрипач говорит. Все: "Помним, еще бы". Хохочут. "Выпьем!" Выпивают. Одна рюмка, другая. Виолончелист говорит: "А помните, как я не вступил в середине?" — "Конечно помним. Там такое важное соло виолончели, а ты не вступил". Хохочут, заливаются. "Выпьем". Выпили. Альтист говорит: "А помните, как я в последней части вообще как не вступил, так до конца и не играл?" Смеются. "Наливай". Шостакович мне говорит: "Смеются они, понимаете? Смеются. А ведь плакать надо".

Бывали случаи, оркестранты отказывались играть написанное Шостаковичем — говорили, слишком трудно. "Трудно? — он отвечал. — Пусть постараются". И действительно, всегда эти трудные для исполнения места имели важное значение для характера музыки. "Они меня уверяют, что в таком быстром темпе играть *pizzicato* невозможно…" Помолчал-помолчал, потом в пол: "А по-моему, возможно". И возможно, и необходимо. Сократа спросили — что самое большое зло на свете? Он ответил: невежество…

Малер, Брамс, Шостакович — они были великими исполнителями и знали, чего хотят от музыкантов. Если Малер пишет в нотах, что одно долгое легато надо выполнять несколькими движениями смычка — так и надо делать. Если Шостакович просит делать *crescendo* смычком вверх, а не вниз, как обычно делают, — он знает, чего хочет добиться. Он не был струнником — он был гением и написал такую каденцию для скрипичного концерта, как будто всю жизнь играл на скрипке. А потом смиренно показал ее Ойстраху, "для редактуры".

Советский композитор имел право писать о смерти только за дело партии, за советскую родину, с патетическим торжеством в конце. Ничего этого в Четырнадцатой не было, так что чем ближе премьера, тем сильнее делалась наша тревога.

Устроили закрытое прослушивание в Малом зале. Пришли музыкальные критики, чиновники, члены Союза композиторов, ученики Д. Д., его близкие. Волик Бунин сиял, как будто у него день рожденья. Была ужасная жара, редкая для Москвы, духота, зал набит битком.

Шостакович вышел на сцену и, очень волнуясь, кусая губы, стал говорить, что эта симфония на самом деле о жизни и он вообще-то оптимист, но протестует против смерти. Не потому, что, там, говорит, снаряды уже падают рядом и друзья уходят, а потому, что смерть — это несправедливо. Несправедливо, хоть и неотвратимо. И ничего утешающего в симфонии нет, потому что смерть придет к каждому, нам надо об этом помнить, в каждом поступке этим руководствоваться и не делать гадостей.

Начали играть. Во время пятой части, как раз когда Маргарита Мирошникова спела "Сегодня он умрет до наступленья ночи", слышу за спиной какой-то шум, грохот. Прерываться мы не можем. Мало ли, думаю, может, кто-то с кем-то поругался или пьяного из зала вывели.

Потом оказалось — это умер Павел Иванович Апостолов, большой музыкальный чиновник, он работал в ЦК и был одним из гонителей Шостаковича еще с сороковых годов. Д. Д. вывел его в "Райке" под фамилией Опостылова. Ему стало плохо, он вышел и умер у дверей Малого зала.

После симфонии и аплодисментов[1] Шостакович прибежал в артистическую, бледный, на нем не было лица, схватил меня за запястье и тихо повторял: "Этого я не хотел! Этого я не хотел..."

Он переживал эту историю ужасно. Больше всех. А кроме того, все сильнее боялся, что не доживет до настоящей, открытой премьеры, что не дадут, запретят. Все время мне об этом говорил.

Играть в Москве не разрешили — премьера состоялась осенью в Ленинградской капелле. Был там не то что весь Ленинград: из других городов приезжали. Пели Галина Вишневская и Евгений Владимиров.

Когда закончилось, наступила глубокая тишина. Совершенно особая тишина, когда молчат тысячи людей. Как будто время остановилось, такое чувство. А потом — это мне рассказывал Исаак Давыдович Гликман, я сам не видел, стоял еще к залу спиной — поднялся в ложе Мравинский, и вслед за ним встал весь зал. Шостаковича вызывали и вызывали, я видел, как трудно ему выходить на сцену, но по глазам понял, что помогать, предлагать руку не надо: он сам. Люди хлопали и хлопали, а он выходил и выходил и стоял опустив голову.

---

[1] Из письма Шостаковича Гликману: "Исполнение было на высшем уровне совершенства. Баршай и его оркестр — явление поразительное".

Я видел такой документ, отчет: только за первые десять лет существования оркестра мы дали около шестисот концертов в девяноста городах у нас и еще двести — в ста сорока городах за границей.

Она вообще говорила ласково, по-матерински, я даже предполагаю,
что специально училась ораторскому мастерству.
На фото: советские музыканты с министром культуры СССР Е. А. Фурцевой.

В Нью-Йорке Пятигорский давал концерт
с Яшей Хейфецом. Я попросил у Хейфеца
разрешения подержать его скрипку.

Митрофан Кузьмич Белоцерковский —
очень характерный для того времени тип.
На фото: второй слева; крайний слева —
К. Кондрашин, крайний справа — А. Хачатурян.

Стравинский незадолго до этого побывал в Москве, нас познакомили на приеме у Фурцевой, он показался мне милым и человечным, излучал остроумие... "Игорь Федорович, — говорю, — как же можно в России не играть вашей музыки?"

Из архива ВМОМК имени М.И. Глинки

Поводок отпускали постепенно, на строго определенную длину. Сначала едете в страны соцлагеря. Потом, за хорошее поведение, — Ближний Восток, Индия, капиталистическая Европа. И наконец, особо отличившимся — Америка и Япония.

THE MOSCOW CHAMBER ORCHESTRA

(Personnel on Page 3)

PROGRAM

Symphony No. 29 in A Major, K. V. 201............................Mozart (1756-1791)

    Allegro moderato
    Andante
    Menuetto
    Allegro con spirito

Divertimento in F Major..Bartok (1881-1945)

    Allegro non troppo
    Molto adagio
    Allegro assai

INTERMISSION

Visions Fugitives (fifteen pieces)............................Prokofieff (1891-1953)

Arranged by Rudolf Barshai

Concerto in B Minor for Four Violins, Cello and Orchestra........Vivaldi (1675-1741)

    Allegro
    Largo
    Allegro

Exclusive Management: HUROK ATTRACTIONS, INC.

730 Fifth Ave.   Records: London
New York 19, N.Y.   Angel

ANDREWS-GARNER Attractions present

Dec. 30-Jan. 4 — "SEIDMAN and SON"
The Hilarious Broadway Comedy starring Sam Levene
Orch. $4.95, Mezz. $4.40, Bal. $3.50, $2.75, $2.00
New Year's Eve: Orch. $6.60, Mezz. $5.50, Bal. $4.50, $3.50, $2.50

Feb. 1 — "THE SAN FRANCISCO BALLET"
Orch. $4.50, Mezz. $3.85, Bal. $3.30, $2.50, $2.00

Feb. 17 — ARTUR RUBINSTEIN
Orch. $5.50, Mezz. $4.50, Bal. $3.50 and $2.00

Feb. 23 — "THE ROBERT JOFFREY BALLET"
Orch. $4.50, Mezz. $3.85, Bal. $3.30, $2.50, $2.00

March 13 — GOLDOVSKY GRAND OPERA THEATRE
"The Barber of Seville"
Orch. $4.50, Mezz. $3.85, Bal. $3.30, $2.50, $2.00

All attractions at 8:30 p.m. at the AUDITORIUM Theatre
Tickets available by mail only now.   Andrews-Garner Attractions, 744-3339.
Box office opens Monday, December 9.
Mail orders to 630 East 6th Avenue, Denver 80203

В Японии нам предстояло не только дать концерты, но и сниматься в кино. Съемки шли хорошо, и гастроли тоже, но…

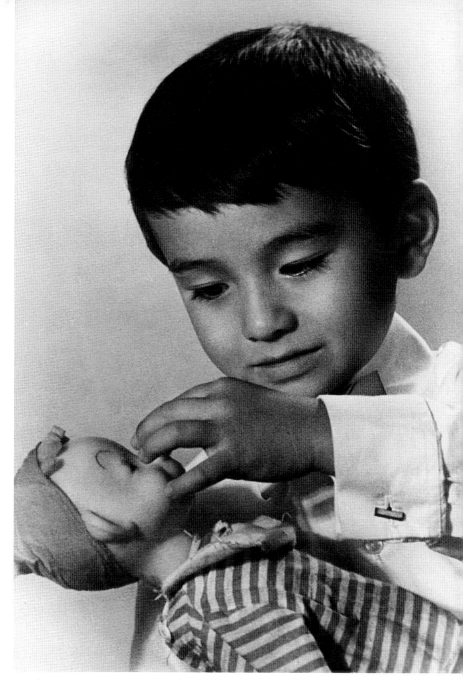

К тому времени, когда Теруко впустили в СССР, Саше было больше года.
Это был удивительный мальчик. Такой изумительный, такой редкий.
Мои ребята, Лева и Володя, очень его полюбили.

Юдина подошла, подняла свою палку и ткнула ею меня в грудь: "Рудик, знаете, что вы должны сделать? Вы должны инструментовать "Искусство фуги"."

азываемое «Искус-
Баха — великолеп-
...— вызовет со вре-
ких и итальянских
ни смогут как сле-
я не говорю уже

нием Бах начал ра-
должил до 1750 го-
дение, когда тяже-
прекратить работу.
н провел в затем-
продолжал работу
последней страни-
рукопись, Филипп
а сделал пометку:
А.С.Н. вступает в
Однако, нам изве-
дение смерти, Бах
продиктовал ему
хоральную фан-
рала, назвав ее
е ныне»).

ет в 1751 году, но
30 экземпляров,
типографских
дать гравироваль-
Бах успел увидеть
ки. Вся остальная
ана его старшими
гом после смерти
после неокончен-
льная фантазия,
видимость закон-

и Бах «Искусство
еленных инстру-
описи нет на этот
уют также какие-
ческих оттенков.
ках инструменто-
юляется пианист
переложения

С пятой фуги начинаются ритмические вариации темы. Размеренно-спокойное движение ее становится энергичным и взволнованным:

Постепенно приемы контрапунктической техники усложняются. В шестой и седьмой фугах уже встречаются все виды изменений темы: увеличение, уменьшение, обращение. В разных голосах тема проходит одновременно целыми нотами, половинными, четвертями и восьмыми.

Кульминацией цикла являются 8—11 фуги, где основная тема изменяется подчас до неузнаваемости, появляется новый тематический материал, выдержанное противосложение, имеющее значение второй темы. Именно здесь мы встречаемся со всеми возможными элементами фуги — самой со-

...кгде две первые темы этой тройной фуги бесспорно являются вариациями основной темы «Искусства фуги», а включение совершенно новой темы, из нот которой состоит имя ВАСН:

указывает на то, что именно эта фуга является заключением всего произведения. Бах как бы поставил свою подпись.

Рукопись обрывается на 239 такте в момент, когда все три темы впервые соединились вместе. Окончание фуги, предложенное в данной редакции, представляет собой, в основном, выполнение технической задачи по плану, достаточно ясно обусловленному всем предыдущим развитием фуги.

РУДОЛЬФ БАРШАЙ

Я познакомился с работой Р.Б. Баршая, которую он прислал. Считаю окончание "Искусство фуги" И.С.Баха
Считаю эту работу великолепной, достойно завершающей это великое баховское произведение. Д.Шостакович

3 Мая 1371 года.

РИА Новости / Владимир Вяткин

Шостакович был
великий гений, которого
на родине не оценили.

Из архива ВМОМК имени М. И. Глинки

Когда я дирижировал его симфонии с хорошим оркестром, у меня всегда оставалось чувство, что я за один вечер прожил целую жизнь.

ПОНЕДЕЛЬНИК

6

октября
СЕЗОН
1969—1970 гг.

Московская государственная филармония

БОЛЬШОЙ ЗАЛ КОНСЕРВАТОРИИ

(ул. Герцена, 13)

ШОСТАКОВИЧ — Четырнадцатая симфония для сопрано, баса
и камерного оркестра (Первое исполнение)

ГАЙДН — Симфония № 49 («La passione»)

МОСКОВСКИЙ

КАМЕРНЫЙ ОРКЕСТР

Художественный руководитель и дирижер—

Рудольф БАРШАЙ

Солисты:

народная артистка СССР

Галина
ВИШНЕВСКАЯ

заслуженный артист РСФСР

Марк
РЕШЕТИН

Из архива ВМОМК имени М. И. Глинки

Это была Четырнадцатая симфония. Великая симфония о смерти на стихи Аполлинера, Лорки, Кюхельбекера и Рильке.

Звали ее Лена Раскова. Села, заиграла.
Я слушаю — все правильно. Просто
нечего поправить. Ну что же, Лена,
давайте поиграем с оркестром.

А потом у нас с ней возникла симпатия. Эта симпатия нас сближала, сближала… Я увидел в Лене человека, который меня возвращает к жизни.

Из архива ВМОМК имени М.И. Глинки

Даже если бы я уехал
только для того, чтобы
исполнять Локшина, это уже
было бы для меня, для моей
совести оправданно.

Из архива А. Локшина

Из архива А. Локшина

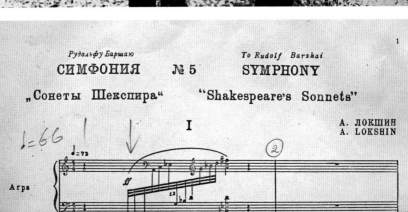

Рудольфу Баршаю   To Rudolf Barshai

СИМФОНИЯ № 5 SYMPHONY

„Сонеты Шекспира"   "Shakespeare's Sonnets"

I

А. ЛОКШИН
A. LOKSHIN

Arpa

Я уезжал не за благополучием. Мне хотелось сделать в музыке все, что я должен. Здесь я мог работать и мне не запрещали ничего играть. Если говорить по существу дела и очень серьезно, это было самым главным.

Хохаузер привез к себе домой, второй этаж был приготовлен для меня. "Тут, — говорит, — до тебя жил Славка".

Но чаще всех звонил Исаак Стерн. Кроме того, что он был всеми любимый прекрасный скрипач, он был еще как бы староста всех скрипачей мира, активист, многим людям помогавший.

РИА Новости / Всеволод Тарасевич

После смерти Жаклин Дю Пре ее виолончель работы Страдивари была названа в ее честь.

После концерта нас с Леной принял принц Чарльз... Принц показался мне очень славным человеком, с таким можно легко подружиться. Но дружить с королями... как-то неловко.

Саша-Такеши стал доктором. Хирургом.

Я полюбил в Японии одно печенье, и Момоко всегда следит, чтобы мне не забывали его привозить.

Вовка теперь Уолтер — он президент международной корпорации, которая выращивает сапфиры и изумруды. На фото: Володя с сыном и мамой.

Лева с детьми тоже в Америке. Он пошел по технической части, стал инженером.

Мартин и Бенджамин. Какие это ребята! Ой какие потрясающие! Старший — спортсмен, а младший — интеллектуал.

Первый концерт в Большом зале вышел прекрасным, у меня было чувство, что я встретился с той же самой публикой, которую оставил в семьдесят седьмом году. Но при этом я думал о людях, которых уже не могло быть в зале, хотя для меня они все-таки были.

Честно говоря, мне кажется, что если я в жизни сделал что-то важное, в чем я могу перед Богом ответить, то это две вещи: окончание "Искусства фуги" Баха и Десятой Малера… Я больше всего благодарен судьбе, благодарен Богу за то, что мне разрешили прикоснуться к этой великой музыке.

Gustav Mahler photographié par Moriz Nähr dans le Foyer de l'Opéra de Vienne (fin août 1907)

Говорили, что вдова Малера Альма будто бы просила Шостаковича посмотреть черновики Десятой и, если удастся, что-то оркестровать. Уверен, что это легенда — иначе Шостакович наверняка бы мне рассказал.

Я поступил легкомысленно, когда назначил наши съемки на это время. Но я подумал, что рассказать о прожитом, на русском языке, вспомнить людей, которым я обязан, — когда еще представится такая возможность? Мне кажется, я должен это сделать.

46

Приближалось столетие Ленина. Атмосфера в стране была отвратительная, безнадежная. Этот юбилей, видимо, спровоцировал подковерную борьбу чиновников под лозунгом "кто больший ленинец".

Однажды во время репетиции меня позвали к телефону. Звонил… один из главных руководителей Московской филармонии. Я не хочу его называть, потому что у него есть дети, внуки, теперь, вероятно, и правнуки. Может, он сам и не думал о том, как будет выглядеть в их глазах, а думал о том, как получше накормить и одеть их, — но все же я не назову его по имени. Позвонил он мне почему-то сам, не через секретаря, как обычно бывало. Сказал, что завтра собрание у российского министра культуры Кузнецова, "прошу вас присутствовать".

Там были все. Я не мог понять, что случилось. Шостакович, Хачатурян, Гилельс, Ростропович, Коган. Свиридов, ученик Шостаковича, прекрасный композитор, мы с ним сотрудничали и дружили, рыбачили вместе, мне говорит: "О таком оборонительном бастионе не приходилось мечтать даже Наполеону".

Но наш Наполеон, оказалось, подошел к своему Ватерлоо.

Появился министр Кузнецов, положил перед собой на стол пухлую папку и сказал, что на руководство Московской филармонии есть немало серьезных жалоб. "Позвольте, товарищи, я зачитаю некоторые".

И мутным потоком полилось то, о чем мы все хорошо знали. Он читал докладные о том, как наш Наполеон вымогал подарки, а фактически взятки. О том, как вынудил сотрудников филармонии подарить ему на день рождения дорогой телевизор. Письмо одного подполковника о том, как его жена едва унесла от начальника ноги — видимо хорошенькие. Письмо от певицы, "пожелавшей остаться неизвестной" и не пожелавшей подарить руководителю своей нежности. "Вот, товарищи, — сказал Кузнецов, — в этой папке — десятки писем. Достаточно или читать дальше?" — "Читайте!" — потребовали принципиальные товарищи. Он читал еще полчаса, потом объявили перерыв.

Зачем устраивались подобные собрания? Не только чтобы поставить на место зарвавшегося чиновника, который потерял осторожность и тем самым стал опасен другим, которые делают то же самое. Но еще и чтобы указать всем присутствующим их место и сделать их соучастниками. Для этой власти гораздо важнее было лишить людей совести, чем просто собственности, что они легко сделали в семнадцатом году. Вот именно чтобы все были соучастниками. Причем подобные собрания довольно часто кончались ничем: объявляли человеку выговор, но он оставался на своем месте и продолжал руководить людьми, которые имели неосторожность сказать ему в глаза все, что о нем думают.

После перерыва первым выступил Хачатурян. Он сказал, что критика, вероятно, небеспочвенна и наверняка сам провинившийся понимает, как подвел своих товарищей нарушением ленинских норм поведения. Но с другой стороны, благодаря ему филармония добилась больших успехов, он прекрасный руководитель, заботливый и чуткий. "А телевизор... на что тебе этот телевизор? Верни его, честное слово". Растроганный Наполеон хлопнул себя руками по коленям: "Согласен. Согласен! Ты совершенно прав, Арам Ильич. Верну".

Выступил Шостакович. Слушать подобные вещи, говорит, очень неприятно, очень. Но, знаете ли, если мы на одну чашу весов положим его ошибки, а на другую — добрые дела, то, знаете ли, неизвестно, какая чаша перевесит.

Мы поддержали товарища Шостаковича. Но были, конечно, и не только примирительные выступления. Кто-то пытался свести счеты, а кто-то, может, искренне не понимал настоящей сути таких собраний.

Наконец Кузнецов предоставил слово обвиняемому. Он тяжело встал, опустив голову. Этот солидный немолодой мужчина, прошедший жизнь, чиновник высокого ранга говорил как школьник в кабинете директора. Он сказал, что признает все без исключения обвинения. Что слова товарищей проникли ему в самое сердце и больше всего ему горько от того, что он подвел всех нас, доверявших ему. И что он, безусловно, заслуживает увольнения. Но в жизни страны и в его собственной жизни наступают главные и великие дни: столетие со дня рождения Владимира Ильича Ленина. И единственное, о чем он просит товарищей, чтобы ему разрешили оставаться на своем посту в это торжественное время. А потом он уйдет.

До слез.

— Какие будут мнения, товарищи? — спросил Кузнецов.

Само собой, начальник остался. Сначала с "испытательным сроком", а потом и дальше.

Но не все так глубоко понимали торжественность момента, как он, и, в частности, одна из наших ведущих балерин, замечательная Наталия Макарова, в год столетия великого Ленина предпочла не вернуться из заграничной поездки и осталась на Западе.

По этому поводу все мы снова встретились на собрании — на этот раз в Министерстве культуры СССР у Фурцевой. Были приглашены руководители творческих коллективов. Поскольку я тоже руководил коллективом, то и меня пригласили. Фурцева повела разговор добросердечно и благожелательно. Она вообще говорила ласково, по-матерински, я даже предполагаю, что специально училась ораторскому мастерству. "Вот, друзья мои, такой печальный эпизод — не вернулась балерина Макарова... Кстати: она уже получила народную?" Ей отвечают: нет еще, Екатерина Алексеевна. "Я же говорила, нужно ей дать народную, она бы тогда не осталась". Все с энтузиазмом закивали. Ну вот, значит, сказала, что очень сожалеет, и все тоже очень сожалели, качали головами. Потом продолжила: "И ведь знаете, она в результате живет очень бедно, впроголодь, потому что там предателей тоже не любят. Не имеет никаких ангажементов, очень мучается и нищенствует. Вот это я хотела вам рассказать, а сейчас, поскольку мы собрались в такой компании, давайте обменяемся. Чем ей было плохо у нас, что мешало — а может быть, кто мешал".

Что-то незапомнившееся сказал Светланов, Кондрашин промолчал, затем выступил руководитель грузинского ансамбля песни и пляски. Небольшого роста человек, он даже казался еще меньше от того, какая печаль охватила его. "Я, — говорит, — был бы плохим директором, если бы не воспользовался присутствием такого большого количества таких важных людей, которых мы все так уважаем, и не поделился с вами нашими бедами и нашими нуждами". — "Ну, давайте, хорошо". — "У ансамбля не хватает ичигов. Приходится танцевать в старых ичигах, но они совсем сморщились, и пятки у них прохудились. Я очень прошу, товарищи, учесть наши нужды и снабдить наш ансамбль новыми ичигами". Ичиги — это такие мягкие сапожки. Все покивали с сочувствием, а в глазах усмешка: молодец, мол, правильно использует ситуацию. Кто-то сказал: тут серьезный вопрос, а вы со своими ичигами... Но Фурцева пообещала помочь.

В это время бесшумно вошел высокий человек с огромным, перепоясанным портфелем в руках и, ничего никому не говоря, сел неподалеку от Фурцевой. Она как будто не обратила внимания. У него было смуглое и очень страшное лицо. Не просто строгое или свирепое — от него как будто исходила тьма. Увидишь такое лицо во сне — проснешься. Кто это, я не знал. Он положил портфель себе на колени и сидел, ни на кого не глядя, совершенно бесстрастно, как сфинкс.

Слово взял Игорь Моисеев. Гениальный танцмейстер, замечательный человек, я его обожал и уважал, все его уважали — создал такой изумительный ансамбль! Сол Юрок однажды про него сказал Фурцевой на своем одесском русском: "Госпожа министр, Моисеев — чистой воды бриллиант, его нужно заворачивать у папиросную бумагу". И вот Моисеев берет слово: "Вы знаете, Екатерина Алексеевна, мы все, конечно, очень переживаем и осуждаем поступок Макаровой, и я в том числе очень осуждаю. Не так давно и в нашем ансамбле случилось подобное: танцовщик остался за границей, в Мексике. И я все думаю: нет ли в этом отчасти и нашей вины? Даже моей личной вины?" Фурцева кивнула. Такие соображения они любили. Моисеев говорит: "Он дружил с парнем, который тоже у нас танцует, они на гастролях жили в одном номере. Так вот, этого парня потом затаскали: почему не предупредил, не сигнализировал заранее, почему не остановил? Он клянется, что понятия не имел, что его друг останется. Это искренний, светлый парень, патриот, я ему верю. Но он так запуган, что теперь — вот какая нелепость! — его самого отказываются выпускать на гастроли. Довели его до такого состояния, что боятся, чтобы и он не остался. Мне кажется, надо быть как-то бережнее. Да. И еще буквально два слова. Вы, Екатерина Алексеевна, сказали, что Макарова бедствует. Видите ли, это не совсем так. Я думаю, в нашем узком кругу имеет смысл смотреть правде в глаза. На Макарову как раз очень большой спрос, за ней гоняются ведущие труппы мира, чтобы она с ними выступала как солистка. Она много работает, колоссально известна на Западе, так что сказать, что она нищенствует, будет не совсем точно".

В этот момент человек с портфелем вдруг перебил Моисеева и сказал тихим замогильным голосом: "Как мы должны понимать ваши слова, товарищ Моисеев? Вы что, адвокатом к Макаровой подрядились?"

Моисеев стал красным как рак. Потом побледнел. Видимо, он знал, кто этот человек. Он смутился, заулыбался, залепетал: "Я просто подумал, что, может быть, нашему руководству полезно знать…" Человек его оборвал, хотя заседание вела Фурцева: "Хватит. Давайте, кто следующий".

Это был один из тех моментов, когда я ясно понял: жизни мне тут не будет. Теруко мне не простят никогда.

Прошло лет десять. Однажды за границей я получаю утренние газеты и вижу на всех первых полосах фотографию того человека. С подписью "новый генеральный секретарь компартии Советского Союза Юрий Андропов". Значит, в тот раз, когда я его видел, он был председателем КГБ.

47

Теруко стала все чаще говорить: "Хочу домой. Хочу домой". Ей было действительно невыносимо.

Мы решили, что они с Сашей улетят в Токио. Для меня это была трагедия. Мне больно рассказывать.

Теруко всю жизнь мечтала увидеть Италию. Я сказал: поезжайте сначала туда, из Москвы до Италии ближе, чем из Токио. Как японская гражданка она имела право это сделать — при условии, что потом не вернется в СССР.

Они улетели. Но обратный путь из Рима в Токио лежал через Москву. Я пошел к Фурцевой, попросил ее помочь мне войти в зал для пересадок в аэропорту. Мне разрешили, и я зашел, виделся с ними. Саша всегда обожал смотреть, как фотографируют, я понимал, как ему хочется самому, и принес ему, подарил фотоаппарат. В первом же письмишке из Японии он написал мне: "Спасибо за то, что ты подарил мне автопарат. Я теперь могу снимать и буду присылать тебе снимки, и мои, и мамы".

Что только я не делал, чтобы сохранить ему мою фамилию. Но в конце концов получил ответ от японского правительства, что по их законам это невозможно. Мальчик должен носить фамилию матери, оставаться японцем, а потом отслужить в японской армии. Саша стал Такеши.

Я впервые увидел его снова благодаря Рихтеру. Он такой друг, Рихтер, и такой товарищ, каких я не встречал на свете. Его пригласили на гастроли японцы. Он сказал: "Рудик, вы поедете со мной". Я говорю: "Меня не выпустят никогда в жизни, понимаете?" — "Посмотрим". И поставил японцам условие: сольные концерты дать могу, а симфонические — только с Баршаем. А потом в интервью сделал такое заявление: "Я играю только с двумя дирижерами — с Бриттеном и с Баршаем".

Японцы его убеждали: "Мы наймем вам любого дирижера, сколько бы ни стоило". — "Нет, только Баршай".

Вдруг меня срочно вызывают в Министерство культуры. "Вот вам бумажка, немедленно поезжайте в эту больницу, вам сделают прививки, и утром вы должны улететь в Токио".

Как выяснилось, Фурцева была в Японии в это время. К ней обратились товарищи из японской компартии: помогите. И в Москву пришла телеграмма-шифровка от Фурцевой: "Любыми средствами, путями, не позднее, там, послезавтра, Баршай чтобы был в Токио".

Смешно, да? Смешно. Но все-таки не только смешно.

Нина Львовна потом мне сказала: "Ну, Рудик, сами знаете, когда Слава чего-то по-настоящему захочет, он на все идет и обычно добивается своего".

Я прилетел в Токио, из аэропорта позвонил Теруко. Они с Сашей пришли на концерт, потом мы ушли вместе. Через некоторое время Теруко мне написала, что Саша после этой встречи сказал: "Я боялся, что уже стал забывать отца. А теперь вот его запомню. Теперь запомню".

Случилось так, что тогда же уехал из страны мой Володя. Его мама с новым мужем решили эмигрировать в Америку. Меня стали вызывать в инстанции, требовали, чтобы я не давал сыну разрешение на выезд. Я отвечал: вы хотите, чтобы я стал для него врагом на всю жизнь?

Володя рано стал самостоятельным, и внутренне самостоятельным. Однажды, когда пришла ему пора получать паспорт гражданина СССР, он написал в анкете: "еврей". Секретарша в милиции прочитала и говорит: "Ты что делаешь? У тебя же мама русская". Он ответил: "А я еврей". — "Что значит, "ты еврей"? У тебя русская мама, ты имеешь законное право написать, что ты русский". — "Но я чувствую себя евреем, понимаете?" Она говорит: "Нет. У меня не поворачивается рука подписать тебе такую анкету. Я не хочу тебе портить жизнь". Отложила на следующий день. На встречу пришел начальник милиции, и весь этот разговор повторился. Но Володя настоял. И начальник милиции сказал: "Ладно, не надо, если так чувствует — пусть".

Когда я Володю спрашивал, он мне отвечал то же самое: "Папа, я так чувствую". Поразительно. Для Володи обычаи, обряды еврейские — не пустой звук. Это вера его предков.

А через год уехал и Лева со своей семьей.

К этому времени я в жизни перестал участвовать. То есть ничего, кроме музыки, для меня не существовало. Меня ничто не трогало, не интересовало — ни природа, ни книги, ни женщины. Время от времени, если был свободный вечер, мы бродили с Сергеем Александровичем Мартинсоном, который очень тосковал по дочери и внуку, ужинали вместе, ездили в Архангельское, он рассказывал мне о своих шведских предках, о детстве в Петербурге, о Мейерхольде — своем учителе, замученном в НКВД.

Однажды пришел ко мне Рустем Габдуллин, потрясающий контрабасист, может быть — лучший в мире. Как сказал дирижер Нелло Санти, "никогда в жизни не мог понять две вещи: женскую логику и интонацию контрабасов". Так вот как раз у Рустема была идеальная интонация. Он говорит: "Я знаю, что вы ищете в оркестр клавесиниста. У меня есть кандидат. Только это женщина". — "Ну что же. Когда-то с нами прекрасно играла Таня Николаева. Приводите, послушаем". Он привел. Они одновременно учились в консерватории, Рустем на струнном факультете, она на фортепианном, а позже — по классу органа. Звали ее Лена Раскова. Пришла в таком строгом костюмчике, чем-то напоминавшем военную форму. Которая ей очень шла. Познакомились. Села, заиграла. Я слушаю — все правильно. Просто нечего поправить. Ну что же, Лена, давайте поиграем с оркестром.

На репетиции она вдруг поднимает руку: "Можно спросить?" — "Давайте". — "Если вот в этом месте я сыграю другой аккорд, чем написан в партии?" — "Какой?" Она показала. Отлично!

К концу репетиции все поняли, что эта Лена — то, что нам надо. И стали работать вместе.

А потом у нас с ней возникла симпатия. Просто симпатия, ничего другого. Эта симпатия нас сближала, сближала... Лена помогала мне готовить симфонию Шуберта, которую я должен был исполнять с БСО: мы встречались у нее дома, она играла на пианино, а я дирижировал. Всю жизнь беззаветно люблю Шуберта. Он гений из гениев, и я не сомневаюсь, что из него вышел бы Малер. Если бы Шуберт прожил еще полвека, он стал бы Малером. Надо сказать, Локшин горячо поддерживал эту мою мысль.

Я увидел в Лене человека, который меня возвращает к жизни. Так к ней привязался — не могу передать. Всегда на репетициях поднимет руку и какое-нибудь предложение внесет. И всегда очень к месту. И так вот сначала симпатия, а потом больше чем симпатия, потом дело кончилось любовью. Через тридцать лет, когда я приехал сыграть в России Малера и Торжественную мессу Бетховена, Рустем Габдуллин работал в БСО. В перерыве репетиции я подошел к нему и сказал: "Рустем, я буду вам всю жизнь благодарен за встречу с Леной".

За границу меня иногда выпускали, но всегда с затруднениями, всякий раз только под личное поручительство Фурцевой и только с моим Камерным. А между тем меня стали приглашать дирижировать другими оркестрами.

Получаю предложение дирижировать в Лондоне Лондонским симфоническим. Не пускают. Прилетает Виктор Хохаузер. Узнает, что я на репетиции в Большом зале, мчится туда, смотрит на меня удивленными глазами и говорит: "Так ты же здоров как бык!" Я удивился: "Почему бы нет?" — "Рудольф, одевайся скорее, поехали в британское посольство, поставим визу, в Лондоне ждут тебя, билеты проданы". Я говорю: "Не могу, мне выездной визы не дают".

Он едет в министерство, к заму Фурцевой: "Что же вы со мной делаете, горит наша фирма там, все билеты проданы, а он не приезжает". А ему отвечает этот зам: "Нет, знаете, он болен, он не может никак". — "Ну как болен, я только что видел его на репетиции в Большом зале, только что говорил с ним. Ничего не болен!" А ему так с намеком, многозначительно — это мне сам Хохаузер потом пересказывал: "Нам лучше знать. Он болен". В смысле, что с головой у меня не все в порядке. Или что-нибудь еще ужасное.

Зовут дирижировать оркестром Караяна, Берлинер Филармоникер, сам Караян приглашает. Нет, Баршай не сможет.

Приглашают на фестиваль в Люцерн. Договариваемся о программе, я должен дирижировать Первую симфонию

Бетховена с, кажется, Лондонским оркестром. Договорились. Потом — стоп. Не выпускают. "Баршай очень занят".

Мне говорит замминистра: "Ну не пускают за границу. Тоже мне, беда. Вот если бы вас не пускали с гастролями на Урал или в Сибирь — было б на что обижаться. Подумаешь, Англия".

Записываем Первую и Вторую Бетховена — там небольшой состав инструментов — с нашим оркестром на "Мелодии". Тут же несколько иностранных фирм купили эту запись. Ее услышал Питер Эндрю из *EMI* и звонит мне: "Мы должны записать вместе ВСЕ симфонии Бетховена!" — "Отличная идея. Где будем работать?" — "Конечно в Лондоне". Он обращается в наше Министерство культуры. Вызывают меня: "Вы действительно готовы записать все симфонии Бетховена?" — "Думаю, да". — "Отлично. Вот дома и записывайте. Создадим все условия. Камерного состава не хватит — зовите любых музыкантов из любых оркестров. Нечего дарить такую прекрасную идею иностранной фирме". Украли у Питера Эндрю замысел. Я поневоле стал соучастником, но отказаться не мог: непатриотично.

Записали восемь из девяти симфоний Бетховена. Чтобы увеличить состав до симфонического, позвали лучших музыкантов из БСО и Госоркестра, я к тому времени не раз дирижировал ими и всех там хорошо знал. Иностранные фирмы стали вовсю покупать наш бетховенский цикл у "Мелодии". Ждут Девятую. А в ней, как известно, поет хор, и я категорически против, чтобы это был русский хор. Не хочу, чтобы иностранцы смеялись, как я сам, когда однажды слушал, как немцы пели "Онегина" на русском. Хор должен быть немецким. Хорошо, говорит "Мелодия", тогда пусть немцы, которым так хочется иметь весь комплект симфоний, обеспечат хор. Фирма "Евродиск" не возражает, она договаривается со Штутгартским хором. Само собой, для записи мы с оркестром должны прилететь в Германию. Чтобы не оплачивать дополнительных музыкантов из других советских оркестров, "Евродиск" предлагает немецких. Все согласны. И тут встает последний вопрос: кто будет владельцем записи? "Мелодия" говорит: само собой, мы. "Евродиск" удивляется: хор — немецкий, половина музыкантов — немецкие, звуковики — из Германии, запись делается в Германии: при чем тут "Мелодия"? Ответ простой: так или никак. Потрясенные немцы умолкают на несколько месяцев, потом приходит телекс о капитуляции: согласны работать на паритетных условиях, пятьдесят на пятьдесят. Фирма "Мелодия" отвечает: нет.

Так что в бетховенском комплекте — восемь симфоний. Девятую мы не записали.

Играть здесь музыку, которую я считал нужным, по-прежнему было нельзя. Мы, говорят, не хотим, чтобы играли музыку, которая народу непонятна. Доходило до смешного. "Вот ты, Баршай, мастер инструментовки такой признанный. Ну почему же ты делаешь обработку Прокофьева и Шостаковича, а почему не возьмешь, например, солдатские песни Книппера? Попробуй. Вот тебе будет репертуар, играй себе, сколько хочешь. Современный репертуар, да еще советский".

И я подумал: хватит.

48

Я подал заявление на временное пребывание за границей: год или два хотел бы поработать за рубежом, набраться нового опыта. Лена помогала мне писать. Я почти не сомневался, что получу отказ, был готов. Через некоторое время меня вызвал заместитель Фурцевой. "У нас, — сказал, — уже есть подобный опыт". Он имел в виду Ростроповича, который уехал временно — а его к тому времени тут уже довели чуть не до самоубийства — и не вернулся, стал за границей "порочить звание советского гражданина". Потом, как известно, его лишили гражданства.

— Ну что же. Тогда мне ничего не остается, как подать заявление на выезд в Израиль.

Он вспыхнул и быстро-быстро приложил палец к губам, глазами показал на потолок. То есть чтобы я тут такого не говорил: микрофоны.

— Я этого не хочу, — сказал я громко. — Но вы меня вынуждаете эмигрировать.

Уехать из СССР разрешалось только в Израиль — других путей не существовало. Люди всеми правдами, а иногда неправдами отыскивали у себя еврейские корни. Ходило такое выражение: "еврейская жена — не роскошь, а средство передвижения". Или, скажем, был анекдот: на завод приезжает американская делегация, им хотят продемонстрировать, как дружно трудятся вместе советские люди всех национальностей. Но евреев на заводе нет. Вызывают в райком старого рабочего: "Иван Кузьмич, такое дело. Выпишем тебе паспорт на фамилию Рабинович. Встретишься с американцами, расскажешь, как хорошо тебе живется". Надо — значит надо. Выписали ему паспорт. Приехали американцы. "А как живется вам, мистер Рабинович?" — "Как у Христа за пазухой". Американцы уехали. Его снова вызывают в партком, благодарят за помощь, не волнуйся, говорят, вернем тебе завтра твой паспорт. "Да что вы, ребята, не надо, — говорит Иван Кузьмич, — я уже на выезд подал".

О том, что я подал заявление на выезд, в тот же день сообщили "Немецкая волна" и "Голос Америки". Это значило, что в тот же вечер об этом знали все — потому что "вражеские голоса" слушали все. Приятель позвонил жене с рыбалки: "Слышала — Баршай уезжает". На рыбалке, вдали от города, "голоса" были даже лучше слышны: там не глушили.

А уже на другое утро кто-то, увидев меня в конце коридора, повернулся и пошел в обратную сторону. Кто-то неожиданно сухо и коротко разговаривал со мной по телефону, потом не перезвонил никогда. Третий не ответил на приветствие. Еще один перешел на другую сторону улицы. Я предвидел, что так будет. И, как ни горько, не виню этих людей. Страх — величайшая беда. Дерзкий побег из тюрьмы становится тюремным фольклором, преступники восхищаются собратом, который сумел вырваться, но беглых рабов, беглых крепостных свои никогда не любили.

Но были и другие — и вот подобного, должен признаться, я не ждал. Были люди не очень-то и близкие, которые подходили ко мне и с теплотой, симпатией жали руку. Ни слова не говоря. Ну, конечно, отводили сначала в укромный угол. А другие даже на улице заключали в объятья, говорили: "Поздравляю с таким важным решением. Желаю, чтобы там все было хорошо — да и не сомневаюсь в этом".

Саша Дедюхин, аккомпаниатор Ростроповича, он и со мной не раз играл, встретил меня на углу Герцена и Садовой.

— Здравствуй, Шура. Что ты?

— Да, здравствуй. Вот, хочу с тобой попрощаться, пожелать тебе счастья.

— Спасибо.

— Ну, что сказать? — Тут он как-то по-старорежимному шаркнул ногой (а он был из хорошего старинного рода): — Жалею, что я не еврей.

И обнял меня Шурка. Я говорю:

— Слушай... Уеду и никогда не узнаю, а всю жизнь хотел тебя спросить: правда у тебя был тот случай?

Он посмотрел на меня удивленно, потом хмыкнул:

— Со Сталиным? Чистая правда.

Это я вам должен рассказать. Сталин любил устраивать в Кремле роскошные приемы. В огромном зале ломились столы, гости закусывали, беседовали, а на эстраде перед ними в это время шел концерт. Вызывали туда Эйзена, Лемешева, самых именитых из Большого театра, иногда могли и Лепешинскую пригласить потанцевать. А потом, после приема, накрывали ужин для артистов, и Сталин сам присаживался с ними, ненадолго, с краю стола, чтобы потом уйти. У Сталина было любимое блюдо — холодец. Все повара это знали. Он обожал холодец. Выпьет обычно водочки, так, чуть-чуть, с наперсток, а потом ест холодец. Когда артистов посадили за стол, Сталина еще не было. Шура как аккомпаниатор, гость, так сказать, второстепенный, оказался с краю. Рядом с ним пустой стул. Сидят, ждут. Сидеть скучно. Дедюхин, недолго думая, взял большую ложку и положил себе холодца. Он тоже любил холодец. Налег на холодец. Пришел Сталин. Все встали, поаплодировали, по его знаку сели снова. Он — прямо рядом с Дедюхиным. Официанты стоят поодаль. Товарищ Сталин тянется к блюду, хочет взять холодца и видит, что бо́льшую часть съел Шура. Сталин переводит взгляд с его тарелки на самого Дедюхина и говорит: "А ты подлец".

Наступает гробовая тишина. Все застывают с вилками прямо во рту. Сцена из "Ревизора". Гости уже видят себя в местах не столько отдаленных — как товарищи и коллеги подлеца. Но Шура Дедюхин — человек исключительной доброты и невероятной наивности. Он, продолжая жевать холодец, спрашивает: "Почему так думаете, Иосиф Виссарионович?" Иосиф Виссарионович подцепляет вилкой оставшийся кусок холодца с блюда, кладет себе в рот и говорит: "А так, на всякий случай". И смеется. Ну, тут все тоже начинают смеяться и с большим чувством принимаются за еду.

— Да, — Шура мне говорит, — так все и было.

К слову сказать, и я однажды был на таком кремлевском приеме и тоже видел товарища Сталина вблизи. Он оказался очень маленьким. На удивление. Я его помню маленьким.

А на приеме у Хрущева нас после выступления держали в специальной комнате, к гостям велели выйти мне одному. Чувство было поганое. Поздоровался там, с кем полагалось, и скорее пошел обратно к ребятам. Вдруг вижу — сидит важный человек из Госконцерта, знакомый. Карьеру сделал тем, что объявлял номера на этих сталинских приемах — он гениально запоминал все звания, названия, фамилии. Стал замначальника Госконцерта. Он тоже увидел меня, встал из-за стола, направился ко мне. И тут какой-то гэбэшник жестким голосом его окликнул: "Балакшеев, назад". Тот замер на полушаге и покорно сел за стол. Мне показали жестом: проходите. Я вернулся к музыкантам. Следом человек в штатском: "Товарищи музыканты, тут такое дело: вина не будет, а перекусить можно". Но все стали благодарить, отказываться и попросили, чтобы нас отпустили домой.

У Лены бумаг на совместный выезд не приняли: по документам она не была мне женой. Дома у Бори Грушина, нашего друга, философа и социолога, собралось совещание. Пришли его друзья, умные люди, опытные, в том числе писатель Александр Зиновьев, который уже был в глубокой опале за свои сочинения. Решили, что я должен уехать один и уже оттуда бороться за приезд Лены. Расписываться с ней ни в коем случае нельзя. Главным доводом была история, которая тогда только что случилась с танцовщиком Валерием Пановым, солистом Кировского балета в Ленинграде. Тем Пановым, про которого Стравинский, когда увидел его в "Петрушке", сказал: гений. Панова два года мучили, лишили всякой работы и доходов, но не выпускали в Израиль, объясняя это тем, что он женатый человек, а жена не может ехать с ним, потому что ее мать против. А мать была несчастная больная женщина, которую запугали, довели до того, что она не подписывала разрешение дочери на выезд. Ленина мама была очень немолода, мы боялись, что на нее обрушится такой же кошмар, пытки фактически. Решили, что я уеду один.

49

Оркестру предстояло большое турне по Болгарии, Германии и Австрии с "Искусством фуги" и другими произведениями Баха, с Моцартом и концертом Генделя, который должен был исполнять Башмет. Я понимал, что меня могут не выпустить, и, особо ничего не объясняя, стал готовить оркестр, чтобы они могли играть без дирижера. Женя Смирнов должен был вести, а концертмейстеры — отвечать за свои группы инструментов. Надо сказать, получалось у ребят превосходно, я тогда подумал, что они без меня не пропадут.

Поздно вечером накануне отъезда мне позвонил директор оркестра: пришел приказ, оркестр едет без дирижера.

Одновременно он обзвонил музыкантов и попросил утром не ехать прямо в аэропорт, а собраться сначала у филармонии — туда подадут автобус. Ребята приехали, разместили в автобусе вещи. Тут их попросили зайти в здание, подняться в зал заседаний. Через некоторое время вошел российский министр культуры со свитой, разные чиновники, кагэбэшники. Музыкантам объявили, что принято решение: оркестр едет на гастроли без дирижера. "Не сомневаемся, друзья, что вы, высокопрофессиональный коллектив, оправдаете возложенное доверие".

Спустя много лет мне рассказывал кое-кто из музыкантов, какие чувства они испытали тогда. У каждого семья, дети, родители. Все зависят от места работы, они не солисты, оркестровые музыканты. Никто не посмел возразить. Сели в автобус, поехали, полетели, сыграли гастроли.

В тот же день об этой истории узнал Рихтер. Он позвонил своей знакомой за границу и попросил ее послать телеграмму в Музикферайн, в Вену: "Если вы примете оркестр Баршая без Баршая, я никогда больше не буду выступать в Вене".

Он действительно выступил там в следующий раз за два года до своей смерти. Дирижировал я.

Вас, возможно, удивит, почему Рихтер не мог послать подобную телеграмму из Москвы сам. Отвечу случаем из моей жизни. Однажды после наших гастролей на Филиппинах я получил на новый год поздравительную телеграмму от президентской семьи Маркосов. А мы с Имельдой Маркос мило там пообщались, она разбиралась в музыке, создавала музыкальные школы, хотела оживить музыкальную жизнь на Филиппинах. Само собой, получив поздравление, я пошел на телеграф и отправил ответ. На другой день меня вызывают. Это слово в СССР было всем понятно, не надо было добавлять куда. "Мы знаем, — говорят, — что вы отправили телеграмму генералу Маркосу". — "Отправил, тут никакого секрета". — "На первый раз простим. Но впредь имейте в виду: за переписку с этими адресатами отвечает в нашей стране товарищ Брежнев".

Вернулись мои ребята с гастролей, пришли на репетицию. Мы встретились как ни в чем не бывало, продолжили работать.

Меня вызывали в разные инстанции, таскали по парткомам и партсобраниям, пытались заставить переменить решение. Совестили, запугивали, обещали звания. Я знал по опыту, что если дрогну — уничтожат.

Наконец оркестру велели устроить собрание и осудить меня. Отказаться музыканты не могли — они подневольные.

Проводилось собрание в репетиционном зале ансамбля народных инструментов. Начал директор оркестра Шпаковский. Хороший, в общем, дядька, фронтовик. Сейчас его уже нет на свете. "Мы, — говорит, — собрались, чтобы обсудить ваш поступок, Рудольф Борисович, ваше решение уехать из страны, покинуть нас. Как же так? Почему вы хотите уехать, зачем? Может, все обсудим и вы передумаете?"

Встает Женя Непало, гобоист, партийный такой товарищ. Однажды прямо накануне гастролей он по пьяному делу ввязался в драку и получил пятнадцать суток. Я его отстоял, взял на поруки, клялся, что за рубежом он будет пить только минеральную воду под моим личным присмотром. Выпустили. Женя говорит: "Да что обсуждать. Решение принято. Это — отрезанный ломоть, не надо человека мучить".

Миша Богуславский выступает, с которым мы когда-то списки будущего оркестра составляли. "Ну, я, — говорит, — не могу ничего плохого сказать в адрес Рудольфа Борисовича, он прекрасно нами руководил. До сих пор все было замечательно. Но в последнее время начались вещи, которые не всем нам нравились. Он стал играть с нами симфоническую музыку, а именно симфонии Бетховена. Да, записи получились удачные, и Дмитрий Дмитриевич даже сказал, что такого Бетховена мы не слышали со времен Клемперера. Не спорю, играли мы не без удовольствия, Бетховен есть Бетховен. Но все-таки я камерный музыкант и считаю, что Московский камерный должен сосредоточиться на камерной музыке". Ребята поняли, какой это умный ход, и тоже стали меня укорять за увлечение симфонической музыкой. Но уловка не прошла. Один альтист, который сравнительно недавно был в оркестре, возмутился: "О чем вы говорите, товарищи? О какой камерной музыке вы говорите? При чем тут камерная музыка? Человек изменяет родине, покидает страну, а вы — камерная музыка, камерная музыка. С тех пор как Рудольф Борисович решил продаться американско-еврейским сионистам, я не могу спокойно спать". Тут кто-то из ребят говорит: "Я тоже". Потом второй: "И я вообще не сплю". Понятно, что издеваются, но не прицепишься же: лица серьезные. Альтист этот: "Зачем вы едете туда, где убивают наших палестинских братьев?" Отговорил, сел. Продолжения не было — его никто не поддержал. И собрание увяло. Оно и с самого начала было несерьезным, игрушечным, особенно после того, как кто-то помянул недавнюю историю с Трубашником, и все стали в голос смеяться. Семен Трубашник, замечательный гобоист из оркестра филармонии, решил уехать. Он был членом партии. Созвали партсобрание, чтобы его хорошенько измордовать. Спросили Трубашника: "Ну и что же ты там будешь делать? Вот ты приедешь в Израиль — что ты будешь делать?" Этот умница ответил: "Я вступлю там в коммунистическую партию". И все. Испортил удовольствие. Едет человек поддержать израильскую компартию...

Тогда, надо сказать, многие поехали поддержать израильскую компартию.

Потом у меня отобрали мой прекрасный альт Страдивари из госколлекции.

Шостакович был уже очень болен. И вдруг однажды — звонок.

— Рудольф Борисович, вы еще играете на альте?

Меня как молнией ударило. Я понял, в чем дело. Но я не мог его обманывать.

— К сожалению, Дмитрий Дмитриевич, нет.

Он помолчал-помолчал, потом говорит:

— А вы совершенно правы, знаете. Вам нужно больше и больше дирижировать. Это ваша задача. Дирижировать надо.

Какая же щедрая душа была у него, если я вот фактически отказал ему, а он не только не обиделся, но нашел для меня такие слова. Я воспринял их как его благословение. Но… великая альтовая соната, его последнее сочинение, посвящена не мне, а Федору Дружинину, который первым ее исполнил.

Случилось так, что я слышал потом своего Страдивари в чужих руках. Его голос, который долгие годы был моим собственным голосом, совершенно переменился. Он потух. Эти инструменты — живые. Они невероятно чувствительны. Добиться их согласия можно только высокой техникой — давления они не выносят. Только тот, кому удается получить, а не выжать звук, услышит голос неземной красоты и силы. Но когда душу такого инструмента порабощают, он умолкает, звук делается плоский, металлический.

Скоро Шостаковича не стало. Хоронили мы его, потом поехали на поминки в Жуковку. Все были, конечно, —

Мравинский, Кондрашин, Рождественский. Мравинский вдруг предложил тост за меня. Я был тронут и растерян. А Максим, сын Д. Д., говорит: "Знаешь, Рудик, папа тебя очень любил". Выпили, я вышел на крыльцо. А там уже Вайнберг стоит, тоже вышел. Стоим рядом, молчим. Он мне говорит: "Закончилась великая эпоха в музыке".

И в музыке, и в моей жизни. С тех пор я всегда чувствовал отсутствие Шостаковича.

Я думаю, он был великий гений, которого на родине не оценили.

Когда-то пришел ко мне в гости, еще с первой своей женой, Ниной Васильевной. А теща, мама Ани Мартинсон, знала, что он обожает пельмени. Может съесть штук сто. Весь день она лепила эти пельмени, и когда Д. Д. сел за стол, поставила перед ним кастрюлю. Он открыл крышку... И такое лицо сделал... Потом говорит: "Я думал, нас звали на интеллектуальную беседу, а оказывается, мы приглашены на *essen*-фестиваль!"

50

Зимой семьдесят седьмого года я получил разрешение на выезд.

Требовалось заплатить тысячу рублей за лишение меня гражданства.

В ОВИРе женщина, которую я запомнил навсегда, забрала мой паспорт и, с большой скорбью глядя на него и большой укоризной на меня, ножницами разрезала на мелкие кусочки. Советский паспорт. Потом дала мне бумагу, на которой было написано "Выездная виза", и сказала: "Но имейте в виду: вы больше никогда не увидите ни своих родственников, ни друзей, ни знакомых — мы никого не выпустим навестить вас, а вас никогда-никогда не пустим обратно". Я ответил: "Надеюсь, вы ошибаетесь, мадам Ибрагимова".

Незадолго до этого мы сыграли в Большом зале прощальный концерт. Первая сюита Баха, Бранденбургский концерт и тройная фуга из "Искусства фуги" в моей обработке. Нигде, само собой, не было указано, что он последний, но все знали. Пришло очень много людей, друзей — и всем известных, Аркадий Райкин был, помню, Игорь

Моисеев, — и тех, кто оставались для меня безымянными, но были дорогими друзьями нашего оркестра все эти годы. Когда я вышел на эстраду и взмахнул палочкой, весь Большой зал залился звуком кристальной чистоты и колоссальной мощности. Так они заиграли, ребята мои, так они заиграли. Этот невероятный до мажор до сих пор стоит у меня ушах.

Уезжать было тяжело. Я оставлял друзей. Устроил прощальный вечер, как все люди уезжавшие, конечно. Пришел Локшин. Прощаться с ним мне было больнее всего. И мы отодвигали, откладывали момент... Он молчал, курил. Недолго сидел. А когда уходил, сказал: "Ну, вы понимаете, Рудик, что мы больше никогда не увидимся?" Я ему сказал: "Нет, этого я не понимаю. И думаю, что вы неправы. Увидимся".

Прощальный вечер продолжался до утра. Двери квартиры не закрывались. Люди приходили, уходили, оставались. Наутро несколько человек вызвались сопровождать нас с Леной в аэропорт. А когда мы добрались, там уже ждали несколько музыкантов из Камерного оркестра. Несмотря на лютый мороз, приехали меня проводить. Это был смелый поступок. Приехали даже люди, с которыми у нас были довольно натянутые отношения. Но... это было, в каком-то смысле, как похороны. Прощание навсегда.

Я пошел на досмотр. Таможенники захотели прослушать кассеты, которые я вез с собой. Аэропорт тогда был устроен так, что до последнего момента вы с провожающими видели друг друга. И пока я ждал на таможне, я видел, что провожающие не уходят, а стоят и смотрят на меня. Наконец таможенник поставил штамп, я махнул ребятам рукой и пошел на вылет.

51

Чтобы занять голову в пути, я захватил письмо, которое передал мне незнакомый человек — письмо от дирижера Большого театра Бориса Эммануиловича Хайкина. Мы были знакомы, я знал его как замечательного дирижера и остроумного человека, шутки которого передавались из уст в уста — преимущественно вполголоса. Однажды гэбэшник — "сопровождающий" — пришел перед спектаклем и попросил Хайкина посадить его. Хайкин ответил: "Нет, дорогой мой, сажать — ваше дело, а я вам лучше контрамарочку выпишу". Настройщика в Большом звали Владимир Ильич. Когда рояль бывал расстроен, Хайкин кричал ему через всю сцену: "Владимир Ильич, строй никуда не годится!" Мы никогда не были близкими друзьями, просто знакомые, но вдруг мне передают от него письмо."Дорогой Рудольф Борисович, — он пишет, — хочу пожелать вам счастья, и это письмо — мой вам прощальный подарок. Речь пойдет о Девятой симфонии Бетховена. Знаю по опыту, что вторая тема адажио бывает очень проблематична для дирижера. Мне признавались коллеги, и весьма солидные мастера в том числе, что когда подходит эта медленная часть, они не могут решить точно — дирижировать на три или на шесть. Так вот: первая тема, божественная, должна дирижироваться не на восемь, как делают, а на четыре, тогда будет ровное движение, потому что на восемь получаются немножко раздробленные фразы. Но когда начинается вторая тема с ее вальсообразным движением, дирижировать по долям на три не стоит, а надо перейти на шесть — будет легче." Дальше он писал о каждой вариации. Вот в такой-то обязательно нужно специально показать контрабасом последние две восьмые. Контрабасы в этом нуждаются. Потому что обычно думают: ну, они сыграют вместе с виолончелями, нет проблемы. А проблема есть. Потом в самом конце не нужно переходить на дробление, как обычно делают, а стараться его избегать, тогда это получается очень спокойно и величественно. В таком роде, чисто техническое письмо.

Вена была пересадочным пунктом. Те, кто добросовестно ехал на землю своих предков, шли, не задумываясь, в израильский сектор аэропорта и поступали в распоряжение израильских чиновников и раввинов.

Я ехал куда-нибудь, где смогу свободно заниматься музыкой, — но никаких определенных договоренностей у меня не было. Незадолго до отъезда из России ко мне домой пришел человек, одетый в импозантную униформу, в красивой фуражке. Я, говорит, шофер его превосходительства посла Великобритании, привез от него записку. Посол писал: "Мы знаем из передач Би-би-си, что Вы уезжаете и уже получили визу. Хочу поставить Вас в известность, что мы были бы рады принять Вас на земле Великобритании. Когда прибудете в Вену, можете прямо из аэропорта пойти в наше посольство". И добрые пожелания. Я был очень тронут. Вспомнил, как впервые побывал в британском посольстве на приеме по случаю дня рождения королевы. Мы стояли и разговаривали с Ростроповичем и вдруг увидели, что идет по залу группа людей, а в центре — посол и кто-то очень знакомый. То ли артист популярный, то ли... Ростропович говорит: "Рудик, да это же Хрущев".

Группа подошла к нам, посол поприветствовал — а Хрущев смотрит мимо. Такой невысокий дядька, ростом с пятиклассника. Посол ему говорит: "Эти музыканты пользуются у нас очень большим успехом". Хрущев молча на нас смотрит. На лице никакого выражения. Мы, конечно, смутились, ситуация неловкая, что делать? Но Славка нашелся, наклонился к нему: "Никита Сергеевич, мы — свои. Мы советские музыканты!" Хрущев засиял, расхохотался во весь голос и закричал, как будто мы на другом на краю поля стоим: "Здоро́во, здоро́во!" И стал нас хлопать по локтям и руки нам пожимать.

Я решил, что раз уж оказался в Европе, надо воспользоваться приглашением посла, поехать в Англию и посмотреть, как быть дальше.

Но едва я вошел в здание аэропорта, на меня кто-то бросился с объятьями. Оказалось, мой старинный друг, замечательный пианист Артур Морейра Лима. Бразилец, учился в Московской консерватории, играл с нашим оркестром на конкурсе Чайковского, а потом уехал с женой, которая работала в бразильском посольстве, в Вену. Ее туда перевели, и Артур уехал с ней. Оказывается, Артур слушал Би-би-си, узнал, что я прилетаю, и примчался в аэропорт. "Ты куда, — говорит, — собрался?" Я говорю, вот так и так... "Нет, ты сейчас едешь к нам. А там будем решать, куда дальше. И никаких разговоров! Жена будет очень обижена, если откажешься. Тебе все приготовлено, тебя ждет отдельная комната с удобствами, с ванной и все такое…"

Посадил меня в машину и увез. Жили они почти в пригороде Вены, возле чудесного леса, который я хорошо знал по самому длинному вальсу Штрауса.

На другой день Артур отвез меня в английское посольство. Вхожу в офис — женщина мне улыбается, говорит: "Добро пожаловать, мистер Баршай". — "Откуда вы меня знаете?" — "По фотографиям". — "Ага… Очень приятно. Здравствуйте!" — "Через четыре часа есть рейс в Лондон. Давайте паспорт, я поставлю вам визу". Я говорю: "Превосходно. Но у меня паспорта нет". — "Не страшно, поезжайте за ним и возвращайтесь, я буду вас ждать". — "Дело в том, что у меня вообще его нет". — "Как вообще?" — "Вот так". — "Но людей без паспорта не бывает…" — "Представьте себе".

Дал ей бумажку с надписью "Выездная виза". Она посмотрела изумленно, потом говорит: "Но… я не могу поставить визу Великобритании на какую-то бумажку. Пожалуйста, простите. Вам, вероятно, придется подождать какое-то время. У вас есть где остановиться в Вене?" — "Да, у меня тут друзья". — "Я сегодня же пошлю запрос в Лондон, в Форин-офис. Извините, мистер Баршай".

Я остался в Вене, у друзей, в каком-то солнечном, тихом чистилище. Уходил утром и гулял по городу, бродил по улицам, сидел в парках, ходил на концерты, в оперный театр, немало послушал опер в хорошем исполнении. А когда возвращался, жена Артура или, если она была на службе, то их работница вручала мне список: кто звонил сегодня. Звонили, удивительным образом, многие. Звонили европейские менеджеры, прикидывали, можем ли мы посотрудничать. Немецкий импресарио предложил мне возглавить Штутгартский оркестр. Но чаще всех звонил Исаак Стерн.

Кроме того, что он был всеми любимый прекрасный скрипач, он был еще как бы староста всех скрипачей мира, активист, многим людям помогавший. Стерн очень хотел, чтобы я ехал в Израиль, он был большим другом Израиля. Потом позвонили от Голды Меир. Мне стало неловко: ведь мне удалось уехать только благодаря Израилю, и если им действительно важно, чтобы я приехал, я не смею отказываться. А затем позвонила министр культуры Израиля. "Мы вас очень ждем. Мы просим принять руководство нашим Камерным оркестром". Я поблагодарил и сказал, что безусловно согласен. Только прежде должен заехать в Лондон: министерство иностранных дел все-таки разрешило мне лететь с моей странной бумажкой.

Немецкий импресарио с уважением отнесся к моему решению, сказал: ладно, мы еще вернемся к нашим переговорам, вы можете просто работать со Штутгартским оркестром, не становясь шеф-дирижером.

Я прилетел в Лондон, в аэропорт Хитроу. "Паспорт", — попросил пограничник. "Нету". — "Как это?" — "Вот так и так". — "Людей без паспорта не бывает". — "Увы". Английский у меня был тогда еще неважный, я объяснял, как мог. Пограничник не понимал. Позвонил куда-то, пришел старший офицер. Выслушал меня. "Ага, — говорит, — понял. Вы хотите сказать, что лишены гражданства". — "Так точно, сэр". — "Но как это может быть?" — "В стране чудес и не такое бывает". Он засмеялся. Потом крепко задумался и спросил: "Мистер Баршай, позвольте тогда спросить вас: надолго ли вы приехали в Англию? Когда собираетесь обратно?" — "Никогда", — ответил я. Он широко улыбнулся, козырнул мне и говорит: *Very welcome to Britain, sir*!

Я вышел в зал — навстречу Виктор Хохаузер. Привез к себе домой, второй этаж был приготовлен для меня: две комнаты, красиво обставленные, ванная, кухня. "Тут, — говорит, — до тебя жил Славка". Кухней пользоваться не пришлось: Хохаузер повел меня в итальянский ресторан и сказал: "Для тебя здесь открыт кредит. Можешь приходить когда захочешь, тебе все бесплатно". Я был тронут. Вскоре мне открылись некоторые оттенки: я оценил не только теплоту и щедрость, но и разумность такого приема. Приехал поговорить со мной из Цюриха директор оркестра Тонхалле. Я встретил его в этой красивой квартире, потом отвел в ресторан — и увидел, что он впечатлен моим, так сказать, положением здесь, видит, что имеет дело с "серьезным человеком", как сказал однажды скрипач из кондрашинского оркестра, когда я репетировал с ними Четвертую Бетховена. Я несколько раз просил повторить какое-то место, а музыканты заропотали: "Зачем повторять, если уже получилось вместе?" Я говорю: "Вместе — не единственная наша задача". И тогда их концертмейстер встал: "Ребята, как вам не стыдно. Вы что, не видите, перед нами серьезный человек!" Очень я смеялся. Ну вот, директор Тонхалле тоже увидел, что перед ним серьезный человек, не похожий на бедного эмигранта. Но я уже связал себя с израильским оркестром и принять его предложения не смог бы. Но он, правда, его и не делал, только прощупывал почву.

Хохаузер говорит: "Сегодня вечером Стерн играет в Альберт-холле. Три концерта — Бах, Бетховен и Брамс с оркестром. Пойдем". Мы пришли, сидели рядом с Баренбоймом, потом все вместе пошли на прием. Подходит ко мне элегантный молодой человек, симпатичный, одет с иголочки. Приветствует, представляется "Дэвид". Стал расспрашивать о моем отъезде из СССР. И как-то участливо, входя в детали. Я рассказываю. Он хорошо говорит по-немецки, это меня тоже расположило к разговору. Вспоминаю мадам Ибрагимову из ОВИРа, разные другие подробности.

Беседовали целый вечер, потом меня забрал Баренбойм, и мы поехали к нему домой. Они с женой жили неподалеку. Его жена, гениальная виолончелистка Жаклин Дю Пре, была прикована к инвалидному креслу, у нее был рассеянный склероз. Лет за десять до этого, еще до болезни, она приезжала в Москву, занималась с Ростроповичем, и он сказал, что это единственная виолончелистка, которая может превзойти его самого. Я был потрясен трио Бетховена, которое она записала, уже будучи больной, с Баренбоймом и Цукерманом. Ее пальцы теряли чувствительность, она контролировала их усилием воли, была вынуждена смотреть на них, чтобы сыграть правильно. И вот мы пошли. Очаровательная, очень умная, очень молодая и очень сильная. Она прожила потом еще десять лет, и мне рассказывали, что после смерти ее виолончель работы Страдивари была названа в ее честь. Теперь она всегда будет переходить от владельца к владельцу и числиться во всемирном каталоге под именем "Страдивари Дю Пре".

Наутро звонит Хохаузер. "Знаешь, кто был этот молодой человек вчера?" — "Понятия не имею". — "Дэвид Оуэн". Министр иностранных дел Великобритании. "Сегодня утром, — говорит Хохаузер, — он выступал в парламенте, и вся его речь была посвящена тебе. Тому, как тебя не выпускали, как резали паспорт на кусочки, как не давали визы. Должен сказать, он имел большой успех с этой историей. Он только что звонил и просит привезти тебя в Хоум-офис". Это министерство внутренних дел.

Мы поехали. Я подождал двадцать минут, и мне принесли английский паспорт. Ну, точнее, это был еще не совсем настоящий паспорт, а специальный, только для путешествий, но через некоторое время я получил гражданство Великобритании. Мне помог Менухин, он обратился к принцу Чарльзу, с которым мы к тому времени были уже знакомы, я расскажу, и паспорт мне выдали самый настоящий.

А пока вручили временный, *travel document*, в котором было написано: "Действителен без виз во всех странах, кроме СССР". Когда я благодарил Оуэна, то спросил: "Почему кроме Советского Союза?" Он ответил: "Правительство Великобритании, все Соединенное Королевство своей честью и мощью несет за вас ответственность. Но мы не можем отвечать за вас в России, потому что эта страна непредсказуема".

52

Однажды Белоцерковский сопровождал Галину Уланову то ли в Нью-Йорк, то ли в Париж. По опыту было известно, какой прием окажут ей прямо у трапа. Но она — простая великая балерина, а он руководитель делегации. И Белоцерковский сказал слова, которые молва разнесла по всей музыкальной Москве. "Значит, порядок выхода такой: сначала выхожу я, потом — Галина Сергеевна".

Я почему-то вспомнил эту историю, когда вышел из самолета на трап в Тель-Авиве, с сумкой через плечо — и увидел, как меня встречают, с какой теплотой, с каким энтузиазмом. Честно говоря, я не мог сдержать слез.

Пошли интервью, пресс-конференции, переговоры — Хохаузер, прилетевший со мной, тоже во всем этом участвовал. Каждый день про меня что-нибудь рассказывали по радио, звали на телевидение, писали в газетах.

Я познакомился с музыкантами оркестра, сказал в министерстве культуры, что хотел бы порепетировать с ними две недели, познакомить с моими методами работы, а потом уж выходить к публике. "Две недели? — удивились в министерстве. — Не многовато ли?" — "Думаю, зависит от того, знает ли дирижер, что ему делать".

Работать было трудно. Одно дело провести гастроли с чужим оркестром, совсем другое — сделать его своим, в незнакомой стране, не зная языка, на ходу узнавая особенности местного мышления. Во всем, что касалось музыки, серьезных проблем не было. Но мир отношений, бизнеса был в большой степени для меня незнакомым. Другой, прежде мне неизвестной, трудностью оказался климат. Без кондиционеров было невозможно дышать даже в моей прекрасной квартире на тринадцатом этаже небоскреба с видом на Средиземное море.

Публика и критика встретили наши выступления очень хорошо. Через некоторое время оркестр действительно заиграл на высоком уровне, даже если не все музыканты и патроны оркестра понимали, зачем нужен именно высший уровень.

Из серьезных дел, которые удалось там сделать, — израильские премьеры Восьмой симфонии Шостаковича и "Песенок Маргариты" Локшина. К сожалению, в связи с этим вспоминается мне не только прекрасный отклик публики, но и одна неприятная сцена. На генеральную репетицию "Песенок" пришла знаменитая тель-авивская критикесса. Подошла потом ко мне и говорит: "Мистер Баршай, что вы сделали с этой музыкой? Просто потрясающее что-то!" Я удивился: "Это сделал Локшин, он написал эту музыку, а я просто сыграл, и все". — "Да нет, оставьте вы, оставьте. Как будто я не понимаю!" Я был в ярости. Хотя и скрывал. Что она понимает?! Она ведь ничего не понимает на самом деле. Говорю: "Ну а о самой музыке скажете что-нибудь?" — "Да какое это имеет значение? Вы это сделали, вы так сыграли".

Однажды на концерт пришла Голда Меир. Это великая, удивительная женщина, которой Галина Вишневская однажды, будучи в Израиле, сказала: "Вы — мать еврейского народа". После концерта Голда, совершенно не стесняясь и ни у кого, так сказать, не спрашивая разрешения, поднялась из зала на эстраду и обняла меня. Все аплодируют, кричат, а она мне тихо говорит: "Господин Баршай, почему вы такой грустный?" Я ответил: "Мою жену не выпускают из Москвы".

— Вот как. А что вы завтра делаете в полдень?

— Отдыхаю после концерта.

— Вы не могли бы прийти ко мне в офис?

— Могу.

Я пришел. Голда говорит: "Садитесь и рассказывайте". Выслушала. "Вот что. Давайте-ка я поговорю с Айзеком Стерном, и мы напишем письмо от самых именитых артистов мира — туда, в Москву?" Я ответил: "Вряд ли эти артисты являются авторитетами для людей, которые в Москве решают такие вопросы".

— Да? А кто для них авторитет?

— Ну, по крайней мере, какой-нибудь король. Или премьер-министр.

— Понятно. Вилли Брандт годится?

Вилли Брандт был одним из крупнейших мировых политиков, совсем недавно — канцлером Германии, но главное — председателем Социалистического интернационала. Я говорю: "Лучшей кандидатуры вы не могли бы назвать".

Она снимает трубку и наизусть набирает номер. "Вилли, здравствуй, это Голда говорит... Нет, все в порядке. Да. У тебя тоже? Ну конечно, у тебя все в порядке. А у нас, понимаешь, все-таки одна беда. Сейчас передо мной сидит наш дирижер, он приехал недавно. А жена его в Москве и никак не может получить визу, чтобы приехать к нему. Что, Вилли?

Думаю, он сумеет. Он по счастливой случайности как раз завтра летит в Германию и непременно к тебе зайдет".

А от меня не отставали штутгартские. Мы заключили контракт на серию концертов, и я должен был летать туда каждые две недели.

В Штутгарте я первым делом пошел к интенданту радио, чудесному человеку, доктору Баушу, рассказал, в чем дело, и он сам позвонил Брандту. Тот спрашивает: "Прямо сегодня герр Баршай сможет приехать?" Бауш говорит: "Сможет, конечно". И мне: "Я вам сейчас дам машину, поезжайте, Бонн не так уж далеко".

Приехал к Вилли Брандту, он меня усадил перед собой и велел рассказывать во всех подробностях. Потом дал бумагу: "Напишите мне данные вашей жены". Я написал. Он пообещал, что постарается сделать все как можно быстрее.

После этого я получал от него письма чуть не каждый день. Там ведь письма быстро идут, не как у нас. Он писал: "Завтра передаем все бумаги в инстанции". Потом: "Бумаги передали, ждем отсылки". Потом: "Почта уже в Москве, герр Баршай, не волнуйтесь".

Сейчас мне трудно в точности припомнить свои переживания тех дней. Но чего не забуду — какой поддержкой были для меня в первые месяцы новой жизни, и всегда потом, письма Локшина, которые я возил с собой, куда бы ни ехал, и которые храню так же бережно, как шостаковичевские.

Из письма А. Локшина Р. Баршаю, 1977 г.

Рудольфу Баршаю, сыну Бориса, от Локшина Александра, сына Лазаря — привет!

Бах верил в бессмертие души; он знал, что душа будет существовать вечно и уничтожению не подлежит. И в этом смысл его музыки.

Моцарт был первый, кто, сделав радость земного бытия предметом и содержанием музыки, с ужасом увидел его оборотную сторону: полное физическое уничтожение — смерть.

И вот пример, простой и ясный, как плакат. Самая короткая и самая знаменитая в мире ария[1], причем в ней нет даже тени прекрасной мелодии, ее мелодия состоит из одних арпеджио. Жизнь прекрасна, — сказал Моцарт и написал:

Это так, но:

Эх, была не была! — сказал Моцарт, — живем один раз!

1   Ария Дон Жуана "с шампанским".

Это один из ключей к Моцарту, но далеко не единственный. Верите ли Вы, что в этом анекдоте, который я сейчас сочинил, больше правды, чем в многотомных исследованиях теоретиков и историков, не говоря уж о тех исполнителях (великих!), для которых Моцарт есть только лишь промежуток между Гайдном и Бетховеном?

27 июля нынешнего года.

P.S. Это тот случай, когда, не совершив насилия, можно совершить разделение. Но что можно сказать о тех сольминорных темах? На радость они нам даны или на горе?

Из письма Р. Баршая А. Локшину, 1977 г.

Дорогой Шура! Нет у меня слов, чтобы сказать, как я Вам благодарен за симфонию…[1] Если я хоть что-нибудь понимаю, то это Ваше лучшее произведение. <…> Только что записал Первую Брамса. Как только будет готова запись, постараюсь прислать Вам на суд. Но одна победа, кажется, уже есть — я перестал бояться большого оркестра. А это было раньше. Потому что дирижировал раз в год. Послезавтра еду в Тель-Авив. Там буду играть Шекспира. В конце октября — снова в Штутгарте — запись Четвертой Бетховена и Шекспир с Томасом Алленом. 2 ноября, с ним же, в Лондоне с *BBC*. Этот концерт, вероятно, будут транслировать, т. к. оркестр радио. Попробуйте поймать — 2-го вечером. Кажется, начало в 8 ч. (по Гринвичу).

---

1 Одиннадцатая симфония А. Локшина посвящена Р. Баршаю.

Теперь о делах — *Süddeutscher Rundfunk* заказало из Москвы (Вашу) Четвертую симфонию, а прислали вместо этого Пятую. Так что придется откладывать запись. <...> Здешнее руководство спрашивало меня, не согласились бы Вы приехать на исполнение? Что Вы думаете по этому поводу?

В Вене недавно я побывал в *Universal Edition*. Купил там разные партитуры Малера. И показал некоторые из Ваших сочинений. Они очень заинтересовались.

Ну вот, уже 3-й час ночи. Завтра с утра — прослушивание записи, потом здешнее начальство устраивает для меня прием, а послезавтра утром — самолет. Напишите мне, что происходит в Москве...

Однажды мы с оркестром уехали выступать в городке близ Штутгарта, а когда вернулись, меня прямо на перроне встречали с письмом от Брандта. Я распечатал и по первой же фразе почувствовал какой-то холодок. Брандт писал: "Я предпринял все возможные шаги по вашей просьбе, но, к сожалению, получил негативный ответ по той причине, что госпожа Раскова не хочет ехать за границу".

Пойти мне некуда. Я один. Пошел к Баушу. Показал ему письмо. Он прочитал. Сел со мной рядом на диван. Потом говорит: "Вот телефон. Звоните ей немедленно". И вышел из кабинета.

Я набрал номер: "Лена, — говорю, — здравствуйте". Мы были на "вы". И по ее отклику, по голосу я уже понял, что... ничего не изменилось. А телефон ее, само собой, прослушивают. Я говорю: "Я получил письмо от Вилли Брандта. Вы знаете, кто такой Вилли Брандт?" Она отвечает: "Знаю". Но я хочу, чтобы они записывали, и говорю: "Вилли Брандт — бывший канцлер, бессменный глава Социал-демократической партии Германии, председатель Социалистического интернационала. Товарищ Брандт мне пишет, что по его просьбе виза для вас была уже практически готова, но вы не хотите уезжать. Это так или не так?" Лена говорит: "Это совсем не так, я как раз хочу, и мама моя не против, наоборот, она рада, что я поеду к вам". — "Спасибо".

Кладу трубку, зову Бауша, пересказываю разговор. "Герр профессор, это ведь очень неудобно и некрасиво сказать Вилли Брандту, что его обманывают?" Бауш возмутился: "Какое неудобно? *Das ist schon das Letzte, schon das Letzte.* (Это ж самое распоследнее безобразие.) Вот бумага, пишите ему письмо, моя секретарша перепечатает и отправит".

Начиналось мое письмо "Дорогой господин Вилли Брандт, мне очень не хочется вам этого говорить..." По-немецки звучит красиво: *Ich hasse das zu sagen, aber Wahrheit ist wertvoll*, то есть мне крайне неприятно это говорить, но истина дороже, поэтому я вынужден вам сообщить, что вас обманывают. Я только что разговаривал с Еленой Сергеевной Расковой, и она сказала, что готова выехать, как только виза будет готова.

На другой день меня позвали к телефону. Брандт. Он был в ярости. "Ладно, — говорит, — ладно! Ждите от меня сообщений".

Не знаю, кому в Москве он позвонил. По моему ощущению — прямо Брежневу, потому что когда через три дня я прилетел в Тель-Авив, меня ждала телеграмма от Лены: "Виза готова, вылетаю завтра утром".

И тут же помощники Голды Меир принесли мне билет до Вены, паспорт, сказали: "Мы даем вам отпуск, чтобы вы сами встретили жену".

Я полетел в Вену. Когда я увидел Лену, то испытал не только счастье. Я впервые за долгое время почувствовал покой. Я почувствовал, что закончились наши с ней мытарства и теперь наконец я могу заниматься только работой.

Мы задержались в Европе, я сыграл концерты в Штутгарте и где-то еще. Пришла телеграмма: "Дорогая госпожа Раскова, поздравляю Вас со счастливым прибытием на свободную землю Германии. Вилли Брандт".

Потом прилетели в Тель-Авив. Была весна, все цвело — Тель-Авив же вообще на иврите "холм весны", — и все готовились отмечать восьмидесятилетие Голды. Справляла она его в кибуце, в котором жила. Кибуц — это вроде как совхоз, но совхоз настоящий, действительно социалистический, добровольный. Там все живут и работают на равных, в том числе вот и премьер-министр.

Я сказал оркестру: "Друзья мои, поедем, поздравим Голду Меир". Все с радостью согласились. Мы подготовили Третью симфонию Бетховена, "Героическую", — понятно почему: в честь настоящей героини. Сели в автобус, в машины и приехали в этот кибуц.

Одного мне жаль: что никто не снимал встречу Голды Меир и Лены. Как они обнялись и стояли обнявшись. Не до съемок было, война шла. Там же все время война, без конца война.

А потом мы сыграли Бетховена — в хорошем концертном зале, потому что это еврейский совхоз, а в каждом еврейском совхозе обязательно есть концертный зал, и Голда была счастлива. Это оказался ее последний день рождения, через несколько месяцев ее не стало.

А вскоре и я понял, что на своем скромном посту сделал в Израиле все, что мог, и все, что требовалось.

53

Из письма А. Локшина Р. Баршаю, 1977 г.

Дорогой Рудик!

Известия о Ваших успехах друзей Ваших радуют, и, соответственно, недругов раздражают. Недавно некоторый человек, чье сочинение Вы отказались сыграть, лжесвидетельствовал публично, утверждая, что ни один оркестр не желает Вас принять. Он был изобличен, посрамлен и наказан общим презрением. Меня же беспокоит другое: не слишком ли много оркестров будут пользоваться Вашей благосклонностью? У меня, например, нет уверенности в том, что Штутгарт лежит на перекрестке музыкальных путей Европы.

Я не хотел оставаться в Штутгарте, хотя оркестр считался одним из лучших в Европе. Были предложения интереснее, в частности из Англии, где я много играл, из Америки, а кроме того, я как-то не мог избавиться от мыслей о том, что Южная Германия — колыбель нацизма. Про случай с ударником, который объяснял коллегам отличие

Малера от Брукнера, я уже рассказывал. Однажды после репетиции я вышел погулять: студии Южнонемецкого радио расположены в прекрасном парке. Встречаю господина с собачкой. Маленькая собачка, мы с ней поиграли, я сказал хозяину, какая она милая. Он был тронут и говорит в ответ: "Правда-правда, она такая забавная. И к тому же очень умная! Увидит еврея — сразу лает". Я потерял дар речи: и немецкой, и русской. А хозяин собачки, совершенно счастливый, приподнял шляпу, распрощался и ушел.

Появились у нас с Леной друзья: Холлигеры. Хайнц, выдающийся гобоист, он выступал со мной в Тель-Авиве, и его жена Урсула, добрая прелестная женщина и великолепная арфистка — она играла в Штутгартском оркестре. Были они из Базеля. Холлигеры стали нас уговаривать: "Знаете что, давайте-ка к нам в Швейцарию. Рудольфу будет очень удобно работать: от Базеля полчаса до Лондона, полчаса до Берлина, до Мюнхена вообще на машине рукой подать". Урсула говорит: "У меня есть вторая квартира в центре Базеля — она ваша. Живите, сколько хотите, обоснуетесь — будете искать постоянное жилье".

И мы поехали. Поселили нас Холлигеры в своем доме на Блауенштрассе, в квартирке на первом этаже — *Erdgeschoss* называется. Мы там очень хорошо жили. Лене разрешали заниматься на органе в разных кирхах Базеля, охотно пускали, и она прекрасно играла. Однажды у нее был концерт в монастыре Мариаштайн. Находится он в таком красивом месте, что мы решили вернуться в Базель пешком. Пошли. Оказалось, до дома двадцать километров. Мы шли и шли. Жара. Добрались жутко усталые, но такие счастливые. И после этого долго чувствовали в себе какую-то непривычную силу.

Лена читала объявления в газетах: "Сдается то-то, продается то-то". Однажды говорит: поеду-ка я просто по окрестностям, посмотрю сама. "Ну, давай, попробуй".

В одной деревне она познакомилась с пожилым господином по фамилии Коликер. Он там жил. Чрезвычайно славный человек оказался. Позвал нас обоих в гости. Мы приехали, прониклись друг к дружке симпатией, он говорит: "Хочу вам помочь. Давайте вместе поездим, поищем что-нибудь в округе. У нас тут очень красивые места".

Мы поехали вместе и попали в этот самый Рамлинсбург. Красоту его описать невозможно. У швейцарцев это называется деревней, хотя дома, по нашим понятиям, совсем не деревенские. По большей части тут живут горожане. В город едут на работу, а живут тут. Но действительно есть и настоящие крестьянские хозяйства, и очень старые дома, фермы, аккуратные, ухоженные, с новейшей техникой, на холмах — вишневые, яблоневые, сливовые сады, пшеничные и кукурузные поля, на склонах пасутся коровы, повсюду бродят овечки, и всегда слышишь позвякивание колокольчиков, как в Шестой Малера. Школа, магазинчик, ресторанчик, церковь, кладбище. Человек пятьсот тут живет, думаю, не больше. Очень тихо, а ночью наступает совершенная тишина, только в пять тридцать утра ее нарушает тихий свисток первого поезда, который проходит далеко внизу.

Уехать оттуда было выше человеческих сил. Коликер отвел нас к знакомому — здоровенному детине, очень доброму, которого все в деревне звали Крошка, Брезмали по-немецки, — и он сдал нам комнатку.

Мы поселились у него, на одном из холмов, на которых расположен Рамлинсбург, а на соседнем холме пониже видели пустую землю. Брезмали сказал, что она, кажется, продается. Лена пошла в местную мэрию, гемайнде, все разузнала. Оказалось, земля действительно продается, сравнительно недорого. И мы ее купили.

Удивительно: появилась у нас своя земля. Нам удивительно, а так тут у всех, конечно, своя. Началась большая история: надо было построить дом.

Первым делом нас обокрал один архитектор, который так устроил, как будто бы мы к нему обратились за помощью, и он нарисовал план, прикинул, сколько это будет стоить, а потом мне пришла повестка из суда: дескать, мы должны ему заплатить за работу.

Пришлось приглашать адвоката. Я написал заявление о том, что ничего мы не заказывали, в глаза этого архитектора не видели, а третейский судья потом сказал: "Господин Баршай явно совсем не знает этого человека — он даже фамилию его не знает, как писать. Все, оставим господина Баршая в покое".

54

Из письма А. Локшина Р. Баршаю, 1981 г.

Дорогой Рудик! Может быть, Вы помните, что Четвертая симфония Малера — одно из самых любимых мною сочинений. Помню, еще в сорок шестом году играл я ее по партитуре студентам консерватории. С тех пор любовь моя к ней не только не уменьшилась, но возрастает с каждым годом. У меня есть пластинки с записями этого сочинения под управлением Бернстайна (плохо), Хайтинка (хорошо) и Клемперера с Шварцкопф (отлично), но такого исполнения, какое мне пришлось слушать вчера, сегодня (и, надо полагать, еще много раз, пока жив буду), мне еще не приходилось ни раз. С таким вдохновением и собственным исполнительским отношением, при такой верности авторскому тексту — такое случается в музыкальной жизни редко. Впрочем, когда-то я предсказывал Вам это. Последний ми мажор с останавливающейся колокольной арфой довел меня до слез (Таню тоже). За все — спасибо.
У меня есть несколько замечаний, которые Вы или примете, или отвергнете, надеюсь, благожелательно и снисходительно...

Вскоре после записи Четвертой симфонии Малера с Эдит Матис я получил очень счастливое предложение: продирижировать его Десятой в Вене с оркестром Австрийского радио. В Вене, где Малер долгие годы работал и где похоронен.

Я приехал и начал работать с ними по партитуре Деррика Кука — другой и не существовало. Но с первых же шагов меня стало не устраивать, как Деррик Кук инструментовал и как решил заполнить "белые пятна", то есть непонятные места в рукописи. Даже в первой части. Что-то было не так, как будто нехорошо пиджак сидит, знаете. Музыка чудесная, но все звучит не так, как надо бы, не так, как я себе представляю.

И я неправильное направление выбрал: я решил сделать некоторые корректуры, исправить то, что мне особенно не нравится. Я несколько ночей писал дополнительные партии и вносил корректуру в уже готовые партии. Несколько ночей потратил на это. И все равно меня не устраивало, все равно не годилось.

Тогда я решил: нет, я должен этим заняться сначала. То есть я должен получить совершенно точный манускрипт. Не чьими-то обработками пользоваться и ни в какие обработки не заглядывать — а именно манускрипт получить. Я стал с тех пор по всей Европе рыскать, искать этот манускрипт.

Однажды меня пригласили исполнить с оркестром Стокгольмского радио Девятую Малера. Они отлично работали, упивались этой музыкой — и я их понимаю. Альбан Берг написал, переведу Вам с немецкого: "Еще раз играл Девятую симфонию Малера, от начала и до конца. Первая часть — самое прекрасное, что написал Малер. В ней выразилась немыслимая любовь к этой земле, страстное желание мирно жить на ней, наслаждаться земной природой во всей ее глубочайшей глубине — до тех пор, пока не придет смерть. Ибо она неизбежно придет".

А Локшин считал, и был совершенно прав, что в адажио Девятой Малер превзошел Бетховена. У обоих идут вариации на две темы, но у Бетховена синтеза этих вариаций нет, он не приводит к итогу, а у Малера есть, он нашел.

На все наши репетиции приходил один музыкант, который меня как-то озадачил — так он был внимателен и так слушал. Оказалось, он сам композитор, ученик Альбана Берга. Тогда я к нему сразу: "А у вас есть партитура Десятой? Рукопись настоящая?" Он сказал: "Есть". И палец приложил к губам: "Есть…" — "А вы не можете мне дать ее, ну, на одну ночь, чтобы переснять?" — "Не могу. Это свадебный подарок моей жены, — говорит. — Я не могу с ним расстаться".

Что делать? Пошел к директору оркестра. У нас были хорошие отношения, он все хотел, чтобы я взял оркестр, но я не мог, мои импресарио вели переговоры в других странах. "Помогите. У этого человека есть факсимильное воспроизведение Десятой, которое мне очень нужно. Я сделаю все, чтобы уговорить его дать мне рукопись на ночь. Но скопировать негде. Разрешите, я приду ночью в вашу библиотеку, там есть техника, и сделаем копию". Директор сказал: "Хорошо. Ладно. Я буду дежурить всю ночь, но с условием, что один экземпляр скопирую для себя".

Я узнал адрес этого композитора. Поехал к нему домой. Он жил на даче, где-то в пригороде Стокгольма. И я… В общем, я на колени встал. "Пожалуйста, дайте мне ноты только на одну ночь. Я завтра утром улетаю. Вы дадите мне партитуру, я поеду ее скопировать, привезу ее вам обратно, после этого поеду на аэродром". Его жена увидела эту сцену, услышала наш разговор. И, может, она на него подействовала, а может, просто он поверил мне. В общем, взял и дал партитуру: "Нате. Но обещайте, что вы мне ее вернете в любом случае, так или иначе, но вы вернете партитуру". — "Абсолютно обещаю". — "Я рано встаю, привозите, когда закончите".

Я схватил такси и поехал на радио. Директор меня ждал. Стали копировать. Страницу мне — страницу ему. А оригинал складываем обратно в портфель. Скопировать партитуру — не быстрое дело. Под утро я вернулся в гостиницу, не ложась, дождался рассвета, чтобы все-таки не разбудить композитора слишком рано, снова на такси поехал к нему, вернул рукопись и едва успел в аэропорт.

Работать я начал сразу, в самолете. Сразу, сразу. Никаких инструментов для работы мне не нужно, тут я твердый последователь Шостаковича: сочинять в голове, не на бумаге, все, до последнего инструмента — в голове.

Конечно, я не мог тогда предполагать, что работа займет двадцать лет. Где бы я ни был, в любую свободную минуту занимался Десятой. В те годы я очень много ездил. Надо было заработать денег на дом, и я старался играть как можно больше. В самолете, в поезде, в машине — всегда со мной была эта рукопись. Лечу с пересадкой, между рейсами — час или два; подхожу к сотруднице аэропорта, говорю: "Здравствуйте. Я композитор. Не найдется ли у вас местечка потише, чтобы мне поработать, пока жду самолета?" Отказов не бывало. Помню, одна девушка говорит в свою рацию: "Тут у нас симпатичный молодой композитор. Ему нужно поработать. Нельзя ли его пустить в кабинет господина такого-то, которого сегодня не будет? Я так и подумала. Пойдемте, маэстро, я вас провожу".

55

Из письма Р. Баршая А. Локшину, 1981 г.

Дорогой Шура! Получил Ваше письмо от 6 июля (по поводу *Missa Solemnis* Бетховена). Большое спасибо за все подробности; так сказать, ноты в словах, но очень все ясно. Замечания все замечательные. Валторна в 35 такте и мне приходила в голову, но как-то не решался. Остаются 37–39 такты: не лучше ли отдать альты кларнету, все остальное оставив в точности, даже второй кларнет и фаготы в 39 такте? <...> Как ни странно, дальше в партитуре меньше нелепостей, хотя есть страшные, там все аккомпанемент, а это, так сказать, увертюра. Вот мне и хотелось ее несколько прибрать.

Почему я взялся за *Paradies und Peri*?[1] Во-первых, мне нравится музыка. Есть прекрасные хоры. Жаль, что у Вас нет всей партитуры. Во-вторых, ее редко играют. Я, например, никогда не слышал. Другое дело — в сравнении. Вот сейчас, после *Solemnis*, вообще трудно что-либо учить. Ска-

---

1   Оратория Р. Шумана *Das Paradies und die Peri*.

зать, что я был увлечен Мессой Бетховена, — это ничего не сказать. Две недели я просто был в жару. Ничего, кроме этой музыки, не слышал и не видел. Все кажется ничтожным. *Agnus Dei* способен свести с ума.

Первый раз так близко сошелся с хором. Надо сказать, что большой хор — великая вещь. Особенно когда он гибок под руками (буквально). Но разумеется, возникло много вопросов. Например, в *Gloria* — первое *Meno allegro*: второй аккорд с ми-бемолем после до мажора в одних партитурах повторяется, в других залигован <…> Затем — какова роль органа? Собственно говоря, впечатление такое, что оркестр превращен в живой орган. В бетховенской рукописи партия органа отсутствует. Но вместе с тем известно, что он сам позже сделал отдельную партию и она существует. Хотя это тоже ни о чем не говорит. Мало ли, почему он написал эту партию. Ведь его, кажется, упрекали в недостатке религиозности.

Вы как-то писали мне по поводу какой-то критики. Должен сказать, что здесь на критику никто серьезного внимания не обращает. Ведь хорошо известно, что этим делом занимаются здесь не знаменитые мастера или композиторы, а люди, не сделавшие в искусстве никакой карьеры. Иными словами — неудачники, злые на весь мир, да и на самих себя. Мотивы, которыми они руководствуются в оценке того или иного концерта, бывают самые разные. Тут и интриги (у критиков между собой и между газетами), и подкупы, а чаще — невежество. Ну и, конечно, неуемная страсть прослыть остроумным. Скажем, в моем случае. Если уж ругают, то непременно связывают это с моим русским происхождением. Например, в одной газете было написано: "от Моцарта веяло сибирским холодом" (это про "Юпитера"). В тот же день, в том же городе, в другой газете, об этом же концерте статья называлась "Пламенный Моцарт". Обругать какую-нибудь знаменитость здесь считается чем-то вроде "хорошего тона". Правда, в таких случаях говорят, что эта знаменитость мало уплатила. А потом — тяга к сравнениям. Всех с кем-нибудь сравнивают. Про Лизу [Леонскую] писали, что это — Поллини в юбке (?!). Меня одно время сравнивали с Селлом (так и писали — "русский Селл"), потом довольно долго с Клемперером, а когда отрастил усы — с Тосканини.

Обо всем этом я пишу Вам только для того, чтобы не принимать всерьез всю эту белиберду. Вот если бы написал критику какой-нибудь Булез или Пендерецкий[1], тогда другое дело. Уж они бы отнеслись к делу серьезно, и если бы похвалили, то — угу! Каких эпитетов можно было бы наслушаться.

Новости Вы мне написали тоже интересные. А у нас особых новостей нет. Сидим в нашей деревне. Время от времени выезжаю (ем) или вылетаем (ю) и стараюсь поскорее обратно — побольше выучить.

Привет всем вашим близким и от Лены. Ваш Рудик.

Когда-то в Москве немецкий посол, большой меломан, познакомил меня с дирижером Карлом Рихтером, легендарным исполнителем баховских ораторий. Он играл тогда в Москве "Страсти по Иоанну". Такое позволялось только иностранцу, текстов, само собой, не переводили. Событие было огромное. Рихтер дирижировал наизусть и сам играл на чембало. Стояла такая банкеточка, он сидя играл клавесинные фрагменты, вскакивал — и хор всегда точно всту-

---

1   Пьер *Булез* (род. 1925) — французский композитор и дирижер, один из лидеров французского музыкального авангарда; Кшиштоф *Пендерецкий* (род. 1933) — польский композитор и дирижер.

пал. Посол, знакомя нас, сказал: "Я бы мечтал когда-нибудь услышать вашу совместную работу".

И вот спустя годы, когда Карл Рихтер умер, мне позвонили из Мюнхена и попросили продирижировать Торжественной мессой Бетховена, *Missa Solemnis*, которую Рихтер готовил, но не успел довести до конца. Дать концерт его памяти.

Не могу передать, как я был взволнован. Я бросил все и стал учить. С раннего утра до поздней ночи занимался бетховенской Мессой, иногда только выходил прогуляться, но и в эти полчаса думал только о ней. Очень помогала Лена, играла мне партитуру на рояле.

Это произведение принадлежит к величайшему, что вообще в музыке существует. И знаете, кто первый понял, что Бетховен создал вещь, которая переживет века? Русский князь Николай Борисович Голицын. Умница, благородный, смелый человек, в ссылке побывавший за свои гражданские убеждения, виолончелист, почитатель Бетховена, по его заказу тот написал три квартета, и благодаря Голицыну премьера Мессы состоялась именно в Петербурге, в России. Только потом ее исполнили в Германии, и то не целиком. Вот что такое русская музыкальная культура. А кто-то посмеивается. Идиоты. Знаете, сколько в Петербурге репетировали, чтобы дать премьеру Мессы? Только с хором двенадцать раз! И потом, на премьере, люди не могли сдержать слез восхищения — не только публика, но и музыканты и хористы. Голицын этот замечательный наутро написал Бетховену, что он никогда не слышал ничего более прекрасного, включая шедевры Моцарта, и что — вот я вам прочитаю перевод, потому что князь писал по-французски: "Ваш гений, милостивый государь, опередил века, и, возможно, пока еще нет настолько просвещенных слушателей, чтобы смогли в полной мере насладиться красотой Вашей музыки. Но потомки воздадут Вам почести и благословят Вашу память в гораздо большей мере, чем это в состоянии сделать Ваши современники".

Карл Рихтер так подготовил Мюнхенский Баховский хор, что работать с ними было наслаждением. А великий бас Курт Молль пел так, что было ясно — в *Agnus Dei* Бетховен достиг высот Баха. Если бы я не знал, кто автор, я бы сказал: Бах. Мало того: самый лучший Бах. И даже еще лучше, потому что тут и Бах, и Бетховен. Это исполнение остается одним из главных событий в моей жизни.

Правда, и следующая встреча с *Missa Solemnis* была счастливой. Через несколько лет я играл ее в Париже в церкви Сент-Огюстен с Юлией Варади и Дитрихом Фишером-Дискау. Они муж и жена. Она — превосходное сопрано, он — один из величайших певцов всех времен, а Шуберта просто никто так не поет. Шуберта очень трудно исполнять, и, думаю, только два человека делали это в совершенстве: Святослав Рихтер и Фишер-Дискау.

В работе с Фишером-Дискау не возникало ни малейших проблем или разногласий, а в общении он оказался исключительно милым, интеллигентным человеком. Мы много разговаривали о Клемперере, и Дитрих рассказал мне чудесную историю. Он репетировал с Клемперером "Страсти по Матфею". Пели также Элизабет Шварцкопф, Криста Людвиг, Николай Гедда. Там есть фрагмент, где фаготы играют шестнадцатыми и баритон солирует. Фишеру-Дискау показалось, что, если исполнять быстрее, он сумеет лучше показать свой голос. И он сказал Клемпереру: "Герр профессор, мне кажется, для меня это длинновато, нельзя ли побыстрее". Клемперер, совершенно не обижаясь, спокойно ответил: "Нет, темп должен быть такой, темп правильный".

На другое утро Фишер-Дискау приходит на репетицию и говорит Клемпереру: "Герр профессор, мне сегодня приснился удивительный сон. Я встретил Баха. Само собой, я спросил его о темпе. Он сказал, что темп должен быть вот какой, побыстрее должен быть". Клемперер посмотрел на него внимательно и сыграл быстрее.

На следующий день Клемперер приходит на репетицию и говорит: "Герр Фишер, сегодня ночью я тоже встретил Баха. Он спросил: "А кто такой герр Фишер? Я его не знаю".

Дискау рассказывал эту историю с большим удовольствием, ничуть не был уязвлен: понимал, что такое Клемперер.

Это, увы, дано не всем. Мне рассказывали, как в Лондонском оркестре один музыкант сказал Клемпереру: *Klems, you are talking too much*! ("Ты, Клемс, слишком много болтаешь"). Ну какой дурак. Он же наверняка потом, в старости, внукам рассказывал, что играл с самим Клемпером. Но вообще это случай исключительный: английские оркестры, думаю, — лучшие в мире. Я много работал с ними. Там играют одаренные, профессиональные и дисциплинированные люди. Неудивительно, что они дружелюбны и приветливы.

Я приехал дирижировать Борнмутским оркестром, одним из старейших в Англии. Для знакомства решил сыграть какую-нибудь симфонию Бетховена. Спросил: "Какую хотите?" Такой подход им понравился. Давайте, говорят, Первую. Давайте. Ставьте ноты на пульты. Подождал, взмахнул палочкой. Я Бетховена всегда наизусть дирижировал. Сыграли Первую. Превосходно играют.

"Ну а теперь перейдем к нашей непосредственной задаче, — говорю, — Первой симфонии Малера. Вы знаете, какое это грандиозное сочинение... — На этом моя вступительная речь закончилась: ни мне, ни им она была уже не нужна. — Попробуем поиграть".

И мы сыграли без остановки всю первую часть. Я сказал: "В общем, все очень хорошо, но некоторые подробности можно подправить. Давайте".

Хорошие музыканты понимают дирижера без слов. Но иногда бывает важно дать какой-то образ, который может все решить. Вот тут чувствуешь, как важно знать язык. Я изучал английский очень интенсивно, но тогда мне его не хватало. Потом-то научился разговаривать с музыкантами и по-английски, и по-французски, и даже по-японски. Проще всего было с итальянцами. Как мне однажды сказал Ойстрах, вернувшись из Рима: "Оказалось, я неплохо знаю итальянский. Когда я сошел с поезда, носильщик взял мои чемоданы и говорит: *Signore, molto pesante*[1]. И я, представляете, все понял".

В самом начале Первой Малера есть такое место... Я говорю музыкантам: "Это птицы полетели". Недоумевают. Я помахал руками, как крыльями: "Птицы полетели-полетели-полетели". Они заулыбались, поняли, сыграли правильно. Перед аллегро я широко улыбнулся виолончелям, и они заиграли радостно, светло. Перешли ко второй части, к третьей. А в ней Малер использовал образы лубочной картинки: звери хоронят охотника. Я говорю: "Вот в этом эпизоде заяц танцует. Танцует, сукин сын, не может радости скрыть!" Они захохотали. Поскольку словарь мой

---

[1] Синьор, очень тяжело (*итал.*); *molto pesante* — также обозначение характера музыки.

был бедный, я придумал сказать *son of a dog*, сын собаки. Но они поняли правильно и сыграли правильно.

Три репетиции, генеральная и концерт. Так там принято. Иногда даже только две репетиции. Малер — дело серьезное, дали три.

На концерт приехал мой тогдашний импресарио Джаспер Пэррот. Премьера прошла хорошо, были отличные рецензии, и Пэррот говорит: "Знаешь, ты произвел бурную революцию!" — "То есть?" — "Они хотят тебя непременно шефом". К Пэрроту к тому времени я относился не с полным доверием, хотя он и прекрасный импресарио. Музыканты одного очень хорошего оркестра после серии концертов сказали мне: "Как жаль, что вы не хотите работать с нами в новом сезоне". Я удивился: "Но мне никто не предлагал…" Тут удивились они: "Как же? А ваш импресарио Пэррот сказал, вы отказались, потому что будете заняты". Он предложил им другого дирижера, с которым был связан более важными для себя узами.

Французский мой менеджер — Мишель Глоц, он работал с Караяном и Марией Каллас, — был против: "Зачем вам Борнмут? Найдем что-нибудь более солидное".

Надо было решать самому. Я сказал: "Мы сыграли с ними симфонию Малера, и мне они очень понравились. Думаю, это самый солидный довод".

Борнмут — приморский курорт на берегу Ла-Манша, англичане его обожают. Мы с Леной поселились в уютной гостинице "Вестклифф-отель" — "Западный утес". Хозяйка миссис Перкинс дала нам номер с видом на море. Когда рано утром мы открывали окна, комната наполнялась изумительным морским воздухом. Там мы прожили года три или четыре.

Работать было прекрасно. Серьезные музыканты, приходили всегда подготовленными, занимались перед репетициями, и мы сумели многое сделать. Притом что условия были довольно паршивые. Репетировали в зимнем саду, неудобном, неустроенном, зимой там дуло из всех щелей, было холодно. Ну, что поделаешь? Согревались с помощью аллегро.

Следующей программой были все симфонии Бетховена, включая Мессу. Там имелся хор, Борнмут Симфони Куайер, так что мы исполняли и Мессу, и Девятую. Играли они превосходно.

Оркестр, так сказать, обслуживает всю Южную Англию, и мы очень много ездили. Саутгемптон, Бристоль, Плимут, Ньюкасл и дальше, дальше. Играли на лондонских "променадных" концертах Би-би-си и часто в Фестиваль-холле. Раз в год Королевское филармоническое общество устраивает концерт для королевской семьи. Пригласили нас. Решили сыграть увертюру Бриттена, Фортепианный концерт Грига, потом увертюру и сцену с письмом из "Евгения Онегина" и "Франческу да Римини". После концерта нас с Леной принял принц Чарльз. Поблагодарил, сказал, что Чайковский его потряс. Меня впечатлила одна подробность: разговаривая со мной, он все время смотрел мне в глаза. Дружелюбно, без напора и ни на мгновение не отводя взгляд в сторону. Когда-то точно так же разговаривала со мной бельгийская королева Елизавета. Я подумал: вероятно, это и есть королевское воспитание. Возникало ощущение, что монарх полностью тебе принадлежит, что для него не существует ничего другого — только ты. Возможно, в ту минуту так и было на самом деле. Принц показался мне очень славным человеком, с таким можно легко подружиться. Но дружить с королями... как-то неловко. Впрочем, мы знаем музыкантов, которым так не кажется.

Мы играли классику и современную музыку, особенно британцев. Много исполняли Локшина, от которого оркестр был в восторге, о публике и не говорю. К сожалению, я не мог сделать запись и послать Шуре: строгие профсоюзные работники не разрешали включать даже любительский магнитофон.

По договоренности, время от времени мы с Леной отправлялись на континент, и я выступал с европейскими оркестрами, а кроме того, мы посматривали, как строится дом в Рамлинсбурге.

Из письма Р. Баршая А. Локшину, 1984 г.

Дорогой Шура!
Последнее время был страшно занят. Записывал с оркестром Радио "Жар-Птицу" Стравинского. Целиком весь балет в первоначальной редакции. Это была увлекательная работа. <...> Вчера играл концерт в Базеле: Лядов, Р. Штраус, Чайковский — "Франческа". Замечательная все же пьеса. На публику сильно действует.
Иногда после напряженной работы, особенно на следующий день после какого-нибудь концерта, наступает хандра. И не потому, что никто тебе не скажет: "Здравствуй, Дмитрий Алексеич!"[1] Это они как раз говорят, и часто, употребляя, правда, не имя-отчество, а фамилию. Какой-то вирус мировой скорби нападает. Сильно удручает меня то, что приходится играть много разных программ, кроме тех, что выбираешь сам. Да и самому выбрать трудно.

---

[1] Цитата из "Песен западных славян" Пушкина, на текст которых написана Восьмая симфония Локшина.

И не из-за каких-то там идеологических соображений, а просто так — вкусовщина муз.организаторов. Вот им кажется, что это публика любит и пойдет на концерт, а это — нет. А в общем — никто ничего не понимает.

Завтра едем в *Bournemouth*. Послезавтра репетиция "Фантастической" Берлиоза. Кроме нее в программе будет "Ночь на Лысой горе" и Четвертый фортепианный концерт Бетховена. Солист Питер Донахо. Он имел большой успех на конкурсе Чайковского в Москве.

Передавайте всем вашим привет. С сердечным приветом, Ваш Рудик.

К тому времени у меня сменился импресарио. Менеджеры из лондонской "Интермьюзик" сделали соблазнительное предложение: возглавить Ванкуверский симфонический оркестр. Говорили, что отказываться нельзя, что я сумею совмещать руководство обоими оркестрами, а Ванкувер — это очень перспективно. Переезжать необязательно, будете летать туда-сюда, работать периодами, сейчас многие дирижеры так делают. Я согласился.

В восемьдесят четвертом мне исполнилось шестьдесят лет. В этот день мы праздновали наше новоселье в Рамлинсбурге и пригласили всех соседей, которым тоже исполнилось шестьдесят в том году. С семьями, конечно. Лена напекла всяких замечательных вещей, которые она умеет печь. Например, она делает творожники, но не просто творожники, а в виде печенья. Ууу, это… Пальчики оближешь. Гости то и дело подбегали к блюду: ам, в рот, и убежал беседовать. А потом снова — скорей-скорей к блюду. У нас оказались очень славные соседи, с некоторыми мы близко подружились и теперь дружим и с их детьми и внуками.

На другой день мы полетели в Ванкувер.

56

В Британской Колумбии живет много англичан. Когда я получил пост шеф-дирижера, ванкуверская газета вышла с заголовком: "Английское влияние сохраняется".

Ванкувер — удивительно красивый: в нем множество небоскребов, но они построены как будто только из одного стекла с такой элегантностью, что не давят, и в них отражается небо и океан. Оркестр был отличный. Правда, находился в ужасающем финансовом положении, миллионные долги, у музыкантов — очень напряженные отношения с администрацией. По требованию профсоюза сезон открылся много позже, чем должен был.

Множество талантливых людей, особенно духовики, играли очень хорошо и с энтузиазмом. Мы сошлись, подружились. До сих пор мне оркестранты оттуда присылают рождественские открытки.

Проблемы оказались неожиданными. Канадцы — милейшие люди, но... Появился у меня там друг. Бывший немецкий фронтовик, который побывал в русском плену. Ханс его звали. Он был очень хорошего мнения о русских, потому что они относились к нему не как к врагу, а как к несчастному человеку, который вечно ходит голодный и которому надо помочь. А он был врач и немножко лечил их как фельдшер. И люди подкармливали его — то яйца принесут, то творогу, то еще что-нибудь. Он никогда этого не забыл. А еще у него осталось впечатление, что русские — очень культурные люди. И вот Ханс мне однажды говорит: Рудольф, *du bist hier gekommen mindestens zweihundert jahre zu früh* — ты приехал сюда лет на двести раньше, чем следовало, потому что культуры здесь нет никакой.

История, которую он рассказал, поразила меня. Оказывается, в годы войны с Ванкуверским оркестром работал Клемперер. Когда в тридцатые годы ему как еврею пришлось эмигрировать из Германии, он оказался здесь. И очень скоро его выгнали. Почему же? Потому что он играл слишком много Бетховена, Баха, Брамса и Шуберта, а не американскую музыку. Его выгнали. Гигантского музыканта, дирижера. Какой позор перед всем человечеством.

Когда я рассказал эту историю президенту тамошнего Симфонического общества — был такой очень богатый человек, аккаунтант, это люди, которые считают налоги, — он говорит: "Уволили?" Я говорю: "Да". — "Скажите пожалуйста! Ну и что он делает теперь?"

Президент Симфонического общества — не общества любителей кленового сиропа... Я пробормотал: "Надеюсь, он на небесах".

Поехали мы с оркестром на гастроли по этой самой Британской Колумбии, по маленьким городкам. Какие это места, боже, какие это райские места! Какие озера, какие горы, какие леса! Играли Шестую симфонию Чайковского. После предпоследней части, блестящего, бравурного скерцо, раздались бурные аплодисменты. А когда закончился концерт, в артистическую пришла председательница местного Филармонического общества. В каждом таком городке есть собственный оркестр. "Прекрасный концерт! Вы извините нас за аплодисменты после Чайковского, мы решили, что концерт окончен. Но ваш анкор был восхитительный!" То есть она думала, что последняя часть симфонии — это был какой-то номер на бис.

Тем не менее мои менеджеры продолжали считать, что все это очень перспективно, присылали туда своих солистов. С Менухиным мы играли Бетховена, еще кто-то приезжал… Мы с Леной жили между Канадой, Англией и Рамлинсбургом.

Из письма Р. Баршая А. Локшину, 1985 г.

Дорогой Шура! Спасибо за Ваш звонок. Вы меня очень обрадовали.
В конце Бурлески Девятой симфонии (Малера), кроме двух флейт октавой выше, мне кажется, можно добавить *Es*-ный кларнет, а то и все кларнеты. <…>
Только что мы вернулись из длинной поездки. Были в Канаде и Скандинавии. Это расстояние звучит страшно. Но если посмотрите на глобус, то для самолета это не так далеко. В Ванкувере очень хороший оркестр (тот самый, который играл Восьмую Шостаковича). Они очень охотно работают. Как я Вам говорил, мне приходится теперь играть много английской музыки. Следующий концерт в Англии: Делиус, Эльгар, Холст ("Планеты"). <…>
Все это вещи очень трудные, и трудности, к сожалению, не всегда оправданны. Но англичане безумно любят эту музыку. Вообще надо сказать, что в музыке они всеядны (в еде тоже). Что мне в них симпатично, это то, что они равнодушны к удобствам. Англичанину часто безразлично,

что есть на обед, зато он готов поехать в Лондон за сто миль посмотреть интересную пьесу. Вы пришли бы в ужас от их кофе. Существует шутка: "Почему англичане пьют так много чая?" — "А вы пробовали их кофе?" Днем они довольствуются сэндвичами и вечером едят совершенно безвкусный динер, приговаривая при этом: "делишес". Полная противоположность швейцарцам. Эти — страшные обыватели. В половине двенадцатого у всего населения начинает выделяться слюна; оркестранты нервно поглядывают на часы (репетиция до 12.00), конторы, банки, магазины потихоньку сворачивают работу, и с двенадцати часов дня вся страна мчится обедать. Кто домой, не важно, если это пятнадцать — двадцать километров от города, кто в излюбленный ресторан. В это время проехать по швейцарским дорогам трудно, ибо у каждого — своя машина, а то и две. И вообще, все, что касается здоровья, отдыха — уважается в первую очередь. Всякие "Фитнес паркур", плавательные бассейны, минеральные купальни — очень популярны. Ну а культура, а культура — потом.

Но в общем — это хорошее место, чтобы учить партитуры. Мы будем дома до восьмого июня. Потом опять поедем в Ванкувер. Очень нам там нравится. Как поживает ваш внук? У нас недавно родилась внучка — у Володи. Мы еще ее не видели.

Желаем всем вам всего доброго. Ваш Рудик.

57

В Ванкувере нужно было усилить струнную группу, и объявили конкурс. Сыграла на нем и жена первого кларнетиста. Скрипачка так себе, но муж — профсоюзный лидер. Я не стал за нее хлопотать. Не выступал против, но и не выражал восторгов. Когда об этом сообщили первому кларнету, он поставил вопрос о том, гожусь ли я, чтобы оставаться шефом оркестра, раз игнорирую личные интересы музыкантов. Это было началом чего-то неприятного, но я еще не понимал чего.

В оркестре была должность художественного руководителя. Занимал ее молодой дирижер по имени Уолт, хороший парень, он составлял наши программы. Однажды меня вызвала артсконсул, фактически — министр культуры Канады. Такая фифочка на острых каблучках. "Мистер Баршай, маэстро. Я вас очень прошу уволить вашего художественного руководителя". Я удивился: не было никаких оснований его увольнять, прекрасный работник, весь оркестр им доволен. "Нет. Мы все-таки настоятельно просим. У нас, понимаете ли, переходит на пенсию один очень уважаемый нами старый сотрудник, мы хотим его на это место посадить". — "Но почему же вы хотите сделать это за счет другого, молодого, хорошего?" — "Ну вот наша такая просьба". Потом позвонил из Лондона директор Би-би-си Джон Драммонд: "Рудольф, тут тебе рекомендуют такого-то. Он хороший человек, знаешь? Ты, пожалуйста, возьми его, будь добр, потому что он и тебе поможет в твоих делах, и вообще в твоих интересах, чтобы он у тебя под боком работал". Меня это поразило и возмутило. И я не уволил Уолта. Замечательный малый, молодому дирижеру свои ангажементы получить не так-то просто, он пошел в оркестр и работал не за страх, а за совесть...

Его уволили решением сверху. И прислали того пенсионера.

Из письма Р. Баршая А. Локшину, 1985 г.

Дорогой Шура!
Вот подходит к концу лето. Оно было богато всевозможными событиями. Как печальными, так и радостными. Записал 8-ю Шостаковича, играл на знаменитом "Промсе" в Альберт-холле. Это ежегодные летние концерты, основанные когда-то Генри Вудом. Называются они "Променад-концерты", потому что тогда можно было за совершенно дешевую плату входить и уходить из зала когда угодно. Это была попытка популяризировать симфоническую музыку. Попытка удалась, и теперь уже нельзя входить в зал, когда угодно, а наоборот, все стараются прийти пораньше и занять места, хотя бы стоячие. Атмосфера на этих концертах ни с чем не сравнима. Народу — тьма. Три-четыре тысячи. Публика сидит только на ярусах. В партере стулья убирают, чтобы поместилось побольше. Вот уж действительно "слушали стоя". Нужно любить музыку, чтобы прослушать стоя длинную программу (Мо-

царт — Маурерише Трауэрмузик, Бетховен — Четвертый концерт, Шостакович — Восьмая).

Другое переживание у нас с Леной было 12 июля на церемонии присуждения хонорери доктор оф мьюзик. Это было очень волнующе и тоже при большом стечении публики. Так что я теперь как бы засл. артист Английской ССР. <…> Теперь мы с Леной вернулись из Италии. Был в жюри конкурса дирижеров. Никого выдающихся не открыл. Махать руками, и довольно эффектно, могут многие, а музыкантов мало. Как говорил Шостакович, руку набили, пора бы набить голову. Познакомился там с Жоржем Себастьяном. Он когда-то дирижировал в Москве. Кажется, он был одним из приглашенных Луначарским молодых дирижеров. Сейчас ему за восемьдесят. Очень много рассказывал. Ведь он — единственный ученик Бруно Вальтера. От него я узнал, что Малер и Штраус были в прекрасных отношениях и Малер много дирижировал Штрауса (кроме опер, но любил "Саломею"). Чего нельзя сказать о Штраусе. Ну, бумага кончилась, а с ней письмо. Желаю Вам и всем вашим всего самого доброго. Ваш Рудик.

Из письма А. Локшина Р. Баршаю, 1985 г.

Дорогой Рудик!
Сейчас пять часов утра, проснулся я в четыре и заснуть не мог. Потому пишу ночью. Вы и не представляете, как обрадовался я Вашему звонку.

У нас жизнь музыкальная приобрела формы небывалые. Старики пишут эпигонский вздор, впрочем, как и всегда. Авторы пятидесятилетние и особенно молодые (а их сотни) — авангардисты. Как правило, их оркестры состоят из экзотических ударных (в большом количестве) плюс инструменты старинные (главным образом добаховские) плюс инструменты электрические, и, если к этому добавить человеческие голоса, поющие отдельные слоги слов, передаваемые из аппаратной через динамики с перерывами по усмотрению дежурного в аппаратной, — то это будет приблизительно то, что я слышал прошлой осенью. Успех был огромный. Произведение принято в печать. Но это еще не предел фантазии. На днях Миша (Меерович) в зале им. Чайковского слушал концерт, в котором исполнялось сочинение автора бетховенского скрипичного концерта. Вот его краткое содержание. На сцене, естественно, вибрафон (без него, надо или не надо, не обходится ни один уважающий себя автор), четыре исполнителя бьют молоточками по этому инструменту, пятый тоже бьет, только по воздуху. Под этот аккомпанемент хорошая певица время от времени издает неопределенные музыкальные звуки, при этом усердно вращая ручную кофейную мельницу. Поиграв таким образом некоторое время, четверо исполнителей поднимают вибрафон в воздух и, изображая гроб, несут его за кулисы. Певица продолжает вращать мельницу. Успех у публики небывалый. Близкие друзья и поклонники таланта автора утверждают, что все последние сочинения этого автора посвящены эпизодам из жизни, смерти и воскресения Христа.

Я не знаю, верит ли автор действительно в Христа (или в кофейную мельницу), но убежден в его сознательном или бессознательном жульничестве. Впрочем, поклонников у него среди интеллигенции (лишенной музыкального слуха) неизмеримо больше, чем критиков. В его концерты можно попасть только чудом или близким знакомством с администратором.

Что происходит на свете и у нас, и на Западе? Что это — массовый психоз? Или я и мое поколение отстали от жизни?

Желание исполнить свои сочинения гаснет с каждым годом. Авангардисты получили так называемый "зеленый свет". Их играют во всех залах Москвы и на радио.

Надеюсь, что Вы не подумаете, что мною движут низкие чувства. Я предпочел бы умереть, но не дай бог запачкаться подобными приемами.

У нас, в Москве, морозы, да еще привязался ко мне грипп, и я уже давно не выхожу на улицу.

Через некоторое время руководство решило сменить и директора Ванкуверского оркестра. Прежний был неплохой, порядочный человек, добрый и честный. Мне прислали CV, автобиографию нового. Я прочитал, и оторопь взяла. Он писал, что несколько раз в жизни, начиная с трехлетнего возраста, посещал церковь, а также иногда переворачивал ноты аккомпаниаторам в концертах таких-то и таких-то знаменитых артистов.

Я спросил: "Зачем же вы хотите уволить прежнего?" — "Нас он не устраивает, не справляется с финансово-экономическими сложностями". Прислали этого нового. Он оказался полной катастрофой. Первое, что он как директор предпринял, — приказал в корне изменить программы. Классическая музыка, объяснил он, не так уж интересует людей. Их интересует популярная. Поэтому отныне наши абонементы перестраиваются: часть абонементных концертов будет играться джазом, а часть — симфоническим оркестром.

Все кончилось быстро. К концу того же сезона оркестр стал банкротом. Любители джаза не стали покупать билеты на симфонические концерты, а любители симфонических концертов не стали покупать билеты на джаз. Оркестр закрыли.

58

Из письма Р. Баршая А. Локшину, 1986 г.

Дорогой Шура!
Только что приехали домой и нашли Ваше письмо. < ... >
Приближается десятилетие моих странствований. Время
летело быстро, и чем дальше, тем скорее. Не знаю отчего.
Может быть, земля стала быстрее вертеться. Погода во всяком случае переменилась. Зимы стали холоднее, и сильные
ветры часто дуют. А может, так было всегда, кто знает?
Последний месяц был урожайным. Сыграл в первый раз
Шестую Малера и Девятую Бетховена. Лена записала Бетховена на маленький магнитофон. Качество самой записи
очень слабое, и первые такты третьей части отсутствуют —
не успели перевернуть пленку. Все-таки осталась память
о первом исполнении. Что касается финала Девятой
симфонии, то надо сказать (хотя нехорошо так говорить
о Бетховене), что конструкция не удалась. Что и говорить.
Да и сама идея наивная. Какое уж там братство, когда после такого замечательного пророчества все еще убивают
президентов, беременным невестам подкладывают бомбы,

а китайцы вообще заигрывают с англичанами. Видимо, обниматься миллионы могут, только построив социализм в одной стране, а Бетховен этого знать еще не мог. <... > В каком-то письме к издателю Бетховен писал, что если придерживаться его метрономов, то исполнение займет не больше пятидесяти минут. Бедный, боялся, что не примут длинную симфонию. (Помните рецензию Римского-Корсакова на концерты Малера: "Кому нужны эти гигантские постройки?") Кое-что изменилось с тех пор. Малер признан повсеместно. Но вкусы! Пластинку Типпетта послал, чтобы Вы имели представление о том, что им нравится. *Ritual* танцы считаются классическим образцом, и отзываются об этом произведении не иначе как "фантастик!". Самое интересное то, что это искренне. Ко мне иногда на улице подходят незнакомые люди и со сложенными руками умоляющим тоном: "*Please*, сыграйте Первую симфонию Вона Вильямса, это должно у вас получиться превосходно". Но их любовь к музыке тем не менее очень трогательна[1]. Хорошую музыку они тоже любят. Пожалуй, для них все композиторы равны, но некоторые (такие как Эльгар) более равны.

Последствия не заставляют себя ждать. Количество концертов возросло до такой степени, что многочисленные лондонские оркестры не успевают обслуживать все концертные залы. (Заработок музыкантов зависит от количества концертов, за исключением оркестра *BBC*. Тот — на зарплате.) Дело доходит до курьезов. Так, случается, что *Royal Philarmonic* делится пополам, набирают добавочных музыкантов, и вы можете услышать концерт одного и того же оркестра в одно и то же время в Лондоне и в Ноттингеме.

---

1   В письме речь идет о Великобритании.

Разумеется, все это отражается на качестве. Репетиций становится все меньше, доходит до одной!, соответственно, репертуар сужается. Не думаю, что у какого-нибудь дирижера найдется охота приготовить новое произведение с одной репетиции, а с двух бывает. Надо сказать, что уровень музыкантов очень высокий. Они и в самом деле уверены, что одной репетиции им достаточно. Поэтому дирижеров ценят по количеству репетиций. Чем меньше репетиций, тем лучше дирижер. Чего греха таить, я и сам соглашался несколько раз на такие концерты — ради спортивного интереса — провести концерт "на руках". Очень полезно. В свое оправдание могу сказать, что обычно я прихожу на репетицию со своим оркестровым материалом, где все штрихи проставлены, что экономит время. Между прочим, у Клемперера был свой маленький грузовичок, который возил за ним всюду оркестровые ноты. (Кажется, я Вам об этом уже писал.) Но теперь мало кто из дирижеров этим занимается. Все реже можно встретить серьезного человека среди молодых дирижеров.

После долгих переговоров договорились наконец о Первой симфонии[1]. Хормейстер берется выучить, будет три оркестровых репетиции плюс две моих репетиции отдельно с хором плюс четыре саксофона. В абонементе следующего сезона есть такая программа: Глюк — Альцеста — Увертюра, Бетховен — Пятый фортепианный концерт, Моцарт — Немецкие танцы, Малер — Песни странствующего подмастерья, Локшин — симфония №5, Шостакович — симфония №1.

Еще один вопрос — назад к Бетховену. В третьей части Девятой симфонии — до сих пор не разрешенная проблема.

---

1   Имеется в виду Первая симфония А. Локшина.

После фанфар в *Des-dur*, такт 133, вторые скрипки играют двойное *piano*. Их не слышно. Все мои предшественники написали вторым скрипкам *forte* или даже двойное *forte*. Мне представляется это неверным. Струнные должны провалиться в бездну, и оттуда доносятся слабые возгласы. Не очень-то Вы порадовали нас своей инфарктерией. Лекарство я заказал, постараюсь выслать как можно скорее. Больше не болейте. Хватит. Сердечный привет всем вам от Лены. Ваш Рудик.

Из письма А. Локшина Р. Баршаю, 1986 г.

Дорогой Рудик!
Скоро наступит первое десятилетие после нашей последней встречи. Слава богу, у Вас как будто бы все получилось, как об этом мечталось. Ваши записи Шостаковича и сэра Типпетта, а также и другие — выше всяких похвал. Я же ничем не могу похвалиться, кроме двух инфарктов и одного инсульта. Во всем прочем моя биография смахивает на жизнь растения. Все, что составляло радость при нашем общении, сгинуло, осталась пустыня. Не буду больше издавать скорбных стонов по поводу своих болезней.
Вам же желаю всего самого лучшего, чего может пожелать самый преданный друг.
Привет всем Вашим близким. А. Л.

Вскоре Локшин умер. Умер мой дорогой друг, учитель, советчик, собеседник. Может, тут, на Западе, его бы спасли. Помню, как посылали отсюда компламин, самое обычное лекарство, — в Москве не было. Оно требовалось срочно, я купил, погнал на машине в Базель, упросил швейцарского летчика взять лекарство с собой. Но не помогло оно, поздно было. Локшин оказался прав: мы никогда не увиделись после моего отъезда. Но я никогда и не расстался с ним. Хотя его отсутствие ощущаю и сейчас так же остро, как отсутствие Шостаковича и моих родителей. Мне так был нужен его совет, когда я работал над Десятой Малера, я столько раз мысленно обращался к нему за помощью!

Я много раз играл музыку Локшина после его смерти, видел успех, предназначавшийся ему, и вернулся в Россию с гастролями в первую очередь для того, чтобы сыграть его "Реквием".

59

Когда студентом я играл в оркестре Большого театра, один тамошний валторнист заканчивал дирижерский курс у Гаука. На экзамене он решил продирижировать Симфонию Кончертанте и попросил меня сыграть на альте. В перерыве мы все вместе курили, и Гаук спрашивает его: "Когда уйдешь из Большого?" Тот отвечает: "Не могу я уйти, Александр Васильевич, у меня семья, а в театре хорошие зарплаты". И Гаук ему сказал: "Не имеет значения. Уходи или пропадешь, тебя засосет эта серая масса. Пока ты играешь в оркестре — ты не дирижер. Запомни: дирижер и оркестранты — классовые враги".

Я запомнил эти слова. Я был не согласен с ними тогда, не согласен и теперь. Оркестр — это восемьдесят или сто талантливых личностей. Не будь они талантливы — не занимались бы музыкой. У каждого своя мера одаренности, свой путь, кто-то занимался больше, а кто-то ленился, кто-то самоотвержен, а кто-то разочарован, но все они талантливы. У каждого из них есть свое представление о том, как играть музыку, которую вам предстоит исполнять. Дирижер приходит для того, чтобы объединить их способности и навязать свою волю. Это так, даже если это не соответствует духу демократии и не нравится профсоюзам. Но тем более уважителен должен быть дирижер по отношению к музыкантам. Он не имеет права сердиться. Они — имеют. Ты не знаешь, что происходит у них дома, в семье, в каком настроении они легли вчера и встали сегодня утром, но должен никогда не забывать: перед тобой — личности, живые люди, а не наемники с инструментами.

Бывает трудно. Ведь встречаются люди обидчивые, которых любое замечание дирижера оскорбляет. Ты просишь его сыграть потише или побыстрее, а он идет жаловаться в дирекцию. Ты показываешь ему правильный штрих, а он отвечает, что он — скрипач-виртуоз. Хуже того: встречаются люди без чувства юмора, хотя среди музыкантов это редкость.

Важно и то, что у разных музыкантов разная восприимчивость. Некоторым требуется больше времени, чтобы добиться результата, чем другим. Дирижер должен быть на стороне более медленных. Нельзя понукать. Надо привести к результату всех. Уверенно, но уважительно вести за собой. Дирижировать так, я уже говорил, чтобы каждый из музыкантов думал, что ты дирижируешь именно для него. В руках должны отражаться все голоса. Если контрапункт, то понятно, какие голоса, а если не контрапункт, то все равно голоса существуют. Гобой должен видеть, что вы для него дирижируете, а скрипки — что для них. Как это достигается — объяснить нельзя, потому что если кто это чувствует, то он — рожденный дирижер. Если он этого не чувствует, то научить этому, я думаю, нельзя.

Здесь все важно, даже осанка, глаза, взгляд. Но руки, конечно, первое дело. Важно, чтобы в них была певучесть, чтобы руки пели, тогда и музыканты поют. Хорошие музыканты исключительно чутки к рукам дирижера и отвечают замечательно. Когда хорошие музыканты. Но искусство дирижирования состоит не в том, чтобы красиво размахивать руками. Это многим удается. Важнее всего в конечном счете личность дирижера. Все музыканты, и я сам в том числе, чувствуют, кто имеет право вести за собой, а кто нет.

Мое отношение к оркестрантам вовсе не означает, что в оркестрах нет людей неприятных и нерадивых. Но им как раз неплохо живется, и чаще всего именно их интересы защищает профсоюз.

Отношения дирижеров с профсоюзами — любимая тема музыкантских анекдотов. Хотя на самом деле все это не так уж весело. Помню, когда Андрей Волконский узнал, что Московский камерный берут в филармонию, он с тоской спросил меня: "И профсоюз учредят?" Кусевицкий решил покинуть Россию, когда после революции в его оркестре учредили профсоюз. В Советском Союзе профсоюзы были, конечно, декоративными — какой может быть профсоюз у крепостных? Чаще всего власти использовали их против самих же работников. Помню смешную историю с дирижером Файером в Большом театре. На его репетициях оркестранты болтали, травили анекдоты, ходили. Замечательный дирижер, но справиться с ними не мог. Директор театра устроил профсоюзное собрание. Вышел наш профорг, гобоист из Азербайджана, и сказал: "Так дальше не пойдет, граждане. Безобразие, понимаешь. Когда дирижер на палка стоит — надо, чтоб сразу тишина был". Влепили музыкантам. Ладно, они говорят, будет полная тишина. На следующее утро Файер приходит на репетицию — все сидят за пультами и молчат. Полная, гробовая тишина. Смотрят на него, ждут указаний. Файер говорит: "Ну, давайте репетировать". Тут кто-то с задних рядов ехидно: "А мы уже начали". — "Бросьте хохмить, работать надо". Все молчат. Файер смотрел-смотрел на них недоверчиво, потом как шарахнет кулаком по партитуре: "Прекратите дурака валять! Давайте работать!" Ну, бывают дирижеры, которые любят в шуме работать. Я, например, не могу. С тех пор шума на его репетициях действительно не было, а если кто начинал выступать — подходили два громилы-тубиста и тихо выводили: такое решение принял профсоюз.

На Западе профсоюзы очень влиятельны, ссориться с ними опасно. Как всякая организация, они созданы для того, чтобы отделить правила от личностей. Но, как во всякой организации, это получается не вполне.

Как-то раз в перерыве репетиции молодой кларнетист попросил меня помочь с одним трудным пассажем. Мы позанимались четверть часа, все у него получилось, пошли вместе в буфет. В дверях остановил инспектор оркестра: "Извините, маэстро, перерыв будет продлен на пятнадцать минут, потому что репетиция с оркестрантом считается репетицией со всем оркестром". Ну что же. Именно этих пятнадцати минут нам потом не хватило, чтобы отработать заключительную часть. С точки зрения какой-то правовой логики я мог бы понять эту историю. Но художественная работа не поддается логике.

Когда-то Голованов, изгнанный из Большого театра, приходил на репетиции БСО за полчаса до начала. Стоял у пульта, работал с партитурой, готовился. Музыканты это заметили и тоже стали приходить раньше. В один прекрасный день весь оркестр сидел на своих местах за полчаса до официального начала репетиции. Голованов поднял голову от партитуры, увидел их и говорит: "Ну что же, раз все собрались — начнем". С тех пор репетиции начинались на полчаса раньше. Но и заканчивались раньше на полчаса.

У меня тоже есть привычка приходить чуть пораньше, чтобы проверить партии, сосредоточиться. Однажды я пришел так в американский оркестр. Появился инспектор: "Маэстро, простите, но вы не должны приходить до начала репетиции, я не имею права вас впускать". Я собрал ноты и вышел в коридор, встал рядом с ним. Он смотрел то на часы, то в пол, то на часы, то в пол. Мне было его жалко. Было что-то в этой ситуации бесчеловечное, противоестественное, Кафке бы понравилось. И Свифту, пожалуй, тоже. Я очень люблю Свифта, часто перечитываю. Наконец стрелочка подошла, и точно в ноль-ноль секунд он открыл передо мной дверь: "Прошу!"

В Германии разрешается репетировать пять часов в день с перерывом. Но если мы записываем — только четыре часа. Почему? Объяснение такое: на записи музыканты больше выкладываются. Во Франции репетируют максимум четыре часа с большим перерывом, но если дирижер работает не со всем оркестром, а с отдельной группой — то только два с половиной часа. Почему? Во время отдельной репетиции группы музыкант больше устает. А на общей репетиции якобы меньше. Мне в связи с этим вспоминается, как в Куйбышеве судили второго скрипача квартета, который отказался играть концерт, потому что первый скрипач квартета заболел. Директор филармонии говорил: "А почему вы не можете сыграть втроем? Я регулярно бываю на ваших концертах и вижу, что часто кто-нибудь из четверых молчит. Так перепишите, чтобы этих пауз не было, а играли бы трое".

Часто лучшие дирижеры для оркестрантов те, которые меньше репетируют. В результате исполнение может быть и чистеньким, и точным, но все равно оставляет впечатление высококвалифицированной игры с листа. Знаете, у японских музыкантов исключительно высокая техника. Я бы сказал, гениальная техника. Но они остаются на уровне обывателя. Их перфекционизм не включает чего-то главного и невыразимого, что составляет существо музыки. Может, в самом деле снобизма не хватает?

Великие дирижеры — Клемперер, Фуртвенглер, Караян, Вальтер — были великими воспитателями музыкантов. Они никогда не выходили на концерт с одной репетиции. Благодаря их работе в мире до сих пор существуют первоклассные оркестры. Да, бывает, приходит к музыкантам дирижер, который заставляет их повторять по сто раз, не имея никакой определенной цели. А просто: остановил — играем снова. Тут только профсоюз и может защитить. Но важна мера. Как говорил великий философ Фрэнсис Бэкон, которого я очень почитаю, не приписывайте народу чрезмерное благоразумие — он зачастую противится собственному благу.

Свобода и права — очень важная вещь. Но эти понятия не описывают всю жизнь человека и человечества. Если невежество и безвкусица, пользуясь равными правами, сведут искусство к приятной безделушке, то зачем трудились и страдали наши предшественники? Чего стоит каждый из нас, если обменяет свои личные обязанности на то, чтобы слиться с толпой?

60

Мне больно от того, что я уехал из своей страны. С этим чувством свыкаешься, но оно не проходит. Я всегда ощущал и сейчас ощущаю себя человеком из России, я всей душой желаю ей добра. И притом думаю, что мое решение уехать было правильным. Я уезжал не за благополучием. Мне хотелось сделать в музыке все, что я должен. Здесь я мог работать и мне не запрещали ничего играть: я хотел Хиндемита — я играл Хиндемита, я хотел играть Стравинского — я играл Стравинского. Очень часто, между прочим. Особенно полюбил его "Аполлона Мусагета", он написан для струнного оркестра. Струнный оркестр мне легче всего дается. Ну, потому что, так сказать, это моя стихия. Я дошел даже до "Весны священной", "Весну священную" продирижировал. Никто ничего не запрещал, все мне разрешалось. Если говорить по существу дела и очень серьезно, это было самым главным.

Когда я был председателем международного конкурса дирижеров имени Тосканини, меня попросили написать все оркестры, с которыми я работал, — я, признаюсь, сбился со счету.

Минус был такой. Помимо разлуки с дорогими людьми, невозможности быть рядом, когда я мог бы пригодиться, помочь, самый тяжелый минус тот, что мне пришлось для отъезда бросить выпестованный мною камерный оркестр, превосходный ансамбль прекрасных музыкантов. Равного ему я не встретил за всю долгую историю и обширную географию моих выступлений.

Однажды, спустя много лет после отъезда, я слышал Московский камерный в Париже. Это было очень, очень для меня странно. Это был уже не мой оркестр, не мой звук. А встреча с ребятами, с музыкантами была, конечно, волнующая. Несколько человек пришли ко мне на радио, на репетицию — я с Национальным оркестром Франции готовил Девятую симфонию Бетховена, которую мы потом исполняли в Сен-Дени. Ребята сидели, слушали. Мне было трудно.

В следующий раз мы встретились с ними в девяносто третьем году в Москве, когда меня пригласили на гастроли. Я не играл с ними, просто встретились. Было еще немало людей из первого состава. Хотя уже и немного. В те дни я как будто перемещался между концертами и кладбищами. Москва показалась мне обезлюдевшей и серой. Потом-то появилось много рекламы, огней, тогда не было. И все равно, признаюсь вам, когда я сошел с трапа в Шереметьеве, у меня было желание поцеловать землю. Но я не Папа Римский — воздержался.

На тех гастролях я играл Девятую Малера с БСО и *Missa Solemnis* Бетховена с Российским национальным оркестром, Лена исполняла партию органа. Первый концерт в Большом зале вышел прекрасным, и у меня было чувство, что я встретился с той же самой публикой, которую оставил в семьдесят седьмом году. Но при этом я думал о людях, которых уже не могло быть в зале, хотя для меня они все-таки были. Последнего моего дорогого соратника, Рихтера, не было тогда в Москве, но очень вскоре мы встретились в Японии, чтобы сыграть вместе. Как оказалось, в последний раз. Это были три концерта Моцарта. У Заболоцкого есть стихи, знаете: "И теперь он, известный поэт, хоть не всеми любимый, и понятый также не всеми…" Заканчиваются они так:

Всё он бродит один
И пытается сердцем понять
То, что могут понять
Только старые люди и дети.

Эти строки приходили мне на память, когда Рихтер играл 17-й концерт Моцарта в Токио. Он играл с удивительной простотой и говорил именно о том, о чем могут рассказать только старые люди и дети. Это был его последний концерт. Он записан, издан на диске, который так и называется: "Рихтер. Последний концерт".

61

Как-то раз была у меня довольно тяжелая операция. Давно уже. Что-то надо было вырезать, что-то дошить, что-то залатать, а что-то удалить. Период после операции был трудный. Я лежал в больнице. И вдруг звонок по телефону: "Рудик!" — "Да?" — "Это я". — "Кто это?" — "Это Аня". — "Кто?" — "Ануля". Так ее Сергей Александрович звал, Ануля. Мартинсон. Я так был растроган, не могу передать. Мы в свое время расстались по-человечески, ну что же, случилось... Мне было очень дорого почувствовать, что вот мы с ней все-таки друзья и никуда от этого не денешься. Она мне говорит: "Рудик, у тебя чудесный сын!"

Володя стал очень успешным бизнесменом. Думаю, это в деда, моего отца, только тому негде было развернуться. Вовка теперь Уолтер — он президент международной корпорации, которая выращивает сапфиры и изумруды. Живет в Лос-Анджелесе, а до этого много лет жил в Таиланде, и его жена таиландка. Своего старшего сына он назвал Бенджамином, как звали на самом деле моего отца, а младшего — Мартином. Мартин — Мартинсон. Какие это ребята! Ой какие потрясающие! Старший — спортсмен, а младший — интеллектуал. Старший поступил в очень престижный университет, где год обучения стоит шестьдесят тысяч. Володя сказал: "Я заплачу. Если я не так был счастлив в жизни, то мои сыновья должны быть счастливы". Молодец он. И вот однажды Бенджамин получает письмо от ректора. "Диэ сер, — пишет тот, — дорогой сэр! Сообщаю, что успехи ваши в прошедшем учебном году были настолько велики, что ученый совет университета принял решение освободить вас от платы. Отныне вы будете учиться в университете бесплатно". И в конце — постскриптум: "Только большая к вам просьба, диэ сер, не бросайте нашу футбольную команду". Потому что именно его успехи в футболе были исключительными. Не говоря о том, что Бенджамин еще и чемпион Калифорнии по плаванию среди молодежи.

Разница у мальчишек года два. Когда они гостили в нашем летнем доме в Альпах, в деревне Сильс-Мария, мы отправились на прогулку. Доехали на извозчике до самой вершины горы Фурчелла, посмотрели на ледник и решили пойти обратно пешком. По пути переходили горную речку, которая берет начало в этом леднике. Боюсь ошибиться, но это чуть ли не начало Рейна. Мартин, которому было шесть, максимум семь лет, остановился, задумчиво посмотрел на поток и сказал: "Там, наверху, идет дождь". — "А почему, Мартин, ты так думаешь?" — я спросил. "А потому, что вода грязная, мутная вода. Значит, ледник активно тает, и весь мусор, который там скопился, щепки разные и все прочее, бежит по реке. Так что, думаю, в горах дождь". Вот голова! Он образованный поразительно. Однажды звонит мне из Штатов: "Дедуленька, — говорит, — ты читал книги Стивена Хокинга?" Это гениальный физик, парализованный, героический человек и величайший ум. Я го-

ворю: "Нет, не читал". — "Обязательно читай, это твоя
литература". Я был тронут до глубины души и, конечно,
немедленно стал читать и безумно увлёкся. Это потрясающе! Сложно, очень сложно, очень, но потрясающе интересно. Самая первая его книга, которую я прочёл, была
"Краткая история времени. От Большого взрыва до чёрных
дыр". И я подумал: неужели мой Мартин, мой внучонок,
такие умные вещи понимает? Неужели уже понимает?

Лёва с детьми тоже в Америке[1]. Он пошёл по технической части, стал инженером. Они с Володей дружат, не те-
ряют друг друга из виду, чему я очень рад. А Левин сын
стал американским лётчиком, представляете?

Саша-Такеши первый раз приехал сюда, в Рамлинсбург,
когда ему было лет четырнадцать. Мы с Леной встречали
его на аэродроме, и она сразу узнала его. Он шёл в школьной форме, в фуражечке. А теперь Вовка шутит — если
надо, чтобы кто-то незнакомый встретил Сашу в аэропорту, он говорит: "Вы его легко узнаете: высокий японец".

Он стал доктором. Хирургом. Причём... Я один раз
сплоховал. Он поступал в Киотский университет, и Теруко
позвонила мне и попросила крупную сумму, которую надо
было внести, плату за год. Это была правда крупная сумма,
а нас в тот момент как раз обокрали. Знаете кто? Банкир.
Бывает тут такое. Сбежал в Америку, и всё. И я нигде
не мог найти таких денег. Очень переживал, но Теруко
отнеслась с пониманием. Потом я посылал, конечно, само
собой. А Саша нашёл себе временную работу: на подгото-
вительных курсах преподавал высшую математику тем, кто
поступает в университет. Сам имея только школьное образование. Такой одарённый парень.

---

1   Лев Баршай скончался весной 2013 года.

Его пригласили однажды на международный симпозиум по урологии в Утрехт. Позвали со всей семьей, дали им квартиру при университете. Я помог ему купить машину, и они могли часто к нам приезжать. Как-то раз на Рождество приехали все вместе, на несколько дней. Какое это было чудесное Рождество — одно из самых счастливых в моей жизни. Я был особенно рад, страшно доволен тем, как Саша с Леной подружились. Ну, дым стоял коромыслом. Нарядили елочку, мальчик и девочка играли с Леной в прятки, резвились целыми днями. А через некоторое время мне Саша звонит: "Рьючи каждый день говорит: "Хочу обратно к дедушке, хочу с Леной играть". Они не раз приезжали, и всегда это было очень радостно для нас.

А потом мы были у них в гостях в Японии — я почти каждый год дирижирую Филармоническим оркестром Токио — и присутствовали в храме на церемонии, посвященной Момоко, моей внучке. Она была в кимоно, такая крошечка в кимоно… Я полюбил в Японии одно печенье, окаки оно называется, и Момоко всегда следит, чтобы мне не забывали его привозить.

Музыкой никто из детей не занимается. Впрочем… у Володи скоро родится девочка.

62

Музыка как явление — это движение души. Это душа выражает таким способом свои движения. Когда Бетховен говорил, что беседует с небесами, он не приукрашивал. Я уверен, что он все это слышал, и его заслуга как гения состоит в том, что сумел записать. Иметь отношение к этому божеству, какое-то право прикоснуться к творениям Бетховена, Баха, Малера, Моцарта, Шуберта — это уже большое счастье. Это можно мне только завидовать. В такие моменты, когда я это чувствую, — нет счастливее меня человека на земле. Но высший миг — когда я чувствую, что мне удалось напасть на след и пройти дальше по пути, которым шел композитор. И даже сейчас, честно говоря, мне кажется, что если я в жизни сделал что-то важное, в чем я могу перед Богом ответить, то это две вещи: "Искусство фуги" Баха и Десятая Малера. Потому что, должен признаться, во время работы над этими двумя сочинениями я существовал. Вот это была моя жизнь. Я дышал кислородом, воздухом и вот сочинял это самое. Этим я жил. Вот это была моя жизнь. А все остальное было прикладное.

В финале Десятой симфонии Малера есть один аккорд. Ему предшествует страшное сплетение контрапунктических линий, в котором можно услышать железные и огненные звуки ада, увидеть каких-то дьяволов; страшный клубок полифонии, одни голоса противоречат другим — и наконец аккорд разрешает все в ми-бемоль мажор. Но в это время в верхнем голосе, в мелодии, проходит соль-бемоль. Получается жутко грубый диссонанс — как будто по тарелке вилкой скоблят. Это оттуда, я уверен, взялся диссонанс у Шостаковича, о котором я вам рассказывал, он генетически оттуда. Сам Малер над этим местом очень много работал, у него сотни разных вариантов. Написал — зачеркнул, написал — зачеркнул. Ну, сотни, просто невероятное что-то. Видно, что он не хотел расставаться с ми-бемоль мажором.

Как поступил Деррик Кук? Очень просто: он этот ми-бемоль-мажорный аккорд, чтобы не портить мелодию, превратил в ми-бемоль-минорный аккорд. И характер сразу стал унылый. Да ми-бемоль минор еще такая унылая тональность, что деваться некуда, жизнь не мила. А этого нельзя. Это очень большое нарушение малеровской философии. Потому что Малер в этом отношении был строгим последователем Баха и Бетховена: чтобы не разрешать в минор. Бах не разрешал в минор, потому что был послушен воле божьей, не протестовал против воли божьей. Бетховен мог протестовать, но как, с какой мощью!

Я понял, что это место меня не отпустит. Хоть до конца жизни буду сидеть над ним, а найду решение. К тому времени я занимался Десятой почти уже двадцать лет. Не было миллиметра в рукописи, который мы с Леной многократно не проигрывали, не рассматривали в увеличительные стекла, не переписывали от руки, пытаясь иногда понять логику почерка. Не могу сказать, как Лена помогала мне. Без нее я ничего бы не сделал.

В середине девяностых годов у нас появилась дача: мы построили дом в самом сердце Альп, в райском месте, которое называется Энгадин, или Сильс-Мария. И оказалось, прямо напротив — дом, в котором жил Ницше. Он был наш сосед. В горах над озером стоит скамейка, на которой он любил сидеть и сочинять. Напротив, прямо на скале, выбиты слова из "Заратустры", те, что звучат в Третьей симфонии Малера: *Was spricht die tiefe Mitternacht?* — "Что говорит глубокая полночь? "Я спала, спала, — меня пробудили от глубокого сна. Мир глубок, он глубже, чем казалось днем, глубоко его страданье. Но радость глубже, чем сердечная мука: страданье говорит человеку — сгинь, перестань жить. А радость всегда взыскует вечности, глубокой, глубокой вечности".

Малер очень почитал Ницше. С гитлеровских времен у Ницше была слава чуть ли не основателя национал-социализма. Только совсем недавно выяснилось, что это трагическая ошибка. Его сестра была замужем за одним из идеологов фашизма, и она сочиняла ужасные вещи за больного брата, редактировала его записи, причем в особенности налегала на еврейскую тему. Ницше ненавидел антисемитов, он разошелся с Вагнером, которому когда-то поклонялся, написал, что Вагнер опустился до всего того, что он, Ницше, презирает — даже до антисемитизма. Но сестра все это вымарала, создала брату ужасную посмертную славу, и сам Гитлер целовал ей за это руку.

Мы ходили в домик Ницше, там теперь музей, сидели на этой скамье, поднимались высоко в горы. Однажды оказались в удивительной красоты месте на краю леса, оттуда был виден как будто весь мир. Тут бы поставить стол и работать... Так мы и сделали. Принесли складной стол, стулья, партитурную бумагу и манускрипт Десятой. Когда начался закат, мы поняли, что тащить все это обратно, а потом снова сюда, нам не по силам. Тогда Лена сложила стол и стулья под елкой, накрыла скатеркой и написала записку: *Achtung*! *Hier arbeitet ein Künstler*! — здесь работает, переведем так, человек искусства. И мы каждый день поднимались сюда и работали.

Но то место в финале не давалось. Вернулись в Рамлинсбург, я был расстроен, не понимал, как быть. Снова первым делом сел за стол, взял самую сильную лупу и опять стал смотреть в партитуру. Я надеялся, что, может быть, дорога, перемена места, возвращение домой мне помогут. Ничего не помогло. Там была какая-то нота в третьем голосе, и сколько я ни смотрел в самые сильные лупы, я не мог разгадать, что это за нота.

Пошли спать. На столике возле кровати лежала книга, которую я читал перед отъездом в Альпы: замечательные записные книжки Бетховена. Там был один лист: что надо подготовить перед сочинением Мессы Солемнис. Первое, пишет Бетховен, — достаточное количество нотной бумаги хорошего качества, хороших, качественных чернил. Или они тушью писали, не помню, но почему-то написано — "чернил", "тинте". Заказать достаточное количество первоклассных перьев, "махен лассен". "Махен лассен" — это заказать, сделать, приготовить таких перьев. А потом он пишет, какой должна быть музыка мессы. Ну конечно грустной, очень грустной, даже местами трагичной. Но ни в коем случае, никогда не безнадежной. Хоффнунгслозе никогда не должна быть.

И я стал не то чтобы молиться, но как-то обратился к Бетховену. За помощью обратился. Потом начал проваливаться в сон. И вдруг сам себе сказал: все равно, какая нота, это будет по-моему — ре-бемоль. Я считаю, что это будет ре-бемоль. И когда я мысленно написал туда ре-бемоль, меня взорвало всего. Я вспотел, как мышь. Потому что я услышал то, что я искал. Это была нота, которая превращала ми-бемоль мажор в доминант-септаккорд к ля-бемоль мажору. Один тон — и вы уже в фа-диез мажоре. А что такое фа-диез мажор? Я очень извиняюсь — это главная тональность всей симфонии.

Какой великий Бетховен. Я уверен, что он сквозь толщу времени протянул мне руку помощи. Я убежден, что эта нота понравилась бы и Малеру и меня бы одобрили Шостакович и Локшин.

Я сел в кровати, как после кризиса человек просыпается в поту, знаете, вот такое у меня было ощущение. Как будто я проснулся после страшного кризиса. И пока я не побежал вниз, оттуда, сверху, вот сюда, к столу, и не записал это, я не мог успокоиться. Но когда я это записал, меня захватила такая радость, которую трудно описать. И я заснул очень спокойно и спал счастливым сном довольно долго.

Премьеру моей реконструкции Десятой играл на рубеже веков лучший оркестр Германии: Юнге Дойче Филармони. Это оркестр, куда по конкурсу набирают самых талантливых молодых музыкантов, они играют один сезон и расходятся. И вот иногда он бывает лучше всех знаменитых оркестров. Так получилось и в тот раз, я отвечаю за свои слова. Главный знаток Малера, музыковед Джонатан Карр, поднялся на сцену и сказал: "Наконец мы имеем Десятую". Потом он написал мне замечательное большое письмо, но, к сожалению, скоро умер. Письмо осталось неотправленным, только полгода тому назад вдова Карра передала мне его.

Моя версия Десятой была издана, ее играют по всему миру. А совсем недавно знаменитое издательство "Сикорски" захотело напечатать "Искусство фуги". Я сказал: "Только сделаю окончательный вариант". Поэтому я снова полностью поглощен этой работой, и совершенно счастлив. И хотя мне нравится рассказывать вам о своей жизни, я чувствую, что немножко грешу: может, не стоило браться за эти мемуары, вместо того чтобы сосредоточиться на "Искусстве фуги". Но я наверстаю. Осталась пара тактов.

CORPUS 227

НОТА
Жизнь Рудольфа Баршая,
рассказанная им
в фильме Олега Дормана

Главный редактор ВАРВАРА ГОРНОСТАЕВА
Художник АНДРЕЙ БОНДАРЕНКО
Ведущий редактор ИРИНА КУЗНЕЦОВА
Научный редактор ЕЛЕНА ДВОСКИНА
Ответственный за выпуск ОЛЬГА ЭНРАЙТ
Технический редактор ТАТЬЯНА ТИМОШИНА
Корректор ОЛЬГА ИВАНОВА
Верстка АНДРЕЙ КОНДАКОВ

Настоящее издание не содержит возрастных ограничений,
предусмотренных федеральным законом "О защите детей от информации,
причиняющей вред их здоровью и развитию" (№ 436-ФЗ)

Общероссийский классификатор продукции
ОК-005-93, том 2; 953000 — книги, брошюры.

Подписано в печать 13.07.13. Формат 60×90 1/16
Бумага офсетная. Гарнитура *OriginalGaramondC*
Печать офсетная. Усл. печ. л. 22
Тираж 20000 экз. Заказ № 3651/13.

ООО "Издательство АСТ",
127006, г. Москва, ул. Садовая-Триумфальная, д. 16, стр. 3

Охраняется законом РФ об авторском праве. Воспроизведение всей книги
или любой ее части воспрещается без письменного разрешения издателя.
Любые попытки нарушения закона будут преследоваться в судебном порядке.

По вопросам оптовой покупки книг обращаться по адресу:
123317, г. Москва, Пресненская наб., д. 6, стр. 2, БЦ "Империя", а/я №5
Тел.: (499) 951 6000

Отпечатано в соответствии с предоставленными материалами
в ООО «ИПК Парето-Принт», г. Тверь. www.pareto-print.ru